PREFACIO

I

Una visión en perspectiva del arte a través del Museo.—Durante muchos años se ha venido explicando la historia del arte con un criterio historicista. Hoy día el paralelismo entre la historia y la historia del arte carece de sentido si se aparta del estudio directo de las obras. Nuevas metodologías han intentado en los últimos años dar una nueva sistemática a la ciencia que trata del estudio artístico; mas por lo general se han tomado las sistematizaciones creadas para otras ciencias como préstamo, y así se han aplicado al arte teorías procedentes del campo sicológico, sociológico o filológico (estructuralismo, semiología...), aplicadas con más o menos acierto por la crítica de vanguardia. Así, la sociología del arte traduce a su lenguaje particular la visión artística y la relaciona con el conjunto de la sociedad que le rodea; se intenta considerar la obra de arte como un objeto con las mismas características que tienen los demás objetos naturales; mientras que los sicólogos del arte consideran acertadamente que es poseedora de fuerzas misteriosas e invisibles para la generalidad de los seres humanos. No hay duda de que muchas de estas teorías son razonables mientras sean dirigidas por cauces lógicos; sin embargo la sicología o la sociología del arte ha de ser usada con precauciones. Algunos sicólogos limitan la obra de arte al momento de su creación por ·el artista, llegando a ver en ella los estímulos producidos por represiones u otros problemas de orden sicológico. Y ciertos sociólogos olvidan que además del ambiente humano que hace propicia la creación artística existen significaciones propias, muchas veces amparadas en la tradición, que sólo son explicables por la iconografía y otras ciencias auxiliares de la historia del arte. Así, la estética o filosofía del arte, al indagar en la belleza artística de forma específica y concreta —no pueden existir obras de arte sin valores estéticos— ayuda al contemplador a poder aproximarse a esas «cimas inalcanzables» que para Hauser son las obras artísticas.

Aunque los métodos de interpretar una obra de arte sean diversos, no hay duda que la familiarización con las obras mismas hace posible percibir más claramente su sentido. Quien habla de arte sin enfrentarse directamente con las creaciones cae en el peligro de realizar teorías sofisticadas, pues éstas son inexplicables sin polemizar con ellas. Desde Felipe de Guevara —como veremos más tarde— en el siglo XVI se ha insistido en la necesidad del diálogo entre el espectador y las creaciones artísticas, ya que ellas se expresan por medio de un len-

7

guaje particular, perceptible para el medio social en que fueron creadas, el cual será más o menos accesible al espectador actual: cuanto mayor preparación tenga estará mejor capacitado para percibir su significado, ya que el cambio de ambiente histórico o la necesidad del uso del símbolo hace en ocasiones difícil su desciframiento. Ahora bien, como todo idioma humano, si el aprendizaje es en sus comienzos fatigoso, luego su conocimiento hará posible el goce de la lectura de los valores estéticos, históricos, sociológicos, iconográficos..., con los que se logra el pleno dominio integral de la obra artística.

El visitante de un museo, en esta ocasión el del Prado, debe de realizar en sus primeras visitas un recorrido general siguiendo un orden cronológico-estilístico, lo que le dará una visión general de las obras conservadas con proyección «perspectívica». Luego podrá ahondar en cada obra dentro de su contexto estético y social, comenzando por la génesis de su proceso creativo, mas sin desintegrarla con un excesivo análisis que puede llevar a la obra de arte a una descomposición destructiva. Por ello en la segunda parte de este estudio intentamos ayudar al espectador a adentrarse en las admirables colecciones del Prado recorriendo paso a paso sus salas a través de secuencias estilísticas. En la tercera parte estudiamos más detenidamente cien obras escogidas siguiendo un proceso analítico, pero intentando destacar sus valores abstractos. Quizá nos hemos excedido en el comentario de los problemas iconográficos, mas no nos hemos podido evadir del peso que el Warburg Institute —a través de nuestros maestros y lecturas— ha dado a nuestra formación universitaria, pues el que fué uno de sus más importantes miembros, Panofsky, «ha aportado un nuevo método para la comprensión general y universal de las obras de arte» (Francastel). Ahora tampoco hemos olvidado que el artista no transporta sus ideas al lienzo o a la escultura sin un perfecto dominio de la técnica, la cual confiere a la obra de arte no sólo su cualidad, sino su propia existencia.

Breve historia de las colecciones.—En la etapa medieval las pinturas de las colecciones reales tenían una misión semejante a la de los tapices: servían, por lo general, para decorar los palacios donde provisionalmente residían los soberanos. Los reyes de los distintos estados peninsulares encargaban especialmente obras a los pintores para hacer donación a capillas de fundación real y muy pocas veces mandaban hacer sus retratos. Aun en el siglo XV reyes coleccionistas, como Juan II e Isabel la Católica, trasladaban continuamente de lugar sus tesoros artísticos; a la muerte de éstos, siguiendo la costumbre, fueron puestos en subasta pública. Aunque algunos de los cuadros fueron donados a iglesias y monasterios, así una buena parte de la colección de Isabel pasó a la Capilla Real de Granada, donde parcialmente se conserva.

Carlos V deja, en cambio, la mayoría de las obras por él reunidas al heredero de la corona. Y será Felipe II quien por primera vez convierte un palacio —el de El Pardo— en *galería de pinturas*, haciendo realidad el deseo de don Felipe de Guevara, gentilhombre de su padre, de que se expongan las pinturas, «porque encubiertas y ocultadas se privan de su valor, el cual consiste en los ojos ajenos y juicios que de ellas hacen los hombres de buen entendimiento y de buena imaginación». Esto se hace posible al fijar Felipe II la Corte en Madrid. En el *Inventario* de El Pardo de 1564 se citan obras que actualmente están en el Prado, como la *Danae* de Tiziano; pero la mayor parte de las pinturas reunidas en este palacio fueron destruidas por un incendio en 1604. Esta galería sólo era visitable para personajes de alcurnia o intelectuales. En cambio, fue abierta a un público más amplio la colección organizada por el mismo rey en el monasterio de El Escorial; ya en el *Inventario de alhajas, pinturas... 1571-98*, publicado por Zarco, aparecen unos 1.150 cuadros. Por primera vez era expuesta en la Península Ibérica una auténtica pinacoteca.

Felipe IV, el nieto del Rey Prudente, logrará poseer una colección sin par en su tiempo, pues no solamente se rodea de los más importantes artistas españoles del momento, sino que entre sus pintores áulicos, además del admirable Velázquez, se pueden incluir a extranjeros como el propio Rubens. Pero no se conforma con la adquisición de obras maestras contemporáneas, sino que ordena a sus embajadores la compra de las más importantes pinturas que aparezcan en las grandes almonedas; así adquiere, por medio de su embajador Cárdenas, obras tan importantes como el de Mantegna o el *Autorretrato* de Durero en la subasta de los bienes de Carlos I de Inglaterra (d. 1645); o el de Tiziano y otras obras maestras de Van Dyck y del propio Rubens en su testamentaría. Y a Velázquez le encarga la búsqueda de esculturas y pinturas en Italia, que trae en 1651. Gran parte de estas obras, en particular las religiosas, enriquecieron aún más el Monasterio de San Lorenzo del Escorial. Así Velázquez, en 1656, lleva personalmente «cuarenta y una pinturas originales, de las cuales hizo el pintor una descripción y memoria». Entre ellas el espléndido *San Ildefonso* del Greco, que junto al *San Pedro* constituyen una reivindicación del cretense. Fue este monasterio el antecedente museístico más directo del Prado, y en gran parte una de las principales canteras de donde provienen sus fondos —junto con los palacios reales— ya que en el siglo XIX pasaron ciento cuarenta pinturas de El Escorial al museo madrileño, y al terminar la última guerra civil se incorporaron obras de la importancia del *Descendimiento* de Van der Weyden y el *Jardín de las Delicias* del Bosco.

La idea de un museo de pintura en Madrid aparece ya en 1774 en una carta de Mengs al erudito viajero Ponz, en la que se decía: «Desearía yo que en este Real Palacio (Oriente) se hallasen recogidas todas las preciosas pinturas que hay repartidas en los demás Sitios Reales y que estuviesen puestas en una Galería»; el pintor checo además advierte que se hiciera sistemáticamente. Pero hasta que no se suprime la Compañía de Jesús y se trasladan los cuadros que le habían pertenecido a la Academia de San Fernando, no se establece una verdadera galería pública en la capital de España. Allí se guardaron, aunque esta vez en habitaciones cerradas, los *desnudos* reunidos por Carlos V, Felipe II y Felipe IV, cuando estuvieron a punto de perecer por las presiones del confesor de Carlos III, el nefasto Fray Joaquín de Eleta; más la intervención del Marqués de Santa Cruz —consiliario de la Academia— salvó estas obras maestras, aunque permanecieron encerradas allí hasta 1827. Durante la ocupación napoleónica de Madrid fueron exhibidas, pero también se perdieron dos obras de Tiziano: *La Venus dormida* y una *Danae*.

José Bonaparte, en 1810, decretó la formación de un Museo de Pintura, que debía formarse con los fondos incautados a las Ordenes religiosas y a Godoy; el proyecto no prosperó. Es con la restauración de Fernando VII, en 1814, cuando se decide la erección del Museo Nacional de Pinturas, aprovechando el Palacio de Buenavista. Mas el 20 de noviembre se ordena que las colecciones sean expuestas en el edificio que Juan de Villanueva había proyectado en el año 1785 para Museo de Ciencias Naturales y que en 1808 estaba virtualmente acabado. Esta obra maestra del neoclásico, al estar situada en un lugar céntrico y concurrido —el

Paseo del Prado— era entonces el lugar idóneo. Así, el 26 de noviembre se promulga la Real Orden de su creación definitiva. María Isabel de Braganza, con quien se casó Fernando, en 1816, se preocupa de acelerar las obras de adaptación del edificio. El 4 de febrero de 1819, el rey visita oficialmente el Museo e inspecciona los últimos retoques; quince días después, sigilosamente —lo que será tradicional en el Prado para todos sus actos— es abierto al público. Tan sólo estaban expuestas trescientas once pinturas, de las que el Conserje Mayor, Luis Eusebi, redactó un breve *Catálogo*.

Cuando el 29 de septiembre de 1833 muere Fernando VII, está a punto de sobrevenir una tragedia al incipiente museo, pues en su testamento se consideraban los tesoros del Prado bienes inventariables a repartir entre sus dos hijas. Menos mal que una cabal comisión dictaminadora opinó «que no debieran haberse inventariado monumentos de nuestras glorias y antigua grandeza, que de tiempos muy remotos... venían poseyendo los reyes». Para que no se efectúe el reparto se recomienda indemnizar a la hermana de Isabel II. Tres años más tarde, por fin, se constituye la Junta directiva del Real Museo, entre cuyos miembros están los pintores Vicente López y José de Madrazo. Este mismo año también se había fundado el Museo de La Trinidad, con cuadros procedentes de los conventos extinguidos; fondos que luego pasaron al Prado. Cesa la *Junta* en 1838 y se designa director a José de Madrazo. Su gestión es fructífera: amplía el Museo, abre nuevas salas y redacta un meticuloso *Catálogo*, cuya publicación se efectuará cinco años más tarde. Por fin, en 1865, se incluyen entre los bienes del Patrimonio de la Corona al Museo, que siete años más tarde será enriquecido con las obras de La Trinidad, hoy en parte depositadas en otros centros, lo que ha hecho imposible —hasta ahora— una visión de conjunto de la escuela madrileña.

Junto a la dirección, el organismo rector del Prado será el *Patronato*, el cual se crea en 1912. Al pertenecer a éste miembros influyentes en la política, se hace posible que entre 1914 y 1920 se realicen ampliaciones. Mientras tanto, en 1918, se efectúa el escandaloso robo de alhajas del «Tesoro del Delfín». Luego se harán sucesivas e importantes obras, como el abovedamiento de la galería central con hormigón armado en 1927, y en 1931 la instalación del legado Fernández-Durán, en las salas altas, donde todavía allí espera que cada objeto sea colocado en el lugar correspondiente.

Con la guerra civil, el 30 de agosto de 1936 el Museo cierra sus puertas; en noviembre comienza la evacuación de obras de arte, primero a Valencia, y al final de la contienda a Suiza. Tan sólo sale dañada *La Carga de los Mamelucos* de Goya, al desprenderse del camión que la transportaba. En 1939, el 7 de julio, el Prado abre otra vez sus puertas: faltan cuadros que se exponen por entonces en Ginebra con un éxito sin precedentes, pero los comienzos de la Guerra Mundial obligarán una apresurada clausura, siendo repatriadas las obras por líneas ferroviarias desviadas y con las luces apagadas; pero una vez más la suerte favoreció al Prado. En 1941, por intercambio con Francia, se instala la *Inmaculada Soult* de Murillo y la *Dama de Elche* (esta última ha sido transferida recientemente al Museo Arqueológico Nacional). Y este mismo año don Mariano de Zayas dona importantes esculturas antiguas. En 1942 se construye la escalinata que da acceso simultáneo a las plantas baja y alta; organización arquitectónica usada por Haan seguidor de Villanueva, en la antigua Universidad de Toledo, hoy Instituto de Enseñanza Media. También se comienza la sustitución del pavimento de madera por suelos pétreos, a causa de razones de incombustibilidad; es de añorar la pérdida del bellísimo de la galería central semejante al que hoy conserva el Louvre. Y, en 1956, se realizan nuevas ampliaciones hacia la iglesia de los Jerónimos.

Con la muerte del pintor Alvarez de Sotomayor, el 17 de marzo de 1960, que desde el fin de la Guerra Civil había tenido el cargo de director, por primera vez en la historia del Prado un historiador del arte, don Francisco J. Sánchez-Cantón, logra el puesto rector. Desde entonces los directores han sido escogidos entre prestigiosos científicos; así han continuado su labor don Diego Angulo Iñiguez, entre cuyos aciertos destaca la adquisición del retrato del *Duque de Lerma* de Rubens, y últimamente don Francisco Xavier de Salas, especialista en museología, que con la colaboración de un eficiente equipo (existen hoy tres subdirecciones) realiza sistematizaciones y reformas que valorizan las colecciones. Así, la actual dirección y patronato espera muy pronto acondicionar climáticamente las salas para preservar los tesoros de la contaminación atmosférica. Recientemente se ha presentado un monumental proyecto para una futura ampliación del Prado, aprovechando el claustro y dependencias del antiguo monasterio de los Jerónimos.

En 1971 se han incorporado los fondos de pintura españoles del siglo XIX, conservados en el antiguo Museo de Arte Moderno, siendo instalados en el Casón del Buen Retiro; al tener una subdirección aparte que le da cierta interdependencia, se apartan del tema aquí tratado.

Mas esta ampliación al aproximar las colecciones del Prado al arte de nuestros días lo revitaliza, convirtiéndolo no sólo por la importancia de sus colecciones pictóricas, en una de las más importantes pinacotecas del mundo —sólo debilitada en sus colecciones de pintura holandesa y de primitivos italianos por motivos históricos— sino en el *museo vivo* que todos deseamos.

Expreso aquí mi agradecimiento a don Diego Angulo, don José Manuel Pita Andrade y doña María Elena Gómez-Moreno que me iniciaron en el conocimiento directo de las pinturas del Prado. Muy útiles también han sido mis conversaciones durante años con don José Camón Aznar y el Marqués de Lozoya, a los cuales debo en gran parte mis preocupaciones estéticas. No puedo dejar de recordar al antiguo director del Museo, don Francisco Javier Sánchez Cantón, que desde mi primer año de carrera atendió pacientemente mis preguntas y escuchó mis sugerencias, alguna de ellas citada en su Catálogo. *También doy las gracias al actual director don Francisco Xavier de Salas, y a mi compañero y subdirector don Alfonso Pérez Sánchez por la ayuda prestada; y a don José Manuel Cruz Valdovinos, colaborador en la ingrata tarea de la corrección de pruebas. Ni me olvido de mencionar al Fondo de Ayuda a la Investigación del Ministerio de Educación y Ciencia, sin el cual hubiera sido imposible los resultados obtenidos en ciertas investigaciones aquí expuestas.*

LA PINTURA MEDIEVAL

II

EL ROMANICO

Lo mismo que la Civilización occidental el Arte después de la caída de Roma se sumerge en las tinieblas, el sentido universalista del Arte clásico se desintegró en la pluralidad de los estilos nacionales y locales; así, en España se desarrollan consecutivamente el visigodo, asturiano y mozárabe. Mas cuando al parecer el arte europeo ha llegado a una total desintegración, una serie de causas religiosas, económicas y sociales van a dar impulso a la creación de un nuevo estilo artístico unitario, el Románico. Que ya no será el de un Imperio, el Romano; sino el de un ideal espiritual, la Cristiandad.

Nace el Románico, cuando el latín se va descomponiendo en las lenguas romances; al desaparecer la unidad idiomática, gracias al arte se logrará el nuevo nexo de unión, que junto con las peregrinaciones a Compostela y Roma, enlazará a los pueblos europeos. Este nuevo «idioma universal» hará posible que el peregrino o el viajero pueda leer sin traducir los mensajes expresados por una nueva figuración, ya sea representada en las fachadas o capiteles de los edificios de forma escultórica, o pictóricamente en las paredes y bóvedas.

Bajo las órdenes de los *maestros maçoneros* se construyen edificios, en donde arquitectura, escultura y pintura forman una sola estructura orgánica. De ello deriva que la pintura, al subordinarse a la arquitectura, tenga un carácter a la vez que teológico, decorativo. Por lo general estas decoraciones pictóricas son de carácter religioso, aunque en algunas ocasiones existan narraciones con temática profana, como ocurre en las pinturas más antiguas de San Baudelio de Berlanga (L. I).

Las pinturas románicas generalmente están realizadas al *fresco*, pero la incapacidad de dominar esta técnica, hace necesario efectuar retoques al óleo o al temple. Las figuras que en ellas aparecen, están sometidas a un proceso de abstracción que deriva del sentido de expresividad creativa característico de los maestros anónimos que las realizaron. Por ello, esta pintura, cuyo aplanamiento y bidimensionalidad tiene orígenes bizantinos, camina hacia una dirección realista-expresionista, e intenta por medio de manchas de color en rostros y manos, vivificar los tonos aplanados y buscar sensaciones volumétricas que se lograrán plasmar en el gótico.

Aunque Cataluña es la región de la Península Ibérica más rica en pinturas románicas, no por ello Castilla deja de tener sorprendentes ejemplos. Así destacan 13 las que se conservan *in situ* en San Isidoro de León, o las que procedentes de San Baudelio de Berlanga (Soria) (L. I), y de la ermita del Maderuelo (Segovia) (L. II), han pasado parcial o totalmente al Prado, las cuales son comentadas ampliamente en el texto que acompaña a las láminas.

EL GOTICO

El estilo gótico surge al evolucionar el románico hacia formas más esbeltas y espiritualizadas. En el mundo cristiano ha penetrado una oleada de ternura que cuajará literariamente en la *Leyenda Dorada* y en las *Florecillas de San Francisco*; lo que antes era expresión terrorífica ahora se convierte en lírica. La arquitectura busca al cielo por medio de sus torres, mientras que en los interiores se logra el «espacio místico». El predominio de los vanos sobre los macizos, al contrario de lo que ocurría en el románico, hace surgir los maravillosos vitrales, y aunque no desaparecen del todo los frescos, serán los retablos, muchos de ellos patrocinados por los gremios —que en este momento alcanzan su florecimiento— las principales pinturas que adornan los edificios religiosos. Estos nacen y son de muy pequeño tamaño (*retrotabula*) en el románico, pues en la etapa gótica es cuando van a desarrollarse, llegando en el siglo xv en España a cubrir los testeros de las iglesias y catedrales.

Al primer período de la pintura gótica española, se le denomina *franco-gótico* o *lineal*. Surge en el siglo xiii y dura hasta mediados del siglo xiv. Sus primeros ejemplos —ya sean en frontales, *retrotabulas* y pinturas murales—, apenas se distinguen de los románicos, llegando algunos autores a incluirlos dentro de este estilo. Como sucede con el *Frontal de Guills* (C. 3.055), de fines de siglo y procedente de la iglesia de dicha villa gerundense.

Cada vez los perfiles, por influencias que llegan de Francia y aún de Inglaterra, se hacen más curvilíneos y estilizados, aunque las telas conservan durezas de aristas en sus pliegues. La técnica de la pintura de caballete, durante casi todo el período gótico, será la de una *grisalla*, a la que se ilumina coloreándola. Poco a poco los medios tonos y el sombreado van a vivificar los cuerpos, lográndose por la ilusión plástica una tercera dimensión, que modelará los volúmenes de las figuras, mas no los fondos, pues la perspectiva sólo comenzará a interesar a algunos pintores italianos en el siglo xiv, y su desarrollo será alcanzado en la pintura europea a lo largo del siglo xv. Por ello en el *estilo lineal*, el paisaje estará planificado y ocupará una gran parte del cuadro, permitiendo así colocar múltiples figuras, que cubrirán la superficie (*horror vacui*); en algunas ocasiones serán sustituidas por un fondo neutro dorado.

La evolución iconográfica también ha de tener una gran importancia en los comienzos del gótico; así, además de las historias de Cristo y la Virgen, usuales en el Románico, van a introducirse escenas de vidas de santos, tomadas casi siempre de la *Leyenda Dorada*. Todas estas características se dan en un importante retablo, que el Prado acaba de incorporar a sus fondos, gracias a una donación particular (cuyo ejemplo debería cundir). Está este retablo dedicado a la *Vida de San Cristóbal*, y procede de la Rioja. En él existen recuerdos de la pintura mural navarra de la primera mitad del siglo xiv, pero deberá fecharse a fines de este siglo, ya que está relacionado con las tablas del monasterio de San Millán de la Cogolla, con escenas de la vida del santo titular; y, con la «obra príncipe» de esta escuela: el retablo de *Quejana*, fechado en 1393, y que de la región alavesa ha pasado al Museo de Chicago.

Cronológicamente, el segundo momento de la pintura gótica en la Península Ibérica corresponde a una corriente estilística, que procedente de Italia; va sustituyendo el linealismo galo para adentrarse en el gótico. El *estilo italo-gótico* comienza en la segunda decena del siglo XIV, perdurando hasta mediados del siglo XV; será Cataluña la región más temprana y fuertemente influenciada, puesto que el Mediterráneo es en el medievo la vía de comunicación más idónea para enlazar a los pueblos ribereños. La estancia de Simone Martini en Avignon, servirá para estimular la difusión de la manera senesa fuera de la Península italiana, puesto que allí acuden pintores como Ferrer Bassa (m. 1348), que será su introductor en España. Sus obras maestras son los frescos que decoran una capilla del claustro del Monasterio de Pedralbes (Barcelona), donde las influencias senesas se conjugan con las giottescas. Al más inmediato de los seguidores de Giotto, Tadeo Gaddi, se le atribuyen en el Prado dos delicadas tablitas con escenas de la vida de San Eloy (L. III). Aunque lo giottesco marca un paso hacia la realidad, pues busca nuevas sensaciones de plasticidad en las figuras, sin embargo, los hermanos Jaime y Pedro Serra, quienes trabajan en la segunda mitad del siglo, vuelven las espaldas a estas nuevas formas artísticas, cultivando el dulce estilo senés, pero interpretándolo con una gran originalidad. El Prado ha adquirido las dos calles laterales del hermoso retablo que centraba la famosa *Virgen del Tobed* (h. 1373) (Col. particular, Barcelona), obra de colaboración, aunque se percibe una mayor participación del cabeza de la escuela, Jaime; en ellas se representan historias de la Magdalena y San Juan (C. 3.106-7); de los Serra es también una deliciosa *Virgen de la Leche* (C. 2.676), en la que se reduce la enorme del Tobed.

En Castilla el estilo italo-gótico, alcanza, aunque tardíamente, las cumbres más señeras. Será el gran artista Jacopo Starnina, quien hacia 1380 lo introducirá en Toledo. Este florentino, que abandona su ciudad debido a motivos políticos-sociales —pues era un *ciompi*, es decir, un defensor a ultranza de la igualdad de los hombres, basándose en el ejemplo franciscano—, dará una nueva expresión a las formas giottescas, abriendo paso a las futuras ideas renacientes, que desarrollarán sus continuadores Masolino y Masaccio. Ello es percibible, a pesar de los repintes realizados por Juan de Borgoña en el retablo de *San Eugenio*, de la Catedral Primada. En el claustro de ésta, y en la capilla de San Blas, aún se conservan, a pesar de su abandono, restos de frescos, en los que junto con él ha trabajado el pintor local Juan Rodríguez de Toledo, posible autor del retablo del *Arzobispo Sancho de Rojas* (h. 1420; C. 1.321), dedicado a la «Vida de Jesús», que pasó a la iglesia de San Román de Hornija procedente de San Benito de Valladolid, donde fue sustituido por el de Berruguete; a los pies de la *Virgen*, que centra el retablo, se halla el prelado toledano, y el rey Don Fernando *de Antequera*. Más tarde aún se perciben influencias estarninescas en el notable de *San Juan Bautista y Santa Catalina* (L. V), obra de Juan de Peralta, el llamado Maestro de Sigüenza; mas éste ya se halla dentro del *gótico internacional*.

De la tercera periodización del gótico tiene el Prado importantes ejemplos; posiblemente el más significativo es el *Retablo de San Felipe de la Bañeza* (L. IV), ejecutado por el más destacado representante del estilo en Castilla: Nicolás Francés (m. 1468). Su apellido apenas sería indicio de su origen, si no acompañaran a su estilo las características pictóricas del *gótico internacional*, pues en este momento, junto a influencias italianas, surgen las de los miniaturistas de las cortes europeas. Y la perspectiva comienza a dar a los fondos un sentido espacial y atmosférico, acentuando el lirismo que se perfilaba en el primer gótico, como se puede percibir en esta obra de Nicolás Francés.

En la Corona de Aragón (incluyendo Cataluña, Valencia y las Baleares), el *estilo internacional* con Borrasá (C. 2.675) y Martorell, alcanza un gran auge. Las *Vírgenes con el Niño* (C. 2.707), posiblemente son una de sus más bellas creaciones. En Aragón aparecen coordinadas influencias germánicas y orientales como en el *Retablo de San Miguel* (h. 1450; C. 1.332), procedente de Arguis, donde lo mismo que en el dedicado a San Vicente (L. VI), surgen ingenuidades, que hoy parecen rasgos de humorismo. Este sentido arcaizante y el arabesco curvilíneo desaparecerán totalmente con la repercusión en la Península del *estilo flamenco*, el cual corresponde al último florecimiento del gótico.

LA HERENCIA DE BORGOÑA

Los primitivos flamencos.—Al norte del ducado de Borgoña, en lo que hoy día es Bélgica y Holanda, aparece el epicentro de un movimiento pictórico, que si en algunos aspectos es paralelo al que venía efectuándose en Italia —algunos lo designan como «renacimiento nórdico»—, en otros se aleja de él, pues busca un humanismo distinto del italiano, basado no en ideas, sino en la propia realidad. Ahora bien, estos dos movimientos artísticos y culturales surgen en el momento que el gótico europeo había tomado un sentido estereotipado, semejante al que siglos antes había reducido al arte bizantino a una pura repetición. Mas cuando parecía que la salvación sólo podría venir de Italia, un pintor llamado Jan van Eyck (m. 1444), dará un sentido naturalista a la pintura de gran parte de Europa; para ello, su estilo se basará en una depurada técnica, lograda por la perfección de la pintura al óleo; con capas de veladuras pacientemente dadas, conseguirá dar a las figuras un carácter realista, especialmente en los rostros y en las manos, pues los pliegues aún conservan duras aristas, y adquieren formas tubulares tomadas de la escultura en madera. España, lugar que visitó, ha perdido obras esenciales de Jan van Eyck, como el *Matrimonio Arnolfini*, que hoy debería estar en el Prado, pues fue robado por las tropas napoleónicas del Palacio Real de Madrid, y, «recuperado» por los ingleses; por ello verdaderamente no es la National Gallery de Londres su legítimo poseedor. Nuestro Museo sólo conserva una obra realizada en colaboración con su taller: *La Fuente de la Gracia* (L. VIII), relacionada con su obra maestra, el *Retablo de San Bavón de Gante*. Van Eyck es un espléndido retratista; así, además de los *Arnolfini*, donde logra captar una admirable escena hogareña y usa el espejo como «repossoir», logrando ampliar una minúscula estancia, como luego hará Velázquez en *Las Meninas* (L. LXXIV), realiza otros retratos en los que logra una gran intimidad, especialmente en el de su mujer *Margarita;* otras veces incorpora al retratado dentro de un ambiente religioso, como en las Vírgenes del *Canónigo van der Paele* y del *Canciller Rolin;* en esta última introduce la perspectiva paisajística en la escena, pasando de un interior al aire libre; y sin descuidar las estructuras espaciales, retrata líricamente la más ingenua florecilla. De su mejor discípulo, Petrus Christus (m. 1472-1473) —llamado el «Leonardo flamenco», por la sonrisa melancólica que dimana de sus rostros—, conserva el Prado una delicada *Virgen con el Niño*

(C. 1.921), cuyo paisaje se convierte en un camino sin fin, característica —como ha dicho Spengler— de la pintura norteña.

Realizada por el grupo de pintores de Tournai existe una serie de obras íntimamente ligadas, aunque con ciertas diferencias, las cuales han sido asignadas al Maestro de Flémalle. Actualmente su personalidad ha sido desligada en tres personajes: Robert Campin, su discípulo Van der Weyden, y el condiscípulo de éste Jacques Daret. Aunque la hipótesis de Renders, que atribuye casi la totalidad de pinturas del grupo a Weyden, parcialmente es admisible: la *Santa Bárbara* (L. IX), y su pareja, el retrato de *Enrique de Werl*, junto con otras obras, deben ser de primera juventud de Weyden, pues estilísticamente están cercanas a las *Escenas de la Pasión*, conservadas en la Capilla Real de Granada, y en cambio se apartan de la *Anunciación* (C. 1.915) y de los *Desposorios de la Virgen* (C. 1.887), en las que existe un mayor goticismo, por lo que deben ser anteriores y obras dubitativas de Jacques Daret o su maestro Campin. Además del impresionante *Descendimiento* (L. X), donde aún se perciben ciertas influencias de Campin, conserva el Prado de Roger van der Weyden (m. 1465) una de sus más delicadas *Piedades* (L. XI) y una encantadora *Virgen con el Niño* (C. 2.722) cuyo fondo negro debe ser producto de un desdichado repinte. El *Tríptico de Cambrai* (C. 1.888-92) debe ser en parte de Franck van der Stock, su discípulo bruselés y el continuador del taller.

El haber pasado la importante *Adoración de los Reyes* de Hugo van der Goes de Monforte de Lemos al Museo de Berlín, ha privado a nuestra primera pinacoteca de poseer una obra maestra de este inquietante artista. En cambio, conserva un buen ejemplo de su maestro Dierick Bouts (m. 1475), un políptico con escenas referentes al *Nacimiento de Cristo* (C. 1461), obra de juventud donde la rechonchez de las figuras le da un marcado sentido popular, característico de la pintura holandesa de aquel entonces, pues Bouts había nacido en Harlem; luego sus figuras se estilizan, como en el *Juicio del Emperador Otón* (Bruselas) y en el tríptico de la Capilla Real de Granada.

En la segunda mitad del siglo es en Brujas donde se producirá un nuevo florecimiento pictórico; el desarrollo bancario e industrial, creará una nueva clase: la burguesía; ésta exigirá —por afán de perpetuarse— que sus capillas sean decoradas lujosamente y que sus retratos sean pintados con el mayor realismo. Se logrará con el establecimiento en esta ciudad de un pintor de origen alemán Hans Memling (m. 1494), quien sigue en los primeros momentos la línea de Weyden, aunque dulcificando las formas, ya que traduce el lenguaje vigoroso de su maestro a un estilo de sabor romántico, de suavidades feminoides, muy alejado del que cultivaban generalmente sus compatriotas. Ello es perceptible en el tríptico centrado por la *Adoración de los Reyes* (L. XII), o en la *Virgen y el Niño* (C. 2.543). Le continuará en el taller brujense el holandés Gerard David, apasionado de las formas verticales, como las del *Reposo en la huida a Egipto* (C. 2.643), donde los mismos árboles tienden a agudizar el sentido ascendente del cuadro. Muere el 1523; y a su vez, se ciega el puerto de Brujas.

En un mundo aparte, lejos de las ciudades cortesanas o burguesas, en la pequeña ciudad de Bois le Duc (sur de Holanda), nació y habitó un pintor cuya fantástica originalidad sólo será igualada en nuestros días, Jerónimo van Aeken (m. 1516), llamado en España *el Bosco*, el cual será uno de los más meticulosos técnicos de la pintura de su época, lo que hace posible el expresar artísticamente su protesta contra las formas de vida de su época; pues con fogoso y delicado colorido logra efectos sorprendentes fundiendo los tonos con la luminosidad. Gracias a Felipe II, la pinacoteca madrileña posee la más importante y sorprendente colección de sus obras, las cuales quedan comentadas amplia y merecidamente en los textos explicativos.

Las influencias nórdicas en España.—En la segunda mitad del siglo xv, entra de lleno España en la órbita flamenca, rechazando, aunque no totalmente, las dulces sugerencias del Renacimiento italiano. La aportación de obras maestras de la pintura nórdica, abonan el campo en que fructificará el estilo. Así, Alfonso de Aragón poseyó dos de van Eyck; un tríptico del famoso pintor, conservado hoy en parte en el Metropolitan de Nueva York, estaba en la cartuja de Miraflores (Burgos); y *La Fuente de la Gracia*, que se encontraba en el Monasterio de El Parral (Segovia), antes de pasar a Madrid.

La primera obra conocida dentro ya del estilo *hispano-flamenco* y con la que se abre el «otoño» de la pintura peninsular, es la *Virgen de los Concellers* (1443, Museo de Arte de Cataluña), realizada por Luis Dalmau después de su regreso a Cataluña, obra de clara inspiración eyckiana. El Prado tiene una obra de Jaime Huguet (m. 1492), la figura que centra este estilo en la Corona de Aragón; es una *Cabeza de profeta* (L. VII) de gran expresividad, ya alejado del estilo de su maestro Martorell. Ahora bien, nunca se incorpora del todo a las corrientes naturalistas flamencas, pues técnicamente mantiene reminiscencias italianas, y en las formas aún sigue fiel a la línea serpentina del estilo internacional, lo que da a su pintura un delicioso eclecticismo. Uno de sus más próximos seguidores es Pedro García de Benabarre, como lo demuestra sus escenas de la *Vida de San Policarpo y San Sebastián* (C. 1.324-25) Por el contrario, el genial e inquieto nómada Bartolomé Bermejo (activo entre 1473 y 1495) que aunque cordobés, deambula por casi todo el Reino de Aragón, logra expresar su flamenquismo con un vigor digno de su posible y genial maestro el portugués Nuno Goncalves, ya que la plasticidad monumental será su principal característica, como lo denota su majestuoso *Santo Domingo de Silos* (L. XIX). Su estilo se difunde a fines de siglo por todo el Reino de Aragón, así en el zaragozano Miguel Ximénez, compañero de Martín Bernat, del que el Prado guarda un banco de retablo (C. 2.519).

También en Castilla, a mediados de siglo, se abandonan las formas italianas introducidas por Starnina, y desarrolladas dentro ya del Renacimiento en Salamanca por Nicolás Florentino. Tempranamente el Maestro de Sopetran, incorporó el estilo de Weyden a la región central; en unas tablas en que aparece el hijo del marqués de Santillana, su relación con el maestro posiblemente es tan intensa que hace pensar en una formación flamenca (C. 2.576). El poeta de «Las Serranillas», será retratado en el *Retablo de los Angeles* (Col. duque de Medinaceli), por el más importante pintor del momento: Jorge Inglés; el Prado, por desgracia, no conserva ninguna obra suya importante, dubitativamente se le atribuye una mediocre *Trinidad* (C. 2.666). En cambio, del último gran pintor castellano dentro de este estilo Fernando Gallego, existen tres importantes obras: *La Piedad* (C. 2.998), *El Calvario* (C. 2.997) y especialmente por sus calidades destaca el *Cristo entronizado* (L. XX), donde existen claras influencias flamencas, mientras que en las dos primeras hay ecos de artistas germanos o franceses de la región del Rhin; especialmente tienen fuertes concomitancias con el estilo de Conrad Witz y con los grabados de Schongauer, lo que indica que deben ser posteriores, pues conforme avanza su vida camina hacia un mayor expresionismo, en el que se crispan las actitudes y se hacen más retorcidos los paños. Aunque su pintura tiene orígenes exóticos, se piensa que ha nacido en la región salmantina o zamorana (entre 1440-45), basándose en la toponimia.

En la época de los Reyes Católicos, es cuando logra Castilla su mayor florecimiento artístico que acompañará al político y económico. No sólo se importan gran cantidad de obras flamencas, sino que artistas nórdicos vendrán a España; entre ellos destacan dos pintores que trabajan para Isabel la Católica, Michel Sittow y Juan de Flandes: el primero es un ruso venido de las orillas del Báltico; Juan de Flandes, en cambio, está formado junto a Gerard David. Juntos realizan el *Políptico de la Reina Católica*, conservado en parte en el Palacio Real de Madrid; el propio Juan realiza el retrato de la reina (Palacio de El Pardo), y para la catedral de Palencia pinta las tablas de su Retablo Mayor; de la iglesia de San Lázaro de esta ciudad proceden diversas *Escenas de la vida de Cristo* (L. XXI).

PINTURA MEDIEVAL

MAESTRO DE BERLANGA: Cacería de liebres.

HERMANOS SERRA:
Historias de la Mag-
dalena.

ANONIMO ESPAÑOL: Retablo de San
Cristóbal.

GALLEGO: La Piedad.

WEYDEN: La Virgen con el Niño.

EL RENACIMIENTO

III

SUS COMIENZOS ITALIANOS

Renacimiento, significa *volver a nacer;* o sea, despertar las formas clásicas adormecidas durante la Edad Media. Mas como ha demostrado Panofsky, a veces el clasicismo ha tenido algunas resurrecciones en la etapa medieval. Así en el arte carolingio y en algunos momentos del gótico y del románico, se perciben formas procedentes del mundo antiguo; podríamos añadir, que en el arte visigodo y sobre todo en el asturiano, las formas clásicas resurgen, en ocasiones, con gran pureza. Sin embargo, donde verdaderamente nace el auténtico Renacimiento es en Italia, y en la ciudad de Florencia. Aunque sus balbuceos pictóricos comiencen con Cavallini, Cimabue y Giotto en el siglo XIV, es un siglo después, en el *quattrocento*, cuando va a lograr su total estructuración. El artista renaciente, aunque desea seguir los patrones clásicos y hacer brotar nuevamente al arte romano de sus ruinas, crea un estilo original, distinto del clásico. La curiosidad humanística que intenta captar los secretos del hombre y del mundo por la observación, también implica a los propios artistas. En ellos el nuevo espíritu científico pesa de tal forma que en el arte del momento aparecen estructuraciones logradas por una actividad especulativa. Así los estudios de la geometría y de la ciencia de los números, desarrollados por los científicos musulmanes, determinarán las *proporciones;* y, la *perspectiva*, aplicación de lo infinito dentro de un espacio finito, será lograda por medio de cálculos rigurosos. Ello es una novedad dentro de la Historia del Arte, aunque la vuelta al *bulto pleno* y la búsqueda del *escorzo*, no sólo tengan antecedentes en la antigüedad, sino también medievales. La misma *iconografía*, en gran parte, seguirá siendo la medieval cristiana, aunque coexistan junto a las figuras de Cristo, de la Virgen y de los Santos, temas mitológicos, casi desaparecidos en la anterior etapa.

Un pintor radicado en la confluencia entre las formas renacientes y las tradiciones medievales es Beato Angélico (Giovanni de Fiesole, d. 1387-1455), cuyo nombre antes de tomar el hábito fue el de Guidolino di Pietro. En su obra aún perduran las formas curvilíneas del estilo gótico internacional, sin embargo llega a preocuparse por la nueva luminosidad y las estructuras volumétricas, como se observa en su maravillosa *Anunciación* (L. XXII).

Existe un paréntesis de obras importantes del Renacimiento florentino en el Museo del Prado, que se hubiera completado si en lugar de donar Carlos III

21

su colección de pintura procedente de la familia Farnesio, a la ciudad de Nápoles (Museo de Capodimonte), la hubiera traído a Madrid. Así hasta los cuadros en que se narra la *Historia de Nastagio degli Honesti* (L. XXIII-IV), de Sandro Botticelli (1444-1510), no existe ninguna obra importante de este momento. Si en el Beato Angélico las figuras son expresadas serenamente y con beatitud contemplativa, en Botticelli los personajes son inquietos y melancólicos. Sus *Vírgenes* carecen de alegría y se entregan a tristes ensueños, como vaticinadoras de la Pasión del Hijo. Esto mismo sucede en la *Primavera* y en el *Nacimiento de Venus* en los Uffizi de Florencia; y aún se acentúan en la *Calumnia*, en sus dos *Descendimientos* y en la *Oración del Huerto* en la Capilla Real de Granada. Además es Botticelli un gran retratista, así lo atestiguan el *Lorenzo el Magnífico*, el *Joven de la Medalla*, o el *Retrato de muchacho* de la Colección Cambó en Barcelona.

En cambio, del máximo representante de la Escuela de Padua, Andrea Mantegna (1431-1506) el Prado conserva una de sus obras maestras: el *Tránsito de la Virgen* (L. XXV). Aunque formado en el taller del mediocre Squarcione, sus verdaderos maestros son los escultores clásicos y Donatello, del cual se conservan en Padua las esculturas que adornan el altar mayor de la iglesia de San Antonio, y la estatua ecuestre del condotiero Gattamelata; aunque recibe ciertas influencias de Jacopo Bellini, su suegro, y de los Vivarini. Muy joven, en 1449, comienza la realización de los frescos de la *Capilla Ovetari* (*Eremitani*), en la Arena de Padua; destruidas casi totalmente por la aviación aliada, con ello ha desaparecido la muestra más importante de la capacidad creativa de los comienzos de Mantegna. Su intensa preocupación por la perspectiva y el escorzo (*Cristo muerto*) y sus formas escultóricas, influirán en artistas como Giovanni Bellini (m. 1516), su cuñado, del que en el Prado sólo existe una réplica de taller de la *Virgen, el Niño y Santos* (C. 50); aunque está firmada, el auténtico original es el que se conserva en la Academia de Venecia. En cambio, en la madrileña Academia de San Fernando existe un bello *Salvador* de su mano, del que el Prado posee una copia.

Del ambiente veneciano es el *Cristo muerto sostenido por un ángel*, una de las más admirables obras de Antonello de Messina (m. 1479) (L. XXVI); creemos que está realizada inmediatamente después de su viaje a Venecia y en su ciudad natal. En Venecia, Antonello realizará algunos espléndidos retratos —donde pocas veces en la Historia de la pintura se ahonda tanto en la sicología del personaje— los cuales influirán en los de Giovanni Bellini.

También en contacto con la pintura veneciana está la obra de Giovanni Battista Cima de Conegliano (m. 1517 ó 1518), que nacido en Vicenza, se establece en Venecia en 1492, donde permanece hasta las proximidades de su muerte. En su obra se aunan las influencias venecianas y las de Antonello, como se percibe en la *Virgen con el Niño* (C. 2.638); a pesar de estar firmada: *Bta. Cima F.*, Berenson la creía obra importante de Marco Basaeti, lo que creemos improbable.

De la pintura cuatrocentista del centro de Italia, el Prado tiene dos ejemplos: el primero es un repintado *Angel*, atribuible a Melozzo da Forli (1438-1494) por comparación con otros que hizo para la iglesia romana de los Santos Apóstoles (hoy en la Pinacoteca Vaticana) [es interesante observar que Melozzo tuvo relación con Pedro de Berruguete en Urbino]. El otro, es debido a Antoniazzo di Benedetto Aquili, llamado *Romano* (m. 1508); es un interesante tríptico (C. 577 a); también se expone en el Prado un fragmento de fresco suyo, representando a la *Virgen con el Niño* (C. 577), interesante por ser el único ejemplar de esa técnica del *quattrocento* en este Museo, ya que en él se puede percibir la importancia del dibujo, que perfila la figura para darle mayor resalte; procede de la iglesia de Santiago de los Españoles, en Roma.

La culminación cincuecentista.—Hacia 1500 se efectúa una transformación en el Renacimiento italiano, aunque conservando su carácter idealista e impersonal, que lo separa del estilo flamenco. Su principal novedad estriba en un paulatino rechace de lo *anecdótico*, para hacer resaltar el *contenido*. Este cambio posibilita su aceptación en los demás países europeos que, como España o Francia, habían sido más atraídos por la pintura norteña; y hasta en la misma Flandes repercutirán las formas creadas por Leonardo, Rafael y Miguel Angel y, más tarde, por los pintores venecianos y Correggio.

En los albores del siglo es aún Florencia el centro donde radica el principal foco artístico. Mas pronto emigrará a Roma, ya que el papado al cobrar su vigor político, iniciará una política cultural y necesitará de los artistas como eficaces propagandistas de la grandeza del pontificado. Conforme avanza el siglo la vieja capitalidad de la romanidad será el centro de un nuevo ecumenismo artístico: el Renacimiento catolificado. Fenómeno socio-artístico-cultural, que de típicamente italiano pasará a ser europeo.

El primer pintor verdaderamente *cincuecentista*, no sólo estilística, sino temperamentalmente, aunque haya nacido y practicado las artes en el siglo anterior, es Leonardo de Vinci (1452-1519). Dotado de una potente inteligencia, practica no sólo las artes, sino también la especulación y elaboración centífica. Estudia el cuerpo humano, inventa máquinas para volar y rodar, e instrumentos para matar. A pesar de su impresionante fantasía, la razón domina su proyectos técnicos y artísticos, aunque pocas veces se materialicen, debido a sus inquietudes. En su pintura serán la luz y el movimiento sus principales hallazgos. Pues concibe la iluminación del cuadro como fusión paulatina del blanco con el negro, logrando un especial claroscuro (*sfumato*); y con colores *neutrales*, no *tonales*, consigue lograr suaves volúmenes —al contrario que Miguel Angel— totalmente antiescultóricos. En las superficies de sus tablas, se amalgaman las figuras con el ambiente, como si una ligera neblina aterciopelada las cubriera, creando una sensación indefinida y de misterio. En el fondo, estas innovaciones aparecen como una reacción contra la generación anterior especificada en su maestro el escultor y pintor Verrocchio; lo que le lleva a realizarlas es su espíritu inquieto y su misantropía. De su etapa de formación florentina es la *Anunciación* (1472). Pasará a Milán, donde estará al servicio de Ludovico «el Moro»; obra maestra de este momento es la *Virgen de las Rocas* (1483), que junto con la *Cena* (1497) culminarán esta etapa. A la caída de Ludovico, vuelve a Florencia, realizando el cartón para la *Batalla de Anghiari*, mas antes creará la famosa *Gioconda*; y diez años después será llamado a Francia por Francisco I, donde terminará sus días. El Prado tiene una deliciosa copia coetánea de la *Gioconda* (C. 504); pero aunque algún crítico la haya considerado como un segundo original, debe de estar copiada en el propio taller del maestro. Berenson dio la hipótesis de que el copista fuera español, lo cual es aceptable, pues en algunos detalles concuerda con el arte de Fernando Yáñez de la Almedina, que en estos momentos trabajaba en el taller de Leonardo; aunque por sus delicadezas las veladuras grises verdosas que suavizan las manos y parte del rostro pudieran ser, a nuestra manera de ver, hechas por Leonardo. Aún más problemática es la *Sagrada Familia* (C. 242) que se viene atribuyendo a Luini; aunque hoy la mayor parte de la superficie visible corresponde al estilo del discípulo de Leonardo, en la cabeza de la Virgen y en su mano izquierda hay una superación técnica y estilística de lo que de él se conoce. Además, existen dibujos realizados por el maestro florentino, para esta o una composición semejante. Fue regalada en Florencia a Felipe II, como original del propio Leonardo, confirmado en la entrega del cuadro a El Escorial (1574). Por ello creemos que debería ser analizada escrupulosamente, puesto como es sabido los discípulos terminaron obras que él había comenzado.

El reflejo de Miguel Angel en este museo es aún más tenue; solamente en la *Flagelación* (C. 57) se percibe directamente su manera de pintar, pues su autor debe ser Gaspar Becerra, el cual se mantuvo fiel a las creaciones de Buonarroti; así, existe del propio Becerra un dibujo copiando el *Juicio Final* en los fondos del Prado.

En cambio, Rafael Sanzio (1483-1520) está admirablemente representado. Recibe en Urbino, su ciudad natal, sus primeras lecciones, posiblemente dadas por su padre Giovanni Sanzio. Hacia 1500 se instala en Perusa, colaborando con el Perugino, quien influye fuertemente en su primer estilo. En 1504, se trasladará a Florencia donde sus suavidades peruginescas serán matizadas por la monumentalidad que le da el contacto con Fra Bartolomeo; a veces, en sus paisajes hay reminiscencias flamencas, ello es de notar en la encantadora *Sagrada Familia del Cordero* (L. XXVIII), realizada en 1507, año en que su productividad llega al cenit en esta segunda etapa, logrando una madurez estilística. En el otoño del año siguiente, se trasladará a Roma llamado por Julio II, donde comienza a pintar al fresco las *Estancias* del Vaticano. La primera, la de la *Segnatura* (*Firma*) será acabada en 1511 y marca un hito en su evolución estética; pues el impacto espiritual de Miguel Angel estará presente en la *Escuela de Atenas* y *Disputa del Sacramento*, los principales paneles de esta cámara. En las siguientes, buscará la colaboración de discípulos, ello lo repetirá continuamente a lo largo de su producción romana, segada por la temprana muerte. Por ello la mayoría de los cuadros de esta época conservados en el Prado, son debidos en gran parte a colaboradores. En ocasiones él realiza los dibujos preparatorios, los esbozos y más tarde retoca las obras. Así ocurre en la *Visitación* (C. 300), la *Sagrada Familia* (*La Perla*) (C. 301), y la *Virgen de la Rosa* (C. 302), donde sus colaboradores Julio Romano, Francesco Penni y Perino del Vaga especialmente han intervenido. En cambio, en la *Sagrada Familia del Roble* (C. 303), se percibe una mayor participación del maestro, que aún se acentúa en la *Caída en el camino del Calvario* (C. 298). Pero donde logra una verdadera obra maestra, ya que allí la colaboración debe de ser minúscula, es en una de sus pinturas más equilibradas: la *Virgen del Pez*. Obra totalmente debida a su mano es el *Cardenal* (L. XXIX), donde plasma uno de sus más bellos y penetrantes retratos. De sus discípulos, ya dentro del manierismo romano, existen excelentes ejemplos, como la deliciosa *Adoración de los Pastores* (C. 322), de Julio Romano.

La crisis manierista.—Aunque el concepto de Manierismo todavía tiene un sentido polémico, se podría considerar como la forma no sólo artística sino de expresar una manera de vivir, pues en este momento la sociedad repercute de una manera decisiva en el arte. Aunque se repiten las formas artísticas creadas por los maestros —Leonardo, Rafael, Miguel Angel, y más tarde las del

Correggio—, como ha escrito Hauser nunca el artista ha tenido mayor libertad y originalidad; ya que los autores manieristas tienden a evadirse de la realidad, rompiendo la normatividad y el equilibrio renaciente; pues si formalmente están próximos al Renacimiento, estructuralmente se separan de él. Buscan también un nuevo sentido espacial, donde incrustan elementos compositivos y semánticos al modo de «rompecabezas», produciendo sensación de agobio. En el Manierismo a veces es difícil separar lo sagrado de lo profano, lo erótico de lo místico. Todo ello le convierte en un estilo impopular, sólo apto para minorías cortesanas e intelectuales. En los últimos momentos de este movimiento artístico, es cuando se aproxima al pueblo a través de la Iglesia; el Manierismo se espiritualiza y se normativiza dentro del espíritu contrarreformista que le da el Concilio de Trento; es el llamado *Manierismo reformado*, y según Camón el *Estilo trentino*. Es en estos momentos cuando se convierte en el puente espiritual que enlazará al idealismo renaciente con el realismo barroco. Mas se diferencia esencialmente este último estilo del manierista, en que aunque en los dos hay un sentido de originalidad creacional y un afán de liberación, el manierismo tiende a una mayor abstracción, a un gusto de formas más complicadas, a una temática de mayor dificultad interpretativa, y a un menor respeto por la fidelidad a la realidad histórica. Nace este estilo paralelamente en Florencia y Roma hacia el 1517, momento en que Lutero se rebela contra el papado. En la estancia del *Incendio del Borgo* (1514-1519), ya existen formas manieristas; y en estos mismos momentos en Florencia también surgen en las pinturas del Pontormo y Rosso nuevas estructuraciones, más será después del «sacco» de Roma, en 1527, cuando se esparcirán a toda la península italiana y comenzarán a infiltrarse en países europeos, como España, Flandes y Francia (Escuela de Fontainebleau).

Aunque no sea propiamente un manierista Andrea del Sarto (1486-1531), que es sólo tres años menor que Rafael, representa la apertura de una nueva etapa en la pintura florentina, donde ya se reflejan unas inquietudes espirituales, que serán desarrolladas por los pintores de la generación siguiente. Al parecer se forma en el taller de Piero di Cosimo, aunque sus maestros ideales fueron Fra Bartolomeo y Miguel Angel, y en algunas ocasiones se percibe la influencia del pintor de Urbino. El Prado conserva varias obras de su mano, dos de ellas maestras: el retrato de su mujer *Lucrecia di Bacco* (L. XXXI), y el *Asunto Místico* (Madona della Scala) (L. XXX). Importante es el *Sacrificio de Isaac* (C. 336), del cual se conserva una réplica en el Museo de Dresde. La *Sagrada Familia* (C. 335) parece copia manierista del original existente en la Galería Borghese de Roma. Uno de sus seguidores, ya dentro totalmente del Manierismo es Daniel de Volterra (1500-1566), del cual tenemos una espléndida *Anunciación* (C. 522). De otro importante manierista florentino Jacopo Carucci, llamado el Pontormo (1494-1557), el Prado posee una delicada *Sagrada Familia* (C. 287); y del gran retratista que fue Agnolo di Cosimo, el Bronzino (1503-1572), el delicioso *Don García de Médici* (C. 5) niño linfático, hijo de Cosme I y de doña Leonor de Toledo, duques de Toscana; tiene también las elegantes características de este pintor el soberbio retrato elegante de *Alfonso II de Este* (?) (C. 69), asignado dubitativamente a Girolamo da Carpi.

La escuela de la Emilia, cuyo eje central es Parma, dará nuevos bríos y novedades a la evolución manierista. Será Antonio Allegri, el Correggio (h. 1489-1534) su creador. Aunque no sea propiamente un manierista, lo mismo que Sarto, su pintura anticipa este estilo. Se forma en Mantua, hacia 1517 se deja influir por el senés Beccafumi (*Noli me tangere*, L. XXXII). Además de la citada obra, aún nos resta una delicada *Virgen con el Niño y San Juanito* (C. 112), donde se logra una admirable sensación de penumbra; el Prado hubiera podido tener espléndidos cuadros mitológicos. Totalmente dentro ya del manierismo, está su inmediato seguidor Francisco Mazzola, conocido como el Parmigianino (1503-1540), el cual parte de su maestro acentuando desmesuradamente el alargamiento de sus figuras, dándoles una peculiar modulación rítmica; esto se percibe en la conocida *Virgen del cuello largo* de los Uffizi o en la *Sagrada Familia* (C. 283), relacionada con otro ejemplar de este museo florentino; importantes son los retratos del *Conde de San Segundo* (C. 279) y el de *Dama con tres niños* (C. 280), donde el pintor parmesano, especialmente en el primero, consigue una íntima penetración sicológica. De un inquietante artista de esta escuela, Niccolo dell'Abate (1509-1571) que será —junto con el Primaticio y el Rosso— el creador de la escuela de Fontainebleau donde se desarrolla el peculiar manierismo de la corte de Francisco I, el Prado posee un delicado *Tañedor de viola* (C. 55).

Cerca de Génova nace Lucca Cambiaso (1527-1585), ciudad en que se forma y decorará palacios suntuosos como el Doria. Vendrá a España —donde fallece— a pintar para El Escorial, y junto con Tibaldi es el más importante artista italiano a las órdenes de Felipe II. En dos obras maestras: su patética *Lucrecia* (C.62) y la *Sagrada Familia* (C. 60) se vislumbra su tendencia a cubizar los volúmenes y la búsqueda de una nueva luminosidad que más tarde influirá en la creación del tenebrismo.

Hasta los comienzos del siglo XVII, aún quedan resabios manieristas en Italia, como atestiguan tres delicadas obritas debidas a Morazone, Scarcelino y el Cerano, fallecidos dentro del siglo. Pero sobre ellos destaca Federico Barocci (1526-1612) que partiendo del Correggio creará composiciones vibrantes como el *Nacimiento* (C. 18) y su gran *Crucifixión* (1604; C. 18 a), en la que aparece un aspectral paisaje de Urbino; estas obras fueron realizadas después de su regreso de Roma a Urbino, su ciudad natal.

Los coloristas venecianos.—Su sentido multicolor tan característico de la pintura de la ciudad lacustre se debe, en parte, al contacto con Oriente; los grandes contrastes que aparecen en sus cuadros, donde junto a delicados desnudos y bacanales surgen patéticos cuadros religiosos, son un reflejo de sus complejas formas sociales. En Venecia el dibujo se desvanece y disuelve en pastosidades, logradas por amplias pinceladas, las cuales producen el admirable colorido en donde es difícil diferenciar los tonos, con lo que se consigue unas calidades pictóricas que marcarán el comienzo de la historia de la pintura moderna. Es con Giorgione (Giorgio di Castelfranco, 1477 ó 1478-1510), cuando se abre este momento excepcional. Educado en el taller de G. Bellini, busca un nuevo estilo pictórico, en el que el color queda formalizado y naturalizado plásticamente, colorido y luz llegan a fundirse, logrando realizar —según Fiocco— la pintura «integral». Además Giorgione da una tierna melancolía a sus pinturas, que producirá en el espectador una sensación de profunda intimidad, como se percibe en la delicada *Virgen con Santos* (L. XXXIII). Son muy pocas sus obras conocidas y tan sólo dos están datadas: la *Pala de Castelfranco* (1500-1505), y el llamado *Retrato de Laura* (1506, Viena). Su prematura muerte hace que se corte un caudal artístico de obras llenas de humanidad idílica y de fantasía contemplativa.

26

Tiziano (1490?-1576), en cambio, aunque parte de una concepción pictórica semejante a la de su condiscípulo Giorgione, en cierto modo, dejará a un lado cuando avanza su vida, el sentido íntimo para expresar las inquietudes de un mundo cortesano y grandilocuente; y, al final de su vida logrará volver a la intimidad de un modo distinto al juvenil, ya que ésta la conseguirá por medios expresionistas. Nacido en Piave di Cadore, en las laderas de los Alpes Vénetos, pronto se instalará en Venecia, la cual abandona muy pocas veces y estas tan solo por urgentes llamadas de los poderosos, especialmente cuando Carlos V se lo pide (Bolonia 1532-1533; Augsburgo 1548 y 1550-1551), para el que trabajará, lo mismo que para su hijo durante toda la vida. Por eso el Prado conserva la colección más importante de sus obras, y en ella está representada la evolución artística desde sus momentos juveniles —buenos ejemplos de este instante son la *Virgen con el Niño, San Ulfo y Santa Brígida* (h. 1515; C. 434), *La ofrenda a Venus* (C. 419) y *La Bacanal* (L. XXXIV) de fuerte influencia giorgionesca— hasta su última etapa, como *La Religión salvada por España* (C. 430) de hacia 1563, donde Tiziano ha aprovechado un cuadro anteriormente realizado, posiblemente representando a Calixto preñada sorprendida por Diana y sus ninfas; a Diana la convierte en España, y a Calixto en la Religión. Siendo imposible citar toda la obra de Tiziano en el Prado, puesto que se aproxima a los cuarenta cuadros, sólo indicaremos algunos ejemplos. Entre los retratos destacan el de *Federico Gonzaga, Duque de Mantua* (h. 1525; C. 408); *Carlos V* (1532-1533; C. 409) pintado cuando fue coronado; *Felipe II* (C. 411) realizado en Augsburgo en 1551 cuando es proclamado heredero; la *Emperatriz Isabel* (C. 415); el *Caballero del reloj* (C. 412). Existen algunos retratos de Tiziano incluidos en una composición, como el del *Marqués del Vasto arengando a sus soldados* (h. 1541; C. 417), donde se deja influir por los manieristas («demonios etruscos») y el fabuloso *Carlos V en Mühlberg* (L. XXXV). Entre sus cuadros mitológicos podemos citar a *Danae* (C. 425), uno de los más bellos desnudos de toda la pintura universal, efectuado para Felipe II en 1553; *Venus y la música* (1548); C. 420 y 421); *Venus y Adonis* (1553; C. 422); *Sísifo y Ticio* (C. 426 y 427), terminados en 1549; entre los religiosos destaca el impresionante *Entierro de Cristo* (C. 440), obra de su última época donde consigue una síntesis admirable y sus calidades cromáticas están realizadas de una manera pigmentaria, que le aproxima a las últimas creaciones de Rembrandt y Goya; de él ha dicho Gronau que «nunca el dolor humano fue expresado de manera más sencilla y auténticamente artística».

De los otros dos grandes pintores de la escuela veneciana, Tintoretto y Veronés, también en la Pinacoteca Nacional tienen excelente representación. De Jacopo Robusti, el Tintoretto (m. 1594) existen bellísimas creaciones donde se puede percibir su espíritu atormentado y su preocupación espacial, que en algunas ocasiones le llevan a un sentido escenográfico de gusto manierista, como ocurre en el *Lavatorio* (L. XXXVIII). Tintoretto acostumbra a repetir los temas, así existen en este Museo tres ejemplares de *Judith y Holofernes* (C. 389-391); uno pertenece a una serie de «mujeres de la Biblia» —compuesta por *Susana y los Viejos, Esther y Asuero, La reina de Saba ante Salomón, José y la mujer de Putifar y Moisés sacado del Nilo* (C. 388, 394-396)—, donde se fuerza la perspectiva y los escorzos, pues eran pequeñas pinturas para estar incrustadas en los casetones de un techo, centrado por las *Vírgenes madianitas* (C. 393), ello le da un fuerte sentido manierista que también se percibe en la *Violencia de Tarquino*, donde existen recuerdos miguelangelescos; el *Bautismo de Cristo* (C. 397) es una de sus obras maestras con espiritualidad casi grequiana. Pero donde el movimiento llega a convertirse en fuertemente convulso es en la *Batalla de turcos y cristianos* (C. 399) llegando en sus fondos a una abstracción sintética, semejante a la que existe en algunas obras de Boccioni. Estilísticamente menos afortunado el *Paraíso*, sin embargo, tiene interés iconográfico, pues está relacionado con la inmensa pintura que cubre el gran testero del Palacio Ducal de Venecia; y dentro de su actividad retratística destaca *La dama que descubre el seno* (C. 382), cuyos grises anticipan a los de Velázquez. Lorenzo Lotto (1484-1556), es el gran creador de la escuela local de Bérgamo; por haber nacido en Venecia está muy relacionado su estilo con el de los pintores de la ciudad lacustre. Sus preocupaciones por la simbología resaltan en el doble retrato de *Micer Marsilio y su esposa* (1523; C. 240), donde un amorcillo impone el yugo a unos desposados, como ha hecho notar Berenson, el final de la tragicomedia queda claro a los ojos del espectador, pues en los ojos de ella brilla la ambición y el mal genio. También pertenece a esta escuela Giovanni Battista Moroni (m. 1568); su *Retrato de caballero* (C. 262) es obra característica de su elegante estilo.

ESPAÑA Y LA EXPANSION DE LAS FORMAS RENACIENTES

En las postrimerías del siglo XV, es cuando van a penetrar verdaderamente las influencias del renacimiento italiano en la Península Ibérica, que se desarrollarán a lo largo del siguiente siglo, cubriéndose los distintos períodos, que hemos visto sucederse en la otra península. Algunos artistas toman directamente de los maestros italianos sus formas; así ocurre en Yáñez de la Almedina, los Berruguete, Luis de Vargas, Machuca, Becerra, y otros. En algunas ocasiones pintores italianos no demasiado afamados, y flamencos son los que traen las estructuras renacientes. Mas en España, hasta fines del siglo XVI apenas se cultiva el *fresco*; con dicha técnica se realizarán importantes ciclos en El Escorial, palacios reales y en el palacio de Don Alvaro de Bazán en el Viso del Marqués. La técnica más empleada en los dos primeros tercios del siglo es el óleo sobre tabla, y en el último se empleará sobre lienzo. La temática mitológica del desnudo surge tan sólo esporádicamente en los primeros momentos, luego el «decoro» predomina, ya que el peso de la pujante Iglesia española hace que los encargos de pinturas religiosas sean innumerables; en el reinado de Felipe II comenzará la gran retratística oficial, impulsada por los deseos de perpetuidad que llevan consigo las dinastías y el poder.

Antes de comenzar el siglo XVI, en Valencia surgen artistas que ya comienzan a introducir formas renacentistas en la región. Los Osona, Paolo de San Leocadio y Francesco Pagano de Neapoli serán los precursores; a uno de estos dos últimos se le debe atribuir la encantadora *Virgen del Caballero de Montesa* (C. 1.335) donde en los personajes y en el escenario existen recuerdos de la pintura de la Italia central. San Leocadio y su compañero trabajan en la catedral valenciana en 1472, por encargo de Alejandro VI, el papa Borgia. A ellos también deben pertenecer las cabezas de *Salvador y María* (C. 2.693 a y b). Mientras que a Rodrigo de Osona «el Joven» se le pueden asignar las tablas con escenas de la *Pasión*, que hoy se exhiben como préstamo en el Museo, y donde las formas itálicas se matizan con un expresionismo de origen nórdico.

Hacia 1482 regresa a Castilla Pedro de Berruguete (m. 1504), natural de Paredes de Nava; formado en el último estilo flamenco, hacia 1475 se traslada a

Urbino, donde bajo la protección del duque Federico de Montefeltro realizará una serie de pinturas, en las cuales ya aparece su estilo característico. En él se conjugan lo flamenco, especialmente el realismo de sus rostros, con una luminosidad poética, que aunque con matizaciones eyckianas, se perciben recuerdos de Luca Signorelli y Piero della Francesca, a los que conoce en la capital de Las Marcas. El ambiente perspectívico de sus tablas es sincopado por las telas doradas que cubren los fondos, siguiendo la tradición pictórica castellana; en algunas ocasiones, como en la *Virgen con el Niño* (C. 2.709), tímidamente surge algún delicado paisaje. En su último período, su estilo se hace más expresionista como se puede observar en las tablas que procedentes de Santo Tomás de Avila, se encuentran hoy en el Prado (L. XXVII). Mientras tanto, en Toledo, Juan de Borgoña (m. h. 1535), va a introducir también un estilo derivativo del de Ghirlandaio, con quien se habrá formado, pues es significativo que aparezca en Toledo el mismo año de su muerte. Trabaja asiduamente para su catedral (Sala Capitular, 1509-1511; Capilla Mozárabe, 1514). Es obra suya característica, dentro de su primer momento español, la *Magdalena y tres Santos Dominicos* (C. 3.110).

Será también en Valencia a los comienzos del siglo, donde se seguirá desarrollando con más vivacidad el Renacimiento pictórico, pues lo mismo que en la Edad Media, las comunicaciones marítimas estrechan los contactos culturales con la Península Itálica. Así, en 1506, Yáñez de la Almedina y Hernando de Llanos retornan de ella y comienzan las alas del retablo de la Catedral. Formados en el ambiente leonardesco, mientras el segundo se limita a copiar sin genio al maestro, Yáñez va a mostrarnos una personalidad desbordante, que junto a las influencias vincianas percibirá el influjo de la luz y de las composiciones de Giorgione. Su dibujo tiene una gran firmeza, mientras que las figuras cobran monumentalidad, ello ocurre en su *Santa Catalina* (C. 2.902) y siguiéndole de cerca en el *San Damián* (C. 1.339); debe de ser ya de su última etapa transcurrida en Cuenca la misteriosa *Sagrada Familia* (C. 2.805) y posiblemente pintada para su pueblo natal manchego. En el segundo tercio del siglo, será Rafael quien dé la tónica a la pintura valenciana. Encabeza el rafaelismo español Juan Vicente Masip (m. 1549), cuya obra maestra es el *Retablo de Segorbe* (1530); el Prado conserva su ágil *Martirio de Santa Inés* (C. 843) con fuerte influjo del maestro italiano, *La Visitación* (C. 851), donde se perciben la influencia aún de los pintores flamencos en el paisaje y un *Cristo con la cruz a cuestas* (C. 849) posiblemente basado en una obra de Sebastiano del Piombo. Su hijo Juan de Juanes (m. 1579) a pesar de ser más conocido no llega a tener técnicamente la consistencia del padre. *La última cena* (C. 846) es su obra más popular, y aunque sigue un tanto a la de Leonardo, sus formas aún son más almibaradas, salvo en el delicado y realista bodegón que hay sobre la mesa, donde entre los objetos destaca el Santo Cáliz. Las escenas de la *Historia de San Esteban* (C. 838-842) posiblemente son sus más bellas creaciones; en el *Entierro del Santo* se autorretrata, y en la *Conducción de San Esteban al martirio*, la figura de San Pablo tiene las facciones de Cosme de Médicis, recordando a los retratos hechos de él por el Bronzino. El supuesto retrato de *Don Luis de Castellá* (C. 855), si fuera obra de uno de los dos, correspondería al padre, pues es de gran vigor técnico y sicológico.

Al introductor del Renacimiento en Sevilla, Alejo Fernández (m. 1545-1546) asigna certeramente Angulo la *Flagelación* (C. 1.925) donde existen fuertes recuerdos de la pintura germánica, que confirman la hipótesis del origen alemán

29

de Alejo. Mejor representada está la obra del toledano Pedro Machuca (m. 1550), que se desarrollará en Italia y en Granada. Del primer momento, y en relación con el arte de Beccafumi, es la *Virgen del Sufragio* (C. 2.579) fechada en 1517, lo cual convierte al autor del Palacio de Carlos V en Granada en uno de los primeros manieristas. De una colección húngara procede el *Descendimiento* (C. 3.017), elaborado ya en la región granadina, pues aunque persisten formas itálicas, hay detalles de un realismo muy hispánico, como el niño con rostro vendado a causa de un dolor de muelas, además de la inscripción castellana.

En la segunda etapa manierista de la pintura española destaca por su depuración técnica y originalidad el extremeño Luis de Morales (h. 1520-1586); cuyo estilo describiremos en el comentario a su enternecedora *Virgen con el Niño* (L. XLIII). En muchas ocasiones logrará expresar el misticismo a través de una depuración ascética, así ocurre en el *San Esteban* (C. 948 a). Ejemplo de delicada composición es la *Presentación* (C. 943), y su capacidad retratística destaca en el *San Juan de Ribera* (C. 947), pues efigia a su protector con un marcado carácter nostálgico; Ribera era obispo de Badajoz, más tarde sería arzobispo de Valencia en donde adquiere obras del Greco. Al final de su vida Morales, casi ciego y empobrecido se dedica a pintar miniaturas, mientras Felipe II está rodeado de pintores mediocres. De los artistas que llama para decorar al Escorial, entre los españoles, sólo merece la pena mencionar a Juan Fernández Navarrete, «el Mudo» (m. 1579), que introduce la influencia veneciana en España. El Prado sólo guarda una obra suya y juvenil, el *Bautismo de Cristo* (C. 1.012) donde todavía se muestra rafaelista; fue presentado como «modelo» para lograr su contrato escurialense. En el último tercio del siglo aparecen pintores casi enteramente dedicados al retrato. El primero de ellos es Alonso Sánchez Coello (m. 1588), aunque valenciano se le consideraba portugués por su estancia en el país vecino. Debe su estilo en gran parte a su maestro Antonio Moro, del que más tarde trataremos, y luego recibe las influencias de Tiziano, a través de los cuadros conservados en los Palacios Reales; aunque no llega técnicamente a igualar a ninguno de los dos, sus retratos tienen un marcado tono realista que preconiza a los de Velázquez como patentizan los de *Isabel Clara Eugenia* y *Catalina Micaela*, las hijas de Felipe II (C. 1.137 a 1.139). Sin embargo, en el del *Príncipe Don Carlos* (C. 1.136) prefiere idealizar los rasgos de desequilibrio mental, dándole al rostro una expresión agradable. Los *Desposorios Místicos de Santa Catalina* (C. 1.144) son un ejemplo de la frialdad académica usada en el tratamiento de su pintura religiosa, de la cual existen abundantes ejemplos en El Escorial. Su más importante continuador es Juan Pantoja de la Cruz (1553-1608), que comienza también como pintor de narraciones religiosas; será después de la muerte de su maestro cuando empiecen sus ciclos artísticos. Hacia 1600 pinta encantadoras figuras femeninas (C. 1.033), donde las ornamentadas y aplanadas vestimentas enmarcan los rostros. En cambio, en los retratos de *Felipe III* (C. 2.562) y de su esposa *Doña Margarita* (C. 2.563) —ejecutados en 1606— con efectos lumínicos logra un sentido unitario.

Una luminaria: Domenico Greco.—El gris panorama de la pintura española renacentista sólo salpicado por menudas lucecillas, se iluminará de pronto por un fulgor llegado del levante europeo, como tantas veces sucede en la Historia «de Oriente vino la luz». Domenico Theotocópuli (o Theotocopulos) (1541-1614) llamado en su tiempo en España Domenico Greco, y más tarde El Greco, nace en Candía (Creta), donde recibe su primera formación en los talleres de iconos; a los veinte años se traslada a Venecia, donde aprende con Tiziano las técnicas venecianas y de los Bassanos toma su luminismo; en Roma, aunque luego afirmará «que Miguel Angel era un buen hombre que no sabía pintar», aceptará las formas escultóricas de éste que luego aplicará a su pintura.

Es en España donde logra su verdadera transformación, que le convierte en uno de los más formidables genios de la pintura universal al mantener su independencia artística y al negarse a someterse a ningún tipo de alineación. Ahora bien, sin Toledo es imposible explicarnos la grandeza del Greco. Su naturaleza mística hace que acepte ideas del exaltado ambiente religioso castellano de fines de siglo llegando a ser amigo personal de poetas y místicos, como el Beato Juan de Avila, el Paravicino, San Juan de Ribera, etc. Ello, y el contacto con las esculturas de Alonso de Berruguete, hacen que en su pintura la tensión mística se agudice, y que sus personajes conforme van espiritualizándose se desmaterialicen, llegando a convertirse en formas fantasmagóricas, casi etéreas; las cuales han sido equiparadas a los modelos bizantinos que viera en su juventud. Pues si en gran parte las actitudes crispadas de sus personajes derivan de la tipología manierista, rompe con el dibujo y las proporciones anatómicas de los italianos; y aunque su colorido tenga un origen veneciano, llega a descomponerlo en puras ráfagas palpitantes, logradas con paños mojados en los pigmentos o con aplicación directa de los dedos; este sentido de convulsión técnica, le lleva en ocasiones a limpiar sus pinceles directamente en los bordes del lienzo.

Un tanto olvidado en los dos últimos siglos, fue en los comienzos de éste redescubierto por Bartolomé Cossío, su primer gran biógrafo; esta labor ha sido continuada antitéticamente por Camón y por Wethey, pues si el primero mantiene un criterio de valiente aperturismo en el que abundan agudas percepciones estéticas, el crítico norteamericano ha depurado quizá excesivamente el catálogo de su obra. El Prado sólo tiene una pintura de su estilo italiano: *La Anunciación* (C. 827) que por su fuerte carácter manierista ha de suponerse que esté realizada en Roma, a pesar de que los fondos recuerden los del Teatro Olímpico de Vicenza, obra del arquitecto véneto Palladio. De su primer momento español, es el retablo de Santo Domingo el Antiguo (1575; L. XXXIX). Después de haber realizado una serie de obras maestras como el *Expolio* (1578), el *Martirio de San Mauricio* (1580) y, sobre todo, el *Entierro del Conde de Orgaz* (1586), hacia fines de siglo contrata varios retablos; sobresalen los de San José de Toledo, Hospital de la Caridad de Illescas, y el Colegio de Doña María de Aragón de Madrid (1596-1600), de donde procederá el patético *Bautismo de Cristo*, cuyos tonos fulgurantes dan a la figura formas espectrales; de elaboración inmediata deben ser la *Crucifixión* (C. 823) y la *Resurrección* (C. 825); la *Pentecostés* (C. 828), será de la década siguiente, pues la faz del tercer apóstol —a la derecha de la Virgen— nos muestra el retrato del Greco ya envejecido; el soberbio *San Andrés y San Francisco* (C. 2.819) ha de estar realizado en el último decenio del siglo, momento en el cual pintará también la *Coronación de la Virgen* (C. 2.645) —muy próxima a la de Illescas— y, el prodigioso *San Sebastián* (C. 3.002), en el que aunque Wethey ve una participación de taller, la técnica alada y palpitante certifica su autobiografía; ahora está mutilado, ya que debido a su alargamiento fueron cortadas posiblemente a causa del esteticismo dieciochesco las piernas. Junto con la *Asunción* (Museo de Santa Cruz de Toledo) es en la *Adoración de los Pastores* (L. XLII) donde culmina la pintura de Domenico Greco.

31

También fue el Greco un retratista de primer orden, como se demuestra en los retratos que aparecen en el *Entierro*; ya en su época italiana realizó importantes ejemplares (*Julio Clovio*). En el Prado se puede seguir el desarrollo de su evolución retratística española, pues existen diez ejemplos; comienza la serie con el *Caballero de la mano al pecho* (L. XL), y existen otros tan importantes como el *Doctor Rodríguez de la Fuente* (h. 1580; C. 807), *Don Rodrigo Vázquez*, Presidente del Consejo de Castilla (h. 1600; C. 808), el *Licenciado Jerónimo de Ceballos* (h. 1608; C. 812) y, sobre todo, el misterioso *Caballero desconocido* (h. 1610; L. XLI) y el fuertemente realista *Fraile trinitario* (C. 2.644), realizado con la técnica de sus últimos años. Mención aparte merece el de *Julián Romero* (*el de las Azañas*), por su peculiar composición, ya que se nos muestra orante, a la manera de escultura y presentado por su Santo Patrono, al Altísimo; esta rareza iconográfica es un síntoma más de la alta espiritualidad que el Greco alcanza en España, pues —como epitafió Fray Hortensio Paravicino, su contemporáneo y amigo, a su muerte— si «Creta le dio la vida y los pinceles, Toledo mejor patria donde empieza a lograr con la muerte eternidades».

Idealismo y realismo en la pintura renacentista flamenca.—Desaparecida la vida comercial y artística de Brujas, son trasladados sus talleres a Amberes, nueva sede de la industria y de la banca flamenca; que al estrechar el contacto mercantil con Italia, hará brotar allí el Renacimiento nórdico.

Es muy significativo que un pintor de posible formación brujense, Joaquín Patinir (m. 1524) y el más importante paisajista de su tiempo, al final de su vida se establezca en esta ciudad. Sus paisajes, aunque tienen orígenes góticos, como el alejar el horizonte —para hacer posible la colocación de múltiples escenas en sus tablas—, comienzan ya a reflejar preocupación por la aproximación a la naturaleza, pues están erizados con agujas semejantes a las existentes en las proximidades de Dinant; aunque algunos escritores ven en estos fondos la influencia de Leonardo. Posiblemente la mejor colección de sus obras es la que pertenece al Prado. *El Paso de la Laguna Estigia* (L. XLIV), *Las Tentaciones de San Antonio* (C. 1.615), con figuras de Quintín Metsis, y el *San Jerónimo Penitente* (C. 1.614) están entre las más bellas producciones suyas.

En Amberes es Jan Gossaert (1465-1533), llamado Mabuse, el primero que como dice Van Mander —el biógrafo de los pintores flamencos de su tiempo— «introduce la verdadera manera de ordenar y componer las escenas con figuras desnudas y con sentido poético». Acompaña a Roma (1508) a Felipe de Borgoña, y allí toma apuntes de los monumentos clásicos que utilizará en los fondos arquitectónicos de sus obras; mas no por ello abandona la tradición técnica flamenca y además se basa en algunos de los clásicos del siglo anterior; así, copia libremente las figuras de *Cristo, la Virgen y San Juan Bautista* (C. 1510) del retablo de San Bavón de Gante. Su obra maestra conservada en el Prado es la *Virgen con el Niño* (L. XLV). *La Virgen de Lovaina* (C. 1536) pudiera ser una obra juvenil del bruselés Bernard van Orley (1492-1542), quien también se forma en Roma; otros ejemplares suyos del mismo tema conserva el Prado, como la *Virgen de la Leche* (C. 1.920), aún inspirada en una obra del Maestro de Flémalle. Obra muy importante es la *Sagrada Familia* (1522; C. 2.692) de fuerte sabor rafaelesco; Elías Tormo pensó que en las barbas de San José pudiera haber colaborado el propio Durero; consideramos que el hermoso paisaje marítimo que se observa por una ventana está pintado por Patinir en su último período. También en Amberes va desarrollándose una pintura cargada de sátiras sociales; su creador es Quintín Metsys o Massys (1465-1530) nacido en Lovaina, se traslada pronto al emporio comercial, donde se deja influir por los pintores tradicionales y por los italianizantes, además de captar el espíritu de Erasmo de Roterdam. La sátira la usa de forma simbológica, como lo hace en la *Vieja mesándose los cabellos* (C. 3.074), probable alegoría de la envidia o de la ira; y sobre todo en su patético *Cristo presentado al pueblo* (L. XLVI). La crítica social es continuada por Marinus Claeszon van Reymerswaele (m. 1567) como en el *Cambista y su mujer* (L. XLVII); además, el Prado tiene dos dramáticos *San Jerónimo* (C. 2.100-2.653) y una expresiva *Virgen de la Leche* (C. 2.101), con anagrama apócrifo de Durero. Otros artistas vienen cultivando el estilo creado por Metsys; así Pieter Coecke van Aelst (1502-1550) de espíritu humanista —traduce a Vitrubio y a Serlio—, cultiva la arquitectura y la escultura en Bruselas (como un *Niño Jesús*, descubierto por nosotros, hoy en el Museo de Toledo). Carlos V le nombra artista áulico, por ello en España son abundantes sus obras; el Prado conserva dos trípticos completos (C. 2.223 y 2.703) además de dos alas, una con impresionantes damas enlutadas (C. 1.610). Pero su mayor grandeza estriba en haber sido el maestro de Pieter Brueghel «el Viejo» (1529 ? - 1569), quien va a Italia después de muerto su maestro, desde su retorno (1554) crea un estilo donde lo popular se convierte en bellísima expresión artística y donde el paisaje cobra un nuevo sentido. El Prado, aparte de una grisalla en condiciones muy deficientes, representando la *Adoración de los Reyes* (C. 2.470), posee una de sus obras capitales: *El triunfo de la muerte* (L. XLVIII). Su estilo es continuado por su hijo Pieter «el Joven»; de este modo en el *Paisaje nevado* (C. 2.816) copia fidedignamente un cuadro perdido paterno; en algunas ocasiones al apartarse de él, así en sus temas mitológicos (*Rapto de Proserpina*, C. 1.454) pierde su viveza. Otro seguidor de Brueghel en el paisaje es Lucas van Valckenborch (m. 1597), del que el Prado conserva interesantes obras. Paul Brill mantiene un estilo semejante.

Dentro de la tradición brujense se mantiene el delicado Ambrosius Benson (1519-1550), como se observa en siete tablas procedentes de la capilla de Santa Cruz de Segovia (C. 1.303 y ss.); por el gran número de obras existentes en esta provincia castellana se ha pensado en un posible viaje a España.

En los últimos años del siglo dentro del romanismo o manierismo reformado Michel Coxie (1499-1592) trabaja especialmente para Felipe II; copia el *Descendimiento* de Weyden (El Escorial), mas su obra maestra en el Prado es el gran tríptico con la *Vida de la Virgen* (C. 1.468-70) pintado para Santa Gúdula de Bruselas; la escena central con la muerte de María está envuelta dentro de una arquitectura romanista. En cambio, el retratista a quien más aprecia Felipe II es a Antonio Moro (Anton van Dashort Mor) (1519 ? - 1576), nacido en Utrecht, se forma en Amberes y viaja a España para pintar personajes de la Corte, y luego acude a Inglaterra para efigiar a *María Tudor* (L. LIV), la segunda esposa del rey prudente. Entre sus más enérgicos retratos está el de *Metgen*, su mujer (C. 2.114), además del citado. De gran fuerza expresiva es también el de *Doña Juana de Austria* (C. 2.112), madre del rey don Sebastián de Portugal, y el del *Emperador Maximiliano II* (1550; C. 2.111); en el del *Bufón Parejón* (C. 2.017) se intuyen los que realizaría Velázquez con seres parecidos. Moro y Tiziano son quienes abrirán el camino a la gran retratística española.

Holanda.—Aunque Holanda junto con Bélgica, todavía en el siglo XVI, estaba integrada en la Flandes unificada bajo la Corona española, por motivos etnológicos y sociales, su arte va tomando un carácter distinto al de los estados del sur, ya que en él hay formas expresionistas que le acercan a las del norte de Renania. Algunos artistas se aproximan al grupo de Amberes, así Jan van Scorel (1495-1562) viaja por Italia y se deja influir por la escuela romanista y por los pintores venecianos. El Prado posee un importante *Retrato de humanista* (C. 2.580), señalando la torre de Babel; esto hace que esté emparentada iconográficamente con otra obra suya: *El diluvio universal* (C. 1.515), donde las formas toman una exaltación manierista, aplicándose en algunas figuras la «anamórfosis».

Donde la tradición y los nuevos ideales se funden es en Jan Mostaert (m. 1555), nacido en lo que es ahora Holanda (Harlem), quien da un nuevo sentimiento poético a la realidad, como lo harán los pintores de la segunda generación; ello se advierte en el sensible retrato del *Joven caballero* (C. 3.209), que pudiera ser el de un miembro de la familia de Austria, obra recientemente adquirida por el Prado. La figura que introduce las formas manieristas en Harlem, debido a la proximidad de Amberes, es Cornelis Cornelisz (1562-1638) del cual aún conserva el Prado en sus depósitos una bella e importante tabla mitológica: *El juicio de Apolo* (C. 2.088). [Expuesta después de la primera edición de este libro.]

Alemania.—La representación de la pintura alemana medieval en el Prado es casi nula y en cuanto a la renacentista, en contraste con la flamenca, deficiente. Ello parece extraño, puesto que las relaciones políticas y sociales entre los dos pueblos fueron muy estrechas, especialmente en el siglo XVI. Aunque en los inventarios palaciegos son escasos los cuadros germánicos citados, y muchas de estas pinturas se perdieron en consecutivos incendios, llegaron gran número de grabados alemanes a los talleres de nuestros pintores que en muchas ocasiones fueron copiados (Gallego, Maestro de la Sisla, etc.). Es necesario reconocer cierta animadversión, si no del pueblo —pues existieron obras alemanas en monasterios e iglesias— sí de la aristocracia española hacia el expresionismo tedesco. A pesar de todo, el Prado tiene una excelente representación de la obra de Alberto Durero (1471-1528), destacando el espléndido *Autorretrato* (L. LII), su *Adán y Eva* (L. L y LI) y un estupendo *Retrato de anciano* (1525; C. 2.180), creído hasta hace poco tiempo Hans Himhoff. De otro pintor importante del momento, Lucas Cranach «el Viejo» (1472-1553) se conservan dos episodios de cacerías en honor del Emperador Carlos V dadas por Federico de Sajonia —que cuatro años más tarde sería su prisionero en Mühlberg— en los alrededores del castillo de Torgau (1544; C. 2.175-76). Además, el Prado posee un soberbio retrato de Holbein «el Joven» (1497-1543; L. LIII) al cual se le hace un amplio comentario. De un continuador del estilo de este pintor: Christoph Amberger (m. 1561 o 1562), se conserva el posible retrato del orfebre de Augsburgo *Jög Zorer* (C. 2.183) y el de su esposa (C. 2.184), pintados en 1531.

PINTURA DEL RENACIMIENTO

BOTTICELLI: Historia de Nastagio degli Honesti. Cuadro I.

BOTTICELLI: Historia de Nastagio degli Honesti. Cuadro III.

MELOZZO DA FORLI: Angel músico.

LUINI: La Sagrada Familia.

RAFAEL: Caída en el camino del Calvario.

VERONES: Jesús y el Centurión.

TIZIANO: Danae recibiendo la lluvia de oro.

TINTORETTO: La Dama que descubre el seno.

LOTTO: Micer Marsilio y su esposa.

BASSANO: La Adoración de los pastores.

ANONIMO ESPAÑOL, siglo XV: La Virgen del Caballero de Montesa.

BERRUGUETE: La Virgen con el Niño.

MACHUCA: El descendimiento de la Cruz.

YAÑEZ DE LA AL-MEDINA: Santa Catalina.

JUANES: San Esteban conducido al martirio.

CORREA: La Anunciación.

SANCHEZ COELLO: La Infanta Isabel Clara Eugenia.

MOSTAERT: Retrato de caballero.

PANTOJA: Margarita de Austria.

EL BARROCO

IV

SUS ORIGENES E ITALIA

En sus orígenes el término *barroco* tiene un matiz negativo, pues nace de su asimilación simbólica con la perla «barrueca», término dado en Portugal a la que tenía deformidades. Introducido el vocablo en Francia (*baroque*), tomó pronto el significado de excéntrico o raro, y se usó especialmente para designar a las formas artísticas juzgadas extravagantes; en el siglo XVIII va a aplicarse primero a las artes plásticas, más tarde a la literatura y a la música. Aunque en el siglo siguiente el cariz despectivo va atenuándose, pues los románticos en algunas ocasiones defienden las obras del siglo XVII, es hacia 1900 cuando gracias a Wölfflin comienza su verdadera reivindicación. Eugenio D'Ors, llega a considerar al barroco como una corriente histórica, llegando a definirlo como una manifestación artística que aparece en el cenit de todas las civilizaciones. Mas generalmente se le aplica este apelativo al período de la historia del arte situado entre el Manierismo y el Neoclásico; o sea, más o menos en la época comprendida entre 1600 y 1750; en España, exactamente hasta 1752, cuando se crea la Academia de San Fernando, organizadora de la caza y destrucción de las «monstruosidades» anticlásicas.

La pintura barroca, lo mismo que la escultura comienza siendo realista, pero el afán exacerbado hacia la búsqueda del movimiento le lleva, sobre todo en el siglo XVIII, a lo efectista y teatral. Su preocupación por las formas abiertas y la visión en profundidad, terminan por romper el equilibrio formal y compositivo, lográndose representaciones fantásticas. El barroco tiende, además, a una búsqueda por la perspectiva ilimitada, basada posiblemente en las preocupaciones filosóficas de la época por lograr definir lo infinito. En esta época los temas religiosos se multiplican, ya que es necesario divulgar las historias de los nuevos santos y perpetuar las de los antiguos.

Tenebrismo y clasicismo en Italia.—En los primeros momentos del barroco italiano, lo mismo que en las restantes regiones europeas, existe una preocupación por la búsqueda de la realidad, que unido a la consecución de nuevos efectos luminosos, cuyos precedentes estaban en el manierismo y en los Bassanos, logrará esencialmente el cambio de estilo. El primero que abre camino es Miguel Angel Merisi, el Caravaggio (1573-1610) consiguiendo una iluminación de raíces naturales, en la que las tinieblas se disipan violentamente en zonas iluminadas por una sola ráfaga procedente de un foco exterior y alto —la llamada «luz de sótano»—; a conveniencia del artista con esta iluminación de claraboya se hacen destacar rostros, brazos, torsos... dejando en la oscuridad o en la penumbra el resto del cuadro, con lo que se consigue una sensación de misterio; por ello, ha recibido este estilo el nombre de *tenebrismo*. Pero Caravaggio antes de lograr esta innovación en su período de madurez, que comienza hacia 1598, realiza cuadros donde los personajes y las cosas son envueltos en una atmósfera tenuemente vaporosa y de matizaciones líricas, donde sólo existían preocupaciones por los volúmenes y donde los objetos eran seres sustanciales, a los que valorizaban sus materiales, o sea, se hacían resaltar sus calidades; pues como ha dicho Martín González, «una tela, unos frutos, desencadenan todo un mundo sensorial en el espectador».

En la etapa *tenebrista* no sólo se acentúa la intensidad plástica, sino que limitando el sentido poético, se hacen sobresalir los valores realistas. Así, en los cuadros religiosos del Caravaggio desaparecen los atributos de los santos, a los cuales se les despoja de sus nimbos, convirtiéndolos en seres puramente humanos, lo que hace que en algunas ocasiones se originen protestas eclesiásticas, prohibiéndose la colocación de sus obras en las iglesias; no obstante, el arte de Merisi está acorde con los mandatos del Concilio de Trento, pues aparte de no pintar ningún desnudo femenino, se aparta del falso oropel que antaño muchas veces decoraba iglesias y catedrales. Su vida es concorde con su efervescente arte, lo que le lleva a ser perseguido por la justicia, y a realizar su impresionante obra a salto de mata. Nacido en el pueblo que le da el apelativo, cerca de Bérgamo, se forma en Milán; posiblemente en Génova conoce el luminismo de Cambiaso y en Venecia a los Bassanos. Luego se asienta durante algún tiempo en Roma. Entre sus primeros cuadros tenebristas aparece su *David, vencedor de Goliat* (C. 65), redescubierto por Longhi; una limpieza ha revivificado sus calidades y tonos y dejado ver que es obra hermosísima e indudable. Pérez Sanchez ha sido, en cambio, el redescubridor del *San Juan* de la Catedral de Toledo, obra juvenil; de su último período es, en cambio, la *Salomé* (Palacio de Oriente de Madrid) en donde expresa toda la angustia de su alma; pues, desde Roma, huye a Malta, donde trabaja un tiempo protegido por el gran Maestre de la Orden Alof de Wignacourt, después de un enfrentamiento con él, en 1608, otra vez perseguido marcha a Sicilia y a Nápoles, donde por último, gravemente herido en una refriega, busca refugio en la playa de Porto Ercole, donde muere solitario.

De sus seguidores tiene el Prado importantes muestras; así, citaremos a los *Santos médicos Cosme y Damián* (C. 2.759), de Giovanni B. Caracciolo, «Batistello» (1570-1635) y una importante serie dentro del estilo: la *Historia del Bautista* (C. 256-8 y 291) obra de Máximo Stanzione (1585-1656), al cual se le debe el bien compuesto *Sacrificio a Baco* (C. 259), pintado para el Buen Retiro, en 1634.

Aún se mantiene el recuerdo tenebrista en pintores napolitanos ya tardíos a través de Ribera, como Pretti y Cavallino. Matia Pretti (1613-1699) es uno de los maestros más importantes de la pintura de su época, a él se debe la exquisita *Gloria* (C. 3.146), donde se percibe el contacto con Lucas Jordán; está pintada al poco tiempo de trasladarse a Malta en 1660, donde permanece hasta su muerte. Rigurosamente contemporáneo, es Bernardo Cavallino (1616-1656), cuya obra se agostó a causa de la peste que cercenó su vida en los comienzos de su madurez; en su pintura hay tal exquisitez, en ocasiones un tanto sofisticada, que le hace ser uno de los precedentes del *rococó*. Su *Curación de Tobías* (C. 3.151) y los *Desposorios* del mismo (C. 3.152), reciente y afortunada adquisición, donde se esencian los caracteres fundamentales de su estilo. Del ecléctico Andrea Vaccaro (m. 1670) existen importantes ejemplares. [De la obra de Jordán trataremos dentro del último período del barroco en España, debido a su estancia y a la influencia que ejerció].

También en otras regiones de Italia se desarrolla, aunque efímeramente, el tenebrismo, ya que el Caravaggio recorre virtualmente toda la Península. Así, el toscano Orazio Gentileschi (1563-1639) se deja influir en Roma por esta tendencia, que se disipa cuando se traslada a Francia y más tarde a Inglaterra, donde muere; de este último período es su decorativísimo *Moisés salvado de las aguas* (C. 147). Mas será otro centro pictórico el que eclipsará lentamente las formas del caravagismo: el clasicista boloñés. Es en Bolonia, donde por primera vez se establecerá la primera Academia de Bellas Artes, en donde los pintores adquirirán una formación a la vez que artística, histórica, literaria... en resumidas cuentas, académica. Miembros de la familia Carracci, serán los impulsadores de un academicismo ecléctico; su fundador Ludovico (1555-1619) logrará pinturas de altas calidades como su *San Francisco de Asís en la Porciúncula* (C. 70) y la *Oración del Huerto* (C. 74). El difusor del estilo —donde se acrisolan dentro de una poderosa personalidad las formas de Rafael, Miguel Angel y el Correggio, con el colorido veneciano—, es Aníbal, su primo, del que se encuentra entre sus más hermosas producciones *Venus, Adonis y un sátiro* (C. 2.631), en donde se ha dejado llevar por el venecianismo, apartándose de lo académico. Aníbal es también el creador de un tipo de paisaje idealizado que desembocará en los de Lorena (L. LXXXI) y Poussin (L. LXXX), un encantador ejemplar pertenece al Prado (C. 132), descrito en el inventario de la colección del pintor Maratta con «figurine che si bagnano», el cual formaba parte de una serie cuyos tres restantes cuadros los llevó a Londres Wellington, al «recuperar» las pinturas que se llevaba José Bonaparte en su equipaje. Más tarde acaudillará la escuela boloñesa Guido Reni (1575-1642), que logrará una gran fama; a pesar de ello en su juventud tiene «devaneos» caravagistas, como se perciben en su delicioso *Hipómene y Atalanta* (C. 3.090), dado a conocer por Pérez Sánchez; la evolución de su estilo será estudiada al comentar su *Cleopatra* (L. LXI). Relacionado con esta escuela está Gian Francesco Barbieri, el Guercino (1591-1666); en 1618, realiza un viaje a Venecia, por el que fortifica su colorido apartándole de las rigideces académicas, y logrando una fuerte monumentalidad que impresionaría a Velázquez, el cual en 1631 le visita en Cento, su ciudad natal; su influencia es visible en el *Santo Tomás* (Museo Catedralicio de Orihuela) del pintor andaluz; entre otros cuadros del Prado destaca el impresionante *Susana y los Viejos* (C. 201), realizado antes de su etapa romana por encargo del poderoso cardenal Ludovisi; quedando lejos su eclecticismo del primer momento, como se percibe en el *San Pedro libertado por un ángel* (C. 200); dentro de un estilo más personal está su *San Agustín* (C. 202). Jugosísima es la *Adoración de los pastores* (1614; C. 95) de Giacomo Cavedone (m. 1660). En cambio, en Roma Andrea Sacchi (m. 1661) y su discípulo Carlo Maratta (m. 1713) realizan importantes creaciones, como el veraz retrato que este último hace de su maestro (C. 327), o el que Sacchi realizó de Francesco Albano (C. 326), pintor de sensuales «mitologías».

EL REALISMO FLAMENCO

Rubens y su círculo.—Lo mismo que para tener un conocimiento de la evolución estilística de la pintura europea de la primera generación del siglo es necesario conocer la obra de Caravaggio; la segunda es Rubens quien la fundamenta. Ya que él es el principal exponente de las ideas artísticas de la Contrarreforma; pues cuando Holanda se independiza y se hace protestante, Bélgica sigue manteniéndose dentro de la Corona española y católica. La escuela pictórica de esta región es en gran parte la de Rubens; e igualmente que la española, exaltará la fe católica; mientras, en Holanda sólo se narrarán algunas escenas del Antiguo Testamento y de la vida de Cristo, dedicándose casi por entero a la pintura de género y al retrato, lo que en menor escala se cultivará en Flandes.

La obra de Pedro Pablo Rubens (1577-1640), que abarca todos los géneros, está prodigiosamente representada en el Museo del Prado, donde se puede seguir su total evolución, ya que desde joven trabaja para la Corte española, llegando a ser embajador del rey de España. En cambio, su nacimiento contrasta con su hispanismo, un tanto paradójicamente, aunque ello es símbolo de su tiempo, puesto que su padre fue un rebelde y se encontraba en el exilio cuando viene a la luz Pedro Pablo; ello sucede en las proximidades de Colonia, no muy lejos de Amberes, ciudad originaria de su familia, a la que se trasladará al cumplir los diez años junto con su sacrificada madre. Allí se forma dentro de un ambiente artístico italianizante; desde 1600, permanecerá en Italia más de ocho años; aunque radique en Mantua, viajará a Florencia, Roma y Venecia, impregnándose no sólo del color veneciano, sino también de las formas miguelangelescas, aunque sólo esporádicamente aceptará las innovaciones lumínicas del Caravaggio. En 1603 llega a España en embajada artística, pintando en Valladolid, cuando tiene tan sólo veintitrés años por encargo del duque de Lerma, el poderoso *valido* (primer ministro) su majestuoso retrato ecuestre (C. 3.137) y el *Apostolado* (C. 1.646-1657), donde se percibe aún la influencia tenebrista en la luz, y en las actitudes formas manieristas. De vuelta a Amberes, en 1609, realiza la gigantesca *Adoración de los Magos* (C. 1.638), para el Salón de los Estados de su Ayuntamiento —que más tarde en su segunda estancia madrileña ampliará (1628)— donde se palpa el peso de Tiziano y de Miguel Angel en su obra. Todavía del momento juvenil es el dinámico *San Jorge luchando con el dragón* (C. 1.644). Pero donde la alegoría religiosa cobrará todo su vigor es en los cartones para los tapices con temas eucarísticos encargados por Isabel Clara Eugenia para las Descalzas Reales de Madrid; gran parte de sus modelos definitivos se conservan en el Prado, destacando plástica e iconográficamente, mientras que los bocetos sumarios se hallan en Cambridge. En *El triunfo de la Iglesia* (C. 1.698), el de la *Eucaristía sobre la Idolatría* (C. 1.699) y el de *la Fe sobre la Filosofía* (C. 1.701), se expresa el espíritu de combatividad de la Iglesia contrarreformista, a la vez que las formas cobran un sentido convulsivo. El importante encargo terminado en 1628, le supuso la importante cantidad de 30.000 florines.

A su vez cultiva con profusión los temas mitológicos, destacando las *Tres Gracias* (L. LVI), el *Juicio de Paris* (C. 1.669), el *Rapto de Proserpina* (C. 1.659), *Andrómeda libertada por Perseo* (C. 1.663) y las *Ninfas sorprendidas por faunos* (C. 1.665), donde logra captar el movimiento en acción, tan vivamente que sólo por él, en su *Danza de aldeanos* (C. 1.691) será igualado en todo el siglo XVII; en esta tablita que conservará hasta su muerte, como Tiziano canta idílicamente la alegría del vivir. Ello mismo aparece, aunque reflejado de una manera un tanto reposada y cortesana en el prodigioso *Jardín del Amor*, donde se autorretrata en su mansión de Amberes en compañía de seres queridos (C. 1.690). También en el paisaje logra la expresividad del movimiento, dramatizándolo al darle una profundidad inquietante, tal ocurre en su *Atalanta y Meleagro cazando el jabalí de Calidonia* (C. 1.662).

Mención aparte merece su actividad retratística, que ya hemos visto comienza en los años juveniles. Uno de sus más bellos retratos es el de *María de Médicis* (L. LV). Interesa comparar el retrato del *Cardenal Infante Don Fernando*, triunfador en Nordlingen (1636; C. 1.687), con el del *Duque de Lerma* (1603) para observar la evolución hacia un barroquismo exaltado, colocando en los cielos emblemáticamente una alada Victoria y el Aguila de los Austrias. Ese sentido desbordante lo mantiene hasta el final de sus días, pues poco antes de morir está realizando su fabulosa *Andrómeda, libertada por Perseo* (C. 1.663), terminada por su discípulo Jordaens.

Es Jacob Jordaens (1593-1678), el pintor que mejor interpreta el sentido expresivo rubeniano; pero en lugar de ser un ferviente católico como su maestro, se convierte al protestantismo y es partidario de los Orange, llegando en algunas de sus obras a surgir escondidamente alegorías anticatólicas. Por ello intenta evadirse de los temas religiosos, aunque cultiva el polifacetismo, como demuestran sus escenas mitológicas, donde también en algunas ocasiones ironiza; entre estas podemos citar la *Ofrenda a Pomona* (C. 1.547). Su manera de ser, sarcástica y locuaz, le lleva a realizar *escenas de género*, entre *las* que sobresalen el *Rey bebe*, que repite sucesivamente, y donde se satiriza la glotonería flamenca. En otras, refleja la exaltación de la vida popular como en los admirables *Músicos ambulantes* (C. 1.550), donde dos cantores acompañados por un clarinete, son representados con una fuerza realista pocas veces igualada; en la *Familia de Jordaens* (C. 1.549), el pintor nos presenta una bellísima escena de intimismo, muy próxima a la pintura holandesa.

Antonio van Dyck (1599-1641), se aparta un tanto de la pintura de Rubens, tendiendo a una mayor elegancia, en algún caso rozando la afectación; es comprensible, puesto que no es propiamente un discípulo, sino un colaborador del famoso artista, y aun por poco tiempo (1618-1619) ya que marcha a Inglaterra, y un año después, el 20 de noviembre de 1621, a Italia, donde permanecerá durante seis años; en Génova retratará a su aristocracia, destacando las elegantes damas; uno de los primeros que realiza es el de *Doña Policena Spínola, marquesa de Leganés* (C. 1.493), que viste sobriamente a la española. Contrastan estas damas con las que luego representará en su segunda etapa inglesa, donde aparecerán ornamentadas con ricas telas y ampliamente escotadas, como vemos en el retrato de su mujer *María Ruthwen* (C. 1.495), identificada por las hojas de roble que adornan su cabello. Entre otros retratos realizados en este momento están el de la *Condesa de Oxford* (C. 1.481), el *Conde de Arundel con su nieto* (C. 2.526) el delicado *Autorretrato con Sir Endimion Porter* (L. LVII) y los retratos de *Carlos I*, de uno ecuestre se conserva en el Prado un delicioso boceto (C. 1.484). También en el paréntesis de Amberes, capta expresivamente a personajes como el *Príncipe de Orange* (1628; C. 1.482), el pintor *Martín Ryckaert* (C. 1.479) y el *Músico Liberti* (C. 1.490). Sin llegar a la productividad de Rubens, su obra es extensa, y cultiva también el tema religioso, sobre todo en los años juveniles; su *Prendimiento* (C. 1.477), *Coronación de espinas* (C. 1.474) y *La Serpiente de Bron-*

ce (C. 1.637), son obras juveniles donde aún se perciben las influencias de Rubens, sin embargo junto a ellas existen formas mórbidas de origen italiano.

El bruselés Jan Brueghel de Velours (1568-1625), traduce al barroco las *escenas de género* que iniciara su antepasado Brueghel «el Viejo»; en ellas en lugar de ser el pintor un actor, tal como ocurre en Holanda, se convierte en mero espectador, ello lo desarrollamos en el comentario a·la L. LIX [Teniers]; y es visible en el *Baile campestre ante los Archiduques Isabel Clara Eugenia y Alberto* (C. 1.439) y en su pareja, el *Banquete de Bodas* (C. 1.438), pintado en 1623. También será Brueghel el iniciador de los *cabinets d'amateurs,* como lo demuestra la temprana *Alegoría de la vista* (L. LVIII); sus pinturas de *flores* (C. 1.419 al 1.426) tendrán gran aceptación; en algunas ocasiones con ellas decorará cuadros de su admirado Rubens, como la *Virgen con el Niño* (C. 1.417), otras añadirá paisajes, así en los retratos de los *Archiduques* (C. 1.683-1.684). Mas quienes difunden las *escenas de género* son los Teniers; del «Viejo» (m. 1649), el Prado tiene solamente su *Historia de Reinaldo y Armida* (C. 1.825-1.836); de su hijo (1610-1690) existe, en cambio, una copiosa representación, entre sus obras más características están sus *Fiestas campestres* (C. 1.785 al 1.790); en *Le Roi Boit* (C. 1.797), interpretará burlescamente el tema predilecto de Jordaens; mientras en los *Monos* que realizan trabajos humanos (C. 1.805 al 1.810), usa un sentido irónico; también representa escenas militares como el *Vivac* (C. 1.811) y el *Cuerpo de guardia* (C. 1.812), que recuerda obras de Wouwerman; pero donde más se adentra en el mundo de la picaresca es en sus *bebedores* (C. 1.791 al 1.796) y en el *Viejo y la criada* (L. LIX), que hemos tomado como ejemplo de su arte. Es en cambio, Adrián Brouwer (m. 1638) quien penetra en la auténtica vida de los miserables, como hacía por aquel tiempo en Holanda van Ostade, del que fue condiscípulo en el taller de Frans Hals; su realismo le lleva a pintar lo más sórdido de la vida popular, como *cazadores de piojos* (C. 2.731) o campesinos en groseras diversiones (C. 1.391-1.392).

Lo mismo que en Holanda, el *bodegón* y la *pintura animalística* van a tener en Flandes, especialmente en Amberes, gran importancia. Pero aquí las formas se harán exuberantes, por lo que necesitan un gran espacio. Dentro de una sencillez casi holandesa Clara Peeters (1589 ? - 1676) realiza *naturalezas muertas* donde vasijas y comestibles se estructuran equilibradamente, el Prado posee tres firmadas en 1611, y en una de ellas (C. 1.621) en los reflejos luminosos de las piezas metálicas surgen autorretratos minúsculos. Dentro de esta misma línea está la delicada *Naturaleza muerta* (C. 1.606) de Osías Beet (1622-1679 ?). Frans Snyders (1579-1657) será quien aplique al género la opulencia rubeniana y aunque realiza impresionantes bodegones como *La frutera* (C. 1.757) sobresale en pintar animales en movimiento, género del cual el Prado posee una copiosa colección. Sus mejores discípulos son su cuñado Paul de Vos (1590-1678) y Jan Fyt (1611-1661) de los que también el Museo madrileño tiene una excelente representación; en sus obras la fluidez del maestro se va convirtiendo en pastosa. Esto se acentúa en otro importante bodegonista de Amberes: Peeter Boel (1622-1674), cuyas *despensas* y *naturalezas muertas* patentiza la evolución estilística de la escuela.

HOLANDA

Realismo e intimismo.—Durante el siglo XVI —como ya hemos indicado— los Países Bajos septentrionales, aunque hasta fines de siglo siguen bajo la Corona española, se van apartando no sólo socialmente sino artísticamente de los estados del sur, la Bélgica actual. La guerra seguida de la independencia y de la paz (1609), hace que sus pinturas tomen rumbos distintos. En Holanda, el puritanismo hará que apenas se practique la pintura religiosa —salvo algunas escenas bíblicas— y se prohíbe rigurosamente el desnudo, de ello solamente hace caso omiso la figura genial de Rembrandt, teniendo como antecedente a los pintores de Utrecht que en Roma habían estado en contacto con los círculos católicos; por ello los temas tratados serán especialmente los de la «pintura de género» —que va desde los asuntos bíblicos a escenas tabernarias—, el paisaje, el retrato, el bodegón y hasta la pintura de animales.

La lucha por la independencia produce animadversiones durante el siglo XVII, que hacen explicables la escasez de pintura holandesa poseída por el Prado. A pesar de ello visita la Península por estos momentos el delicado Gerard Terborch (m. 1662); recuerdo de su viaje son algunos de sus pequeños y delicados retratos los cuales se pueden considerar como «microversiones» de los de Velázquez; mas sólo se conoce una obra de él en España (Alcázar de Sevilla).

Mientras que en algunas ciudades holandeses se mantiene aún el manierismo, en Utrecht se desarrolla un foco italianizante, cuyo fundador Abraham Bloemaert (1569-1651), sin visitar Italia, en su obra desarrolla los ideales estéticos de este país; su mayor mérito radica en haber formado un grupo de alumnos a los que estimula a conocer Italia y entre los que se formará el tenebrismo holandés; entre ellos destacan Terbrugghen (m. 1625) y Honthorst (m. 1626), a los que se ha atribuido la estupenda *Incredulidad de Santo Tomás* (C. 1.963), obra segura de Mathias Stomer (m. d. 1650), quien se encuentra en Roma en 1630, de donde pasa a Nápoles y Sicilia, ello nos da la explicación de la existencia de obras suyas en colecciones españolas. Aunque parte del estilo de Honthorst, su pintura tiene un marcado acento personal, es más violenta e inquieta, debido al hecho de estar influido por el «salvajismo» de la etapa siciliana de Caravaggio.

El retrato holandés se abre en el Prado con una pareja idealizada por Michiel Janszoon van Mierevelt (1567-1641), quien desde Delft donde habita se convierte en el retratista más apreciado entre la burguesía de la región; aunque carece de originalidad es, en cambio, meticuloso en el estudio de la fisonomía de los personajes, ello se denota en el *Retrato de caballero* (C. 2.977), donde aparecen los rasgos fisionómicos de un sifilítico: nariz en forma de «silla de montar», calvicie precoz, manchas rojizas en la cara...; en cambio, el de su esposa es el de una aburrida e insulsa aristócrata.

Aunque no es exactamente un retrato, sino una composición basada en la Historia, la *Artemisa* (L. LX) de Rembrandt Harmensz van Rijn (1606-1669), por reproducir las facciones de su esposa Saskia, lo podemos incluir dentro del género. Es esta obra la más bella e importante de todas las que existen en el Prado de esta escuela. Realizada inmediatamente después de haber abandonado su ciudad natal, Leyden, y de haberse establecido en Amsterdam, donde contrae matrimonio (1634). En cambio, el *Autorretrato* (C. 2.808), es obra dudosa. La figura gigantesca de Rembrandt, hace imposible aquí todo comentario.

Su estilo ya fue imitado desde sus primeros momentos; así, al año siguiente

43

de haber realizado la *Artemisa*, Salomón C. Konninck (1609-1656), realiza un *Filósofo* (C. 2.974) donde vulgariza un estudio del maestro, aunque no carente de habilidad ejecutiva, como el uso del rayado en las barbas, dejando entrever la preparación, procedimiento usado en el policromado escultórico. Dentro de este estilo se encuentra la *Adoración de los Pastores*, obra de Benjamín G. Cuyp (1612-1652), que en 1954 el Prado adquirió como posible Rembrandt, basándose no sólo en el parentesco estilístico, sino por tener entonces un anagrama apócrifo; de él existe otro ejemplar en Burdeos, cuyos personajes están próximos a los de van Ostade.

Adrian van Ostade (1610-1684) pasa toda su vida en Harlem, donde recibe la influencia del flamenco Brouwer y de Frans Hals; realiza un gran número de pequeños cuadritos donde describe la vida sórdida de los menestrales de la ciudad, pero en ellos también existe alegría —especialmente la que da el vino— como se percibe en los cuadros suyos del Prado (C. 2.121-23 y 2.126). Entre los otros grandes pequeños maestros que cultivan las escenas de género, son muy escasas las obras conservadas en España. Por ello sólo citaremos una *Escena de galanteo soldadesco* (C. 2.586) de Palamades (m. 1673), una *Vieja* (C. 2.136) de Brekelencam (m. Leyden 1668) y los *Patinadores* (C. 2.079) obra deliciosa, de Drooshsloot (m. 1666). Pena es que no tengamos de Leonard Bramer (1596-1674) ninguna de sus «brujerías», aunque sí un cuadro mitológico, *El Dolor de Hecuba* (C. 2.069) y otro religioso: *Abraham y el ángel* (C. 2.070). Tampoco poseemos ninguna de las escenas callejeras que hicieron famoso a Gabriel Metsu (1629-1667), pero sí su *Gallo muerto* (C. 2.103), uno de los ejemplos más interesantes de la naturaleza muerta holandesa, donde las cosas son tratadas con total veracidad.

El Prado conserva importantes ejemplos de los dos creadores de la «naturaleza muerta» holandesa; Pieter Claesz (m. 1671) y Willen Heda (1594 - h. 1681); del primero un bello *Bodegón* (C. 2.753) con sus características marrones dorados, y del segundo tres bellas *mesas* (C. 2.754-56), que se pueden considerar como antecedentes de las del pintor nacido en Utrech Jan Davidsz de Heem (1606-1684), aunque éste al trasladarse en 1636 a Amberes barroquiza las formas y da un sentido colorista a sus cuadros, apartándose de los grises de Heda.

Uno de los géneros esenciales de la pintura holandesa es el paisaje, que en el Prado se abre con uno de sus primeros ejemplos debido a Gilles van Coninxloo (1544-1607); Carel van Mander —el primer biógrafo de la pintura norteña— lo considera ya el iniciador; en esta obra ahora expuesta —aunque de tamaño pequeño es de gran belleza— todavía se percibe el recuerdo de Brueghel, aunque paliado por las diagonales manieristas; debe de ser de sus tiempos de Amberes, de donde fue expulsado por sus ideas antihispánicas, pasando a Frankfurt, allí se deja influir por Adam Elsheimer (m. 1610), quien pasa largos años en Roma, donde se le llama «Adamo Tedesco»; en el Prado existe su *Ceres en casa de Becuba* (C. 2.181). Hasta Hércules Seghers (m. 1638), su genial discípulo, no será superado el paisaje en Holanda. La influencia de Seghers y el sentido mórbido del de Rembrandt (*Paisaje*, Col. duquesa de Alba), son recogidos por Jan van Goyen (1596-1656) del cual el Prado conserva un pequeñito pero encantador ejemplo de su arte, en donde sintetiza y simplifica aún más los tonos que usara Seghers, reduciéndolo a doradas tierras y a grises verduscos unificados tonalmente por la atmósfera, ello hace que pueda fecharse este *Paisaje* (C. 2.978) entre los años 1630 y 1640.

En el Prado se atribuyen con dudas dos cuadritos a Jacob van Ruysdael

(1628-9 - 1682); el primero un *Bosque de hayas* (C. 1.729), aunque firmado, está dentro del estilo de su maestro Cornelis Vroon (m. 1671), si no fuera obra de éste podría estar realizada por el joven Ruysdael en su taller; en cambio, la bella —aunque empobrecida por viejos barnices— *Caza del zorro* (C. 1.728), es para nosotros indiscutible y relacionada con su período alemán (h. 1650), cuando recorre las regiones selváticas de Westfalia y Hannover; los toques blanquecinos en las figuritas de cazadores y animales, corresponden a los que aparecen en otras pinturas de esta época, como una existente en los Uffizi. Dudoso es el *Paisaje* de Hobbema (C. 2.860).

El género de *batallas* fue cultivado con gran prodigalidad por Philips Wouwerman (1619-1668), que desde su ciudad natal de Harlem envía primero obras a toda Holanda y más tarde se difundirán por las cortes europeas; la mayoría de los numerosos ejemplares existentes en el Prado pertenecieron a Felipe V o a su mujer Isabel de Farnesio.

ESPAÑA

Paradójicamente cuando en el siglo XVII comienza la decadencia política y económica española, se desarrollará una de las etapas más grandiosas de la pintura universal. En Valencia y Toledo será donde radiquen los primeros focos, en los que surge el realismo, que luego será desarrollado en Madrid y Sevilla. En parte es debido a la pronta llegada de obras del Caravaggio a la Península Ibérica, pero también es de hacer notar la existencia de una tradición claroscurista en la pintura española. Pedro de Campaña había ya introducido el gusto por los contrastes lumínicos en Andalucía, y más tarde el Greco, Luca Cambiaso y Navarrete lo hacen en el Centro de la Península. Posiblemente rebrotaría un sentimiento oriental, de origen popular que consideraba a la luz como expresión del bien y a la oscuridad como del mal. Si el bien está apartado del mal, pero en continua lucha, la iluminación y la tiniebla se contraponen en la pintura. Por ello, en el tenebrismo español se entabla un combate entre luz y oscuridad, parecida al de la llama contra la oscuridad de la noche, lo que hace semejante las figuras pintadas, como ha dicho Camón, a las esculturas de los retablos iluminadas por cirios.

El precursor más directo del *tenebrismo español* es Fray Juan Sánchez Cotán (m. 1627), el cual formado en Toledo pasa los últimos años de su vida en la Cartuja de Granada; en sus «naturalezas inertes», sin haber conocido a Caravaggio, nos presenta un tenebrismo original, preñado de fuerte espiritualidad. En el Prado sólo existe un reflejo de su estilo en el *Bodegón* (C. 2.808) de su seguidor Felipe Ramírez, pero donde el cardo cotanesco se empareja con con un delicado lirio en un vaso de oro, lujo del que carecen las austeras naturalezas del cartujo. En la misma Toledo, influido por el Greco, aunque manchando de tierras pardas su colorido, se encuentra Luis Tristán (m. 1624); suyas son la pareja formada por *Santa Mónica y una compañera* (C. 2.836 y 2.837), que proceden de uno de sus principales conjuntos, el retablo de Yepes, firmado en 1616; en el retrato de *El Calabrés* (C. 1.276), «favorito e mezzo spia» de Felipe II, según escribía un embajador veneciano, demuestra la admirable actividad retratística de Tristán. El murciano Pedro de Orrente (1588-1645), muy joven se trasladará a Toledo, donde se adiestra con el Greco y Tristán en el *luminismo*, al

45

cual aporta su admiración formal e iconográfica por los Bassanos, a quienes imita, aunque sustituyendo el ardiente colorido por los tonos terrosos, muy del gusto español del momento. Ello es patente en el *Viaje de la familia de Lot* (C. 1.017) o en la *Vuelta del aprisco* (C. 1.020), entre otras obras suyas conservadas en el Prado. Con él se establece el enlace de la pintura toledana y la valenciana, ya que se traslada a esta región donde realizará la mayor parte de su obra. Y, allí se pondrá en contacto con Francisco Ribalta (1565-1628), el verdadero iniciador del *tenebrismo* español; formado en El Escorial, el contacto con Cambiaso y Navarrete le inicia en el *luminismo*, como se advierte en su obra más antigua, *Cristo clavado en la Cruz* realizado en 1582, y conservado en el Ermitage de Leningrado. Más tarde en Italia donde conoce y copia la obra de Caravaggio, se procupa por los verdaderos problemas tenebristas, los que aplicará a sus dos magníficas obras: *Cristo abrazando a San Bernardo* (L. LXII) y la *Aparición del Cordero a San Francisco* (C. 1.062), en las que el sentido místico se transforma hispánicamente en ascético; en la segunda es admirable el efecto lumínico dimanado de un candil sostenido por un fraile que aparece en el fondo.

Seguramente recibirá su primera formación Jusepe de Ribera (1591-1652) en Valencia y junto a Ribalta; nacido en Játiva, se trasladará muy joven a Italia, donde pronto seguirá los pasos del Caravaggio, al cual no sólo imita estilísticamente, sino que también actuará dentro de la picaresca en sus años juveniles. Después de su agitado período romano, se trasladará a Nápoles hacia 1616, huyendo de la justicia, mas allí el amor, seguido del matrimonio y el éxito profesional, le dará cierta serenidad que harán posible el desarrollo de un estilo propio; aunque su raíz sea caravagesca, logrará una técnica más desenvuelta que la de su maestro espiritual; la pincelada cobrará mayor agilidad, siendo más ancha y espesa. Gracias a sus poderosos méritos artísticos, obtendrá la protección de los virreyes duque de Osuna y conde de Monterrey; y también recibirá encargos importantes de la Corte española. Lentamente sus pinturas se van desprendiendo de las tinieblas tenebristas, buscando un nuevo colorido, donde hay impregnaciones venecianas y del Correggio, como se observa en la *Trinidad* (C. 1.069), tan próxima a la del Greco; pero donde consigue mayor originalidad en estos momentos es en el *San Juan en el desierto* (C. 1.108), el *Jacob e Isaac* (C. 1.118) de 1637, y el *Sueño de Jacob* (C. 1.117), realizado dos años después; sobre todo donde muestra sus poderosos conocimientos de la luz, la forma y el color es en su *Martirio de San Bartolomé* (L. LXIV) realizado este mismo año; todos los personajes de estos cuadros están tomados de la vida real, expresando plásticamente el carácter del pueblo napolitano. Es pena que de otra obra maestra, *El triunfo de Baco*, sólo resten dos fragmentos, una *Cabeza de mujer* (C. 1.122) y otra de *Sileno* (C. 1.123), pues fue destruida en el incendio de 1734. Iconográficamente es muy interesante el *Combate de mujeres* (C. 1.124), en el que se recuerda un duelo efectuado un siglo antes, en que dos damas se disputaron el amor de un galán. Al final de su vida, posiblemente una desgracia personal —la seducción de su hija, de diecisiete años, por don Juan José de Austria, que llega a Nápoles para sofocar la sublevación popular de Masianello—, es lo que le hace retornar al tenebrismo; obra cumbre de este momento, realizada el mismo año de su muerte, es el patético *San Jerónimo penitente* (C. 1.098), el cual pudiera ser un autorretrato sicológico.

En Sevilla comienza el siglo vacilantemente, pues sus principales pintores son Pacheco y Roelas. Francisco Pacheco (1574-1653) es más interesante como teórico que como pintor (su *Arte de la Pintura*, 1649, da datos importantísimos para el arte en Andalucía). Su estilo es de gran sequedad, como se percibe en sus *Santos* (C. 1.022. al 1.025); sus Cristos de cuatro clavos, sirvieron de modelo para el de su yerno Velázquez. Sin embargo, Juan de las Roelas (m. 1625), introduce un efímero venecianismo de carácter todavía renacentista en la ciudad del Guadalquivir. Artista más personal es Francisco de Herrera «el Viejo» (m. 1656); más joven que estos dos es el verdadero introductor del realismo en la región bética. De carácter irascible, su vida es tan inquieta como la del Caravaggio: llega a falsificar moneda, mas es librado de la cárcel por Felipe IV que admira su bravura pictórica, ello le lleva a trasladarse a Madrid donde fallece; el *San Buenaventura recibiendo el hábito franciscano* (C. 2.491 a), que formaba parte con otras obras suyas y de Zurbarán de un conjunto realizado para el convento sevillano de San Buenaventura, es pintura muy característica de su primer estilo, donde predominan los tonos tostados, y junto a espléndidas cabezas llenas de realismo, aparecen otras desdibujadas, típicas de su inestabilidad de carácter, que le lleva a la chapucería. En cambio, en el *Papa León I*, «el Magno» (C. 832 a), surge una vaporosidad, que preludia a las obras de la siguiente generación, por lo que le fue atribuido a su hijo. Terrible y veraz es su *Cabeza de santo degollado* (C. 3.058).

Francisco de Zurbarán (1598-1664), será el principal exponente del *tenebrismo andaluz*, llegando a cultivar este estilo aun cuando sus compañeros en el taller de Pacheco, Velázquez y Cano, lo habían abandonado, a la vez que la ciudad. Aunque formado en Sevilla, ha nacido en el sur de Extremadura (Fuente de Cantos), región dependiente social y económicamente de la capital andaluza. Se casa por dos veces en Llerena, donde trabaja durante unos diez años; regresa a Sevilla bajo el patrocinio de su Ayuntamiento. A esta etapa sevillana pertenecen la pareja de cuadros *Visión de San Pedro Nolasco* (C. 1.236) y la *Aparición de San Pedro a su santo homónimo* (C. 1.237), pintados en 1629, para el claustro del convento de la Merced, los cuales dentro de la obra de Zurbarán son específicos, pues en ellos se representan sin retórica alguna los momentos más elevados del alma, llegando al éxtasis contemplativo; aquí las telas están iluminadas con las suaves matizaciones tenebristas del maestro, en las que una luz blanca y diáfana, teñida de un ligero «rosicler» crepuscular, hacen resaltar las formas corpóreas. En la década siguiente, triunfante, se traslada a Madrid, donde realiza las obras que comentamos en las láminas. Además de pintor monacal, crea encantadoras *Inmaculadas* (C. 2.992) y jóvenes santas (L. LXVII y C. 3.148). Pero donde llega a una concreción abstracta de los volúmenes y de las calidades de las cosas, es en las *naturalezas* (L. LVX y C. 2.888), ya sean representando cerámicas, frutos o flores, y en donde expresa su mucho amor por la realidad cotidiana.

Conforme avanza el siglo la centralización política hace que Madrid se vaya convirtiendo en el centro tentacular que atrae a los pintores provincianos, lo que hace que se debiliten los focos locales. Así, el dominico Fray Juan Bautista Maino (1558-1648) —aunque de origen italiano nace en Pastrana y tomará sus primeras lecciones en Toledo— para el Salón de Reinos del Buen Retiro, junto con otros artistas ejecutará una de las victorias españolas que lo decoraban, su *Reconquista de Bahía* (C. 885) donde se clarifica el tenebrismo, logrando efectos formales y de iluminación comparables a los conseguidos por los pintores holandeses contemporáneos. Vicente Carducho (1557-1638) llega niño de Italia, acompañado de su hermano Bartolomé, pintor de El Escorial; a lo largo de toda su vida mantendrán un estilo ecléctico, no exento de matizaciones tenebristas; claro ejemplo de ello son sus historias de cartujos realizadas para el monasterio de El Paular (1626), de los cuales existen ejemplares en el Prado (C. 639, 639 a y 2.501-2.502), donde en alguna ocasión, como en la *Muerte de Odón de Novara* (C. 639), surge su actividad retratista, pues aquí muestra su figura, en vestimenta de clérigo y con bonete en la mano, apareciendo tras de él el perfil de Lope de Vega, ya anciano; también pintará cuadros de batalla para el Salón de Reinos lo mismo que Eugenio Cajés (1574-1634), del cual es una importante *Virgen con el Niño* (C. 3.120), que tiene el sentido monumental de los clasicistas boloñeses. Aunque de una generación posterior, Fray Juan Rizi (m. 1685 ?), aún se mantiene en el tenebrismo, realizando obras de gran intimidad religiosa cual la *Cena de San Benito* (C. 2.600) y el *Santo bendiciendo un pan* (C. 2.510).

La singularidad de Velázquez.—Además de ser el más importante pintor español de su siglo, Diego Rodríguez de Silva Velázquez (1599-1660) es el primero que da el paso desde la pintura tenebrista a las formas del realismo luminoso. Aunque no llega al barroquismo ni al universalismo de Rubens, pues ni le interesa el movimiento en acción ni la pasión le mueve a la ejecución de sus cuadros; como ha hecho notar Berenson, su estilo, lo mismo que el de Piero de la Francesca, está dentro de la «no elocuencia». Ahora bien, es un pintor barroco, sobre todo desde que se afinca en Madrid, ya que busca la profundidad espacial, logrando lo que según Wölfflin, es la principal característica del rococó, «la creación de lo inaprehensible», y además en sus figuras las líneas se esfuman, característica, según Lafuente Ferrari, del barroco. Pero, en contraste, si sus personajes se mantienen estáticos, en sus rostros se destaca la personalidad de cada individuo y la singularidad de las cosas, logrado —como ha dicho Pita— gracias a su modo de ser y a la calma que le da el no necesitar pintar para vivir. Sobre su sentido creacional del espacio, hacemos un largo comentario (Ls. LXXIV-V); ya hemos dicho que la aprehensión del espacio es una de las características más típicas del estilo barroco, ello sucede en el actor *Pablo de Valladolid* (C. 1.198), donde faltando toda referencia arquitectónica, como en el *Niño del pífano*, de Manet, la figura está situada en un espacio inconcreto, al que sólo una leve sombra da consistencia. También Velázquez se preocupa de una meticulosa elaboración técnica en sus obras, por ello las ejecuta lentamente. Primero tiene «la idea», luego hace estudios de composición, basándose en grabados, y del natural realiza dibujos; luego sin boceto previo ataca directamente la ejecución del cuadro, con lo que consigue su peculiar espontaneidad. Ello le lleva a frecuentes «arrepentimientos», y en algunas ocasiones repinta el cuadro casi completamente de nuevo, esto sucede ya sea inmediatamente después de haberlo terminado o pasados algunos años, si es que permanece a su lado en el Palacio; así vemos, por ejemplo, cómo en *Las Lanzas* (L. LXXI) ha cambiado la postura del caballo varias veces, o en el retrato ecuestre de *Felipe IV* (C. 1.178), repinta múltiples veces las dos patas traseras del caballo convirtiéndolo, como ha dicho Gaya, en un hipogrifo; y el de *Felipe IV*, de 1624, que se creía perdido se encuentra, como hace patente la radiografía, escondido debajo de otro de 1628; lo mismo ocurre con el retrato de su esposa Isabel de Borbón (antes Sabin Gallery, Londres), elaborado en 1628 y rehecho en 1631.

Velázquez forma parte de la generación que nace con el siglo, y a la que pertenecen Bernini y van Dyck. En el campo literario es contemporáneo de Calderón, con el que tienen semejanza sus composiciones. Sevillano de nacimiento, su padre es de origen portugués y su madre de familia sevillana, de la que toma el apellido para firmarse. Es casi seguro que comienza su aprendizaje con el violento Herrera «el Viejo», del que existen en sus primeros momentos recuerdos indudables. A los doce años trabaja en el taller de Pacheco, quien le enseña no solamente las técnicas pictóricas, sino conocimientos iconográficos y literarios; la admiración de su suegro hace que lo case con una hija suya, Juana. Con las recomendaciones de su suegro para los sevillanos influyentes en la Corte, llega por primera vez, en 1622, Velázquez a Madrid. Pero hasta el año siguiente no se introduce definitivamente en la Corte, gracias a la protección del poeta Rioja y del Conde-Duque de Olivares. Un retrato de Felipe IV le da fama, y es nombrado por el monarca pintor de cámara. Más tarde será aposentador mayor y «pintor del Rey». Cuando en 1628 Rubens visita la Corte española, Velázquez no sólo recibe sus consejos, sino que será su acompañante en las colecciones reales y en El Escorial. Posiblemente el flamenco le insta para que viaje a Italia, embarcando en 1629 a costa del monarca y con cartas de presentación para sus embajadores. Después de haber visitado las principales ciudades, regresa al cabo de año y medio, comenzando una nueva etapa donde su estilo es más fluido. Acompaña al Soberano en sus viajes, así en la guerra de Cataluña (1644). Vuelve de nuevo a Italia en 1649, esta vez ya artista famoso es recibido por el propio papa, de quien pinta el sorprendente retrato en rojos y oros; allí adquiere estatuas y cuadros «el caballero Velázquez», con que decorará las nuevas salas del Palacio. El soberano inquieto por su tardanza, le llama varias veces, y ordena rigurosamente su regreso. En 1651 está de nuevo en Madrid, donde para que no se aleje de nuevo Felipe IV le nombra su «aposentador», cargo que le resta tiempo, pero que le permite realizar obras laboriosas como *Las Hilanderas* y *Las Meninas*. Su éxito arrollador hace que en 1658 el rey le conceda ser Caballero de Santiago. Y dos años más tarde, organiza las decoraciones en la Isla de los Faisanes, en el Bidasoa, para la boda real. El intenso trabajo mina su salud, lo que hace que cuando regrese a Madrid sólo le quede poco más de un mes de vida.

De su etapa sevillana solamente existe en el Museo del Prado la *Adoración de los Reyes* (L. LXIX), y posiblemente un retrato de *Pacheco* (C. 1.209); su desgarrada *Sor Jerónima de la Fuente* (C. 2.873), es obra realizada después de su primer viaje a Madrid; si no hubiera sido por la rapiña francesa, y la «diplomacia» de Wellington, el *Aguador de Sevilla* (Wellington Museum, Londres), estaría hoy en el Prado. Como hemos dicho de su primer momento madrileño es el retrato de *Felipe IV* (escondido debajo de otro), próximo a él está el del *Infante Don Carlos*. En 1627 hace su primera composición de historia y de gran tamaño: la *Expulsión de los moriscos*, hoy perdida, solamente nos queda su reflejo en un dibujo de Cajés. Los *Borrachos* (C. 1.170), empezado en 1628, es cuadro en el que el tema mitológico se interpreta humanamente; la falta de armonía entre composición y ambiente, es debida a que en los primeros momentos estaba realizada en un interior, y después de su primer viaje a Italia coloca los personajes en un ambiente paisajístico. Entre las obras pintadas en su primer viaje a Italia destaca la *Fragua de Vulcano* (C. 1.171), donde logra ya un gran equilibrio entre figuras y ambiente; en ella de una manera calderoniana nos presenta la escena del marido burlado con la mayor sutileza, pues aunque éste burdamente intenta la venganza, cada uno de los demás personajes se expresa sicológicamente de forma diferente. En ella el desnudo adquiere un sentido nuevo en la pintura española, posiblemente para asombrar a los italianos, que criticaban la falta de este género en la Península Ibérica. Su compañera la *Túnica de José*, se conserva en El Escorial. En 1632 realizaría su *Cristo* (C. 1.167), de cuatro clavos según la iconografía establecida por Pacheco; es un crucifijo expiatorio y supuesto en relación con los «secretos pecados» del monarca, quien lo dona al Monasterio de San Plácido. De esta época serán los *Bufones* (L. LXXIII); y la *Coronación de la Virgen* (C. 1.168), una obra donde por influencia del Greco espiritualiza los tonos. Es posible que sean de su primer viaje los dos paisajes de la *Villa Médicis* (L. LXX; C. 1.211). De su segundo viaje, las obras maestras son los retratos de *Inocencio X* y la *Venus del espejo*, donde logra calidades en las que supera a los maestros venecianos. A su vuelta, la paleta de Velázquez aún se hace más vaporosa, esfumándose las formas y logrando prodigiosas sutilezas, como sucede en el «loco» *Don Juan de Austria* (C. 1.200), donde ironiza sobre la Historia de España, posiblemente el fondo representa la batalla de Lepanto. Destacan de este período final una serie de retratos como el adusto de *Doña Mariana de Austria* (C. 1.191) y el *Felipe IV* (C. 1.185), donde ya se percibe la decadencia física y sicológica del monarca. En cambio en el de *Doña Margarita* (C. 1.192), hay un prodigioso sentido colorista donde los rosas y carmines juegan con los blancos y platas en una verdadera sinfonía cromática; es pena que al no terminarlo, su yerno Mazo colocara unos cortinajes rojizos un tanto burdos. Las obras maestras de su último momento, además del prodigioso *Mercurio y Argos* (C. 1.175) —que indica con su pincelada abocetada y pastosa, cómo Velázquez ha podido cambiar su técnica a lo largo de su vida—, son *Las Meninas* (Ls. LXXIV y LXXV) y *Las Hilanderas* (L. LXXVI).

La generación madrileña afín a Velázquez.—Como hemos visto Velázquez deja un número muy reducido de pinturas, debido a su afán de perfección, pues al contrario de Rubens o del mismo Zurbarán, fue incapaz de industrializar su arte, al que amaba tan fervientemente. Velázquez se limita a tener a su alrededor dos o tres ayudantes para que le muelan los colores, le tensen los lienzos, o realicen copias de los retratos reales exigidas por las altas familias españolas o por los soberanos extranjeros. Mas a pesar de ello ejerce cierta influencia sobre los pintores madrileños de su tiempo, no sólo entre sus pocos discípulos —entre los que se destaca el mulato sevillano Juan de Pareja, autor de la reposada *Vocación de San Mateo* (1661; C. 1.041), el gallego Antonio Puga, al que se le atribuye la *Madre del pintor* (C. 3.004), y destacando especialmente Juan B. Martínez del Mazo (m. 1667) que, como hemos dicho, termina algún cuadro de Velázquez, y pinta su *Familia* (M. de Viena), inspirada en *Las Meninas*; posiblemente es suya, salvo algunas veladuras en los fondos realizadas por Velázquez, la *Vista de Zaragoza* (C. 889), que está relacionada técnicamente con la *Caza del Tabladillo* (C. 2.571); en estos dos cuadros las figuras de primer término deliciosas ya fueron muy elogiadas en su tiempo. Documentada su estancia en Roma, confirma la atribución del *Arco de Tito* (C. 1.212) que forma parte de una serie de paisajes italianizantes (C. 1.215 al 1.218). También se puede percibir cierto contacto con Velázquez en algunas obras del bilbilitano Jusepe Leonardo (1601-1656); una figura inquietante, su ardiente temperamento le conduce a la locura, lo que le hace abandonar la pintura desde 1648, muriendo en Zaragoza; velazqueño ,en cierto grado, es el *Nacimiento de la Virgen* (C. 860) y su *San Sebastián* (C. 67); Velázquez le encarga para el Salón de Reinos la *Rendición de Juliers* (C. 858) y la *Toma de Brisach* (C. 859), donde demuestra su habilidad compositiva. Su contemporáneo el vallisoletano Antonio de Pereda (m. 1678), famoso por sus pinturas de bodegones y alegorías de la vanidad, cultivará un estilo que evoluciona del austero de los comienzos de siglo al vaporoso flamenquizante; también para el Salón de Reinos pinta su *Socorro de Génova* por el marqués de Santa Cruz (1634; C. 1.317 a). En el Prado se puede seguir su evolución artística, con la *Anunciación* (1637; C. 2.555), *Cristo* (1641; C. 1.047), *San Jerónimo* (1643; C. 1.046), *San Pedro liberado por un ángel* (1644; C. 1.340), y *Aparición de la Virgen a San Félix Cantalicio* (1665; C. 1.317 b), en donde su técnica se ha hecho más vaporosa.

La pintura en la Corte del último Austria.—Es en el reinado de Carlos II cuando una serie de pintores, dejando a un lado el «velazqueñismo», se dirigen por las sendas que Rubens y van Dyck labraron, aunque aceptando el colorido de los pintores venecianos. Cuando España se lanza a un precipicio social y político, van a surgir una serie de excelentes artistas en la Corte, que no sólo pintan el lienzo, sino que también cultivan el fresco, posiblemente influidos por el barroquismo italiano, lo que convertirá a Madrid en uno de los principales centros coloristas europeos. Se inicia esta etapa con Juan Carreño de Miranda y Francisco Rizi, nacidos los dos en 1614; Carreño (m. 1685), asturiano de Avilés, y formado en Valladolid, se trasladará aún joven a Madrid, donde en 1669 Carlos II lo nombra pintor del rey. Ha sido uno de los más grandes retratistas españoles, como lo demuestran sus efigies de *Doña Mariana* (C. 644), la reina regente y de su esperpéntico hijo, *Carlos II* (C. 642 y 648), donde aún se notan influjos velazqueños; en el embajador ruso *Pedro Ivanowitz* (1681: C. 645), por su majestuosidad y cromatismo se aproxima a Rubens; mientras que en el del *Duque de Pastrana* (C. 650), como ha dicho Angulo, «la gravedad española se aligera en contacto de la halagadora elegancia vandyckiana». También pintará a un ser deforme: *La Monstrua* vestida (C. 646), y desnuda (C. 2.800) coronada de hojas y racimos de vid, convirtiéndola en un Baco niño. En su *Santa Ana enseñando a la Virgen* (C. 651), y en el boceto del *Festín de Herodes* (C. 3.088), para el perdido cuadro de la iglesia madrileña de San Juan, se nos muestra como un gran colorista. Francisco Rizi (m. 1685) —el hermano de Fray Juan—, aunque también cultiva el retrato, digno ejemplar es su *General de artillería* (C. 1.127), ante todo es un fogoso decorador, aplicando a sus lienzos las amplias pinceladas del pintor de frescos, en sus *Purísimas* (C. 1.130 a) o en escenas relacionadas con el *Nacimiento de Cristo* (C. 1.128 a 1.130, 2.962 y 3.136). El *Auto de Fe* (1683; C. 1.126), reproduce el celebrado en la Plaza Mayor de Madrid en 30 de junio de 1680, y es obra de mayor interés histórico que artístico.

Un crepúsculo radiante.—Se viene considerando a Claudio Coello el artista con quien culmina la pintura barroca madrileña; ahora bien, si el Destino hubiera dado larga vida a tres pintores nacidos en el decenio de 1625-35, no sería este el último de los grandes pintores de nuestro siglo dorado, pues Mateo Cerezo (1626-1666), Juan Antonio Escalante (1633-1670) y José Antolínez (1635-1675), hubieran estado muy cercanos a su estilo, ya que formaban el grupo más avanzado de los adalides barroquistas. Si Juan Carreño de Miranda dio un paso en la línea barroca, ellos llegaron a la máxima exaltación de las formas y del color. El burgalés Cerezo, conforme avanza su producción su vandyckianismo va siendo absorbido por su fuerte personalidad; si en los *Desposorios místicos de Santa Catalina* (1660; C. 659) y en la *Asunción* (C. 658), todavía se observan influencias flamencas y venecianas, al final de su vida las pigmentaciones cromáticas envuelven a las formas las cuales se impregnan de un fuerte espíritu ascético-místico, tal como ocurre en el delicado *Juicio de un alma* (C. 620). El cordobés Juan Antonio Escalante, en los primeros momentos se deja influir por Jordán y por Francisco Rizi, con quien colabora, como lo demuestra su juvenil *Andrómeda y el dragón* (depósito del Prado); posteriormente su pintura se hace más fluida y excitante, llegando en algunas ocasiones a confundirse sus obras con la de los pintores italianos del momento; así, su *Elías y el ángel* (Museo de Berlín) ha sido adjudicada al veneciano Francesco Maffei; una versión semejante recientemente se ha incorporado al Prado, ella forma serie con otras «alegorías eucarísticas», procedentes del Convento de la Merced, de Madrid; en la *Santa Rosa de Viterbo* (C. 3.046), se preludia al rococó; y aunque, a veces, descuide el dibujo, las nuevas tonalidades empleadas por él, especialmente en sus rosas y azules, hacen considerar estas obras entre las más originales de la pintura española de su siglo. Antolínez, lo mismo que Escalante, busca un movimiento diagonal en sus cuadros, a los que aplica un efervescente colorido, tal ocurre en el *Tránsito de la Magdalena* (C. 591); sobre todo se hace famoso por su peculiar tipología de la *Inmaculada* (C. 2.443); además es un original retratista, como lo demuestran las dos deliciosas *cabezas de niñas* (C. 1.227-28) donde mancha de rosa las mejillas, como Escalante.

La fertil vida de Claudio Coello (1642-1693), y sus prodigiosos conocimientos técnicos, además de su cuidadoso sentido compositivo, le convierten en la figura culminante de la pintura de su siglo. Su formación ecléctica le lleva a reconsiderar las tradiciones pictóricas españolas, volviendo a su pasado velazqueñista, aunque no abandona los contactos con la pintura italiana y flamenca. En época en que predominaba la prisa, lo mismo que hoy, él elabora escrupulosamente sus obras; no por ello desconoce el fresco, el cual practica con agilidad, aunque sus géneros preferidos fueron el retrato y la composición religiosa. Su cuadro más antiguo dentro de este género en el Prado es *Jesús a la puerta del templo* (C. 2.583), donde ya a los dieciocho años hace una obra importante, ahora bien, dentro del eclecticismo de los Carracci; ¿influido por ellos en su estancia en Roma?. Cuatro años más tarde hará su *Triunfo de San Agustín* (C. 664), ya dentro de las influencias rubenianas, donde destaca la aparatosidad barroca; así, en la parte inferior coloca la cabeza de Séneca como símbolo del triunfo de la Iglesia sobre lo clásico; en el *Santo Domingo de Guzmán* (L. LXXVII) y en la *Santa Rosa de Lima* (C. 663), que forman pareja, recuerda a esculturas. A su actividad retratística pertenece el fantasmagórico *Carlos II* (C. 2.504) y el realista *Padre Cavanillas* (C. 992).

La llegada a España (1692) del napolitano Luca Giordano (1632-1705), hará cambiar el estilo que se practicaba aquí entonces. Alcanza tal prestigio en el ámbito de la Corte de Carlos II, que aún en vida se le hispaniza el nombre, llamándole Lucas Jordán. Su formación se inicia en contacto con el arte de Ribera y junto a su padre, mediocre pintor, pero que según la tradición al obligarle a pintar rápidamente, logra su facilidad ejecutiva, de ahí el apelativo de «Fa presto» (anda rápido). Muy joven va a Roma, donde adquiere sus conocimientos del fresco y su estilo decorativista gracias a Pietro de Cortona, aunque nunca abandonará el recuerdo de Ribera. No sólo consigue una ejecución vertiginosa en sus obras, ya sean grandes frescos o composiciones al óleo, sino que su fantasía creará estructuraciones originales, aunque algunas veces la prisa le haga usar moldes prefabricados; así se repiten ciertos escorzos en muchas de sus figuras, que en algunas ocasiones proceden del manierismo florentino —permaneció dos años en esta ciudad— o de los pintores venecianos. En los diez años que pasa en España (regresa en 1702) elabora no sólo grandes y fantasiosos frescos en los Palacios Reales (así en el Casón del Buen Retiro, hoy parte integrante del Museo del Prado, pinta la *Historia del Toisón de Oro*), El Escorial y, sobre todo, el bellísimo de la Sacristía de la Catedral de Toledo, sino un gran número de pinturas al óleo, de las cuales el Prado tiene más de treinta obras, que van desde pequeños bocetos para sus grandes composiciones al fresco —como los cinco para *La Batalla de San Quintín* (C. 184-188) que pinta en la monumental escalera escurialense— a los gigantescos lienzos como *Rubens pintando la Alegoría de la Paz* (C. 190), en la que expresa su admiración por el pintor flamenco, del cual se perciben ciertas influencias en su etapa española. También cultiva el retrato, como los de *Carlos II* y su esposa *Mariana a caballo* (C. 197-198), de los que existen varias réplicas.

Es a Jordán a quien se le debe en gran parte el desarrollo del fresco español en el siglo XVIII desde Palomino a Goya. Así, Acisclo Antonio Palomino (1655-1726,) nacido en Bujalance y formado en Córdoba, y luego en Madrid con Claudio Coello, donde al llegar Jordán rápidamente adoptará su estilo, en sus numerosas decoraciones al fresco; en el Museo del Prado existe una *Inmaculada* (C. 1.026), en donde aún se mantiene dentro de la tradición del siglo XVII madrileño. En cambio sus alegorías del *Fuego* (C. 3.186) y el *Aire* (C. 3.187), están más adentradas en el decorativismo clasicista romano. En su *Santa Inés* (C. 3.161) ya hay ecos del artista napolitano.

Andalucía y Granada.—Mientras tanto la escuela granadina gira en torno a Alonso Cano (1601-1667), el cual después de haberse formado en Sevilla y de haber pasado una larga temporada en Madrid, terminará sus días en su ciudad natal. Aunque de carácter apasionado —existen sospechas de que asesinara a su segunda mujer—, su temperamento no se refleja en su obra, pues cuida sus composiciones minuciosamente, realizando dibujos previos para ellas, logrando plasmar su ideal de belleza dentro de una rígida estructura perfectamente geométrica y de formas redondeadas. En ella sus tipos cobran una definida personalidad, destacando sobre fondos neutros o, más tarde, sobre paisajes vaporosos desde que llega a Madrid en 1636, ello es percibible en *Cristo y el ángel* (C. 629), que luego repite (L. LXVIII); pero sobre todo en el *Milagro del pozo* (C. 2.806), donde los tonos plateados del primer momento desaparecen para dejar paso a un mayor cromatismo, pues el sentido del color triunfará en su etapa granadina donde realizará su obra maestra las *Historias de la Virgen* para la catedral, de la cual será racionero (1657); allí crea un tipo de Virgen que obtendría gran difusión, como la que aparece con el *Niño* (C. 627). También aquí se conservan algunos de los *Reyes de España* (C. 632 y 633) que hiciera para el Palacio Real. Sus principales seguidores granadinos son Juan de Sevilla (*Lázaro y Epulón*, C. 2.509) y Pedro Atanasio Bocanegra (*La Virgen y el Niño con Santos*, C. 619).

53

Sevilla.—Con la muerte de Zurbarán y la partida de Velázquez y Alonso Cano, en la segunda mitad del siglo restan en la capital andaluza sólo dos pintores importantes, Murillo y Valdés Leal. Apartados de la corriente madrileña van a tener una fuerte personalidad. Bartolomé Esteban Murillo (1618-1682) gracias a su talento y a su simpatía personal conseguirá una amplia clientela. A los veinticinco años logra que le sean encargadas las pinturas, hoy diseminadas, del Claustro del Convento de San Francisco. Los encargos se multiplican, y en esta primera época realiza obras en las que se advierte cierto contacto con el tenebrismo de Zurbarán; todavía no se ha separado de él cuando pinta la *Gallega de la moneda* (C. 1.002) y la *Vieja hilando* (C. 1.001), donde existen recuerdos también del primer período de Velázquez. Aún son tenebristas el *San Jerónimo* (C. 987) y su *Anunciación* (C. 969), que luego repetirá en distintos ejemplares; en su famosa *Sagrada Familia del Pajarito* (h. 1650; C. 960) aún aparecen matizaciones claroscuristas. Años más tarde cuando ejecuta los dos cuadros para la iglesia de Santa María la Blanca (1665), *El sueño del Patricio* (C. 994) y la *Revelación del sueño* (C. 995), su técnica se ha hecho vaporosa, colocando en el paisaje el blanco sobre un fondo blanco, antes que Malevich lo hiciera en su famoso cuadro abstracto. Sus *Inmaculadas* serán sus obras más populares, en el Prado tenemos una serie de ellas, entre las que destacan la famosa *de Soult* (C. 2.809), por haber sido llevada a Francia por el general napoleónico. Con su variada temática en las representaciones de *Vírgenes niñas* o de el *Niño Jesús* logra un afortunado éxito como con el *Buen Pastor* (L. LXXVIII). Otras versiones de gran éxito son sus «pilluelos», de los cuales no existe ningún ejemplar en el Prado; en cambio, tenemos tres de sus bellos paisajes, en el que destaca uno con abruptas montañas y en el que aparece una mujer sobre un asno, llevando un niño en sus brazos, y seguida de un campesino, por lo que podría representar la *Huida a Egipto* (C. 3.008). En ella se preludia lo que luego será el paisaje romántico. De su escasa actividad como retratista tenemos dos buenos ejemplos, el retrato de *Nicolás Omazur* (C. 3.060) y el del *Caballero de Golilla* (C. 2.845), uno de los más importantes de toda la pintura española.

Personalidad totalmente dispar a la de Murillo es la de Valdés Leal (1622-1690), pues su temperamento sicopático se refleja en su estilo nervioso y convulso, cultivando el «feismo», y complaciéndose en lo repugnante y en lo macabro. Lo mismo que Herrera «el Viejo» descuida en algunas ocasiones el dibujo, pero siempre maneja, en cambio, el color con gran soltura, logrando una técnica abocetada. Después de pasar su juventud en Córdoba, donde se forma, se traslada a Sevilla a los treinta y cinco años, y allí transcurre toda su vida. El Museo del Prado tiene en sus colecciones dos de las obras realizadas para el Convento de Santa Isabel de esta ciudad, el *San Jerónimo* (C. 2.593) y un *Mártir de la Orden Jerónima* (C. 2.582), donde se aprecia el sentido vibrante y colorista del pintor sevillano; pero donde todo su sentido expresivo queda patente, a pesar de la suciedad que enturbia sus tonos, es el *Jesús entre los doctores* (1686; C. 1.161), y en la *Presentación de la Virgen* (C. 1.160).

FRANCIA

Hacia 1600, las luchas contra España y las discordias internas habían empobrecido eventualmente a la nación mejor dotada por la naturaleza de Europa.

Restablecido el equilibrio político y religioso, María de Médicis hace decorar por Rubens y sus colaboradores la Galería del Palacio de Luxemburgo (1622-25). Mientras tanto ciertos pintores franceses viajan por Italia descubriendo el tenebrismo. Entre los primeros está Louis Finsonius (m. 1632) que, aunque nacido en Brujas, a su retorno se asienta en Aix-en-Provence, pintando retratos y sobre todo cuadros religiosos, como una *Anunciación* (C. 3.075), donde manierismo y tenebrismo forman una simbiosis. Del artista más personal del grupo, George La Tour, no existe en Madrid representación alguna, pues son muy pocas sus obras conocidas, pero sí de Valentín (Jean de Boullogne, 1594-1632), al cual le atribuye Voss el *Martirio de San Lorenzo* (C. 2.346), posiblemente pintado en Roma, y según Masuret, quizás con colaboración de Nicolás Tournier (m. 1634), otro de los primeros tenebristas galos. El realismo barroco llega a sus últimas consecuencias en este país con los hermanos Le Nain, y con las *vanitas* (C. 3.049) de Jacques Linard (m. 1645); el ejemplar del Prado es una simplificación de otro famoso fechado en 1644.

Mientras el *tenebrismo* triunfa en los medios populares y burgueses, en la Corte y entre la aristocracia, por lo general, se desprecia este estilo, prefiriendo los tonos alegres y los asuntos alegóricos que cultivaban los clasicistas italianos. De tal modo, Simón Vouet (1590-1646), tendrá una carrera rápida y brillante: a los catorce años pintaba retratos en Inglaterra, luego realiza un viaje a Constantinopla y a su vuelta se establece en Italia, logrando el triunfo en Roma. Aunque no desdeña las fuertes sombras del tenebrismo, su composición y colorido se inspiran en los boloñeses. Este estilo ecléctico será aceptado por la Corte de Francia y Luis XIII le nombrará su pintor de cámara. El Prado, además de una *Sagrada Conversación* (C. 539), posee una de sus más importantes obras: *El tiempo vencido por la juventud y la belleza* (C. 2.987), firmada en Roma en 1627, que es un perfecto ejemplo de su estilo, donde el color y la composición se funden sabiamente.

Durante este reinado la figura señera será Nicolás Poussin (1594-1665), con el que triunfa plenamente el clasicismo en Francia. Su principal preocupación es la ordenación consecutiva, basada en estudios geométricos y ópticos, además de seguir la temática de la antigüedad clásica. Ejemplo característico es *El Parnaso* (L. LXXIX), realizado en Roma donde pasa largos años. En esta obra, como en la mayoría de su producción, las figuras se disponen armónicamente, y hasta en su *Bacanal* (C. 2.312) y en la *Caza de Meleagro* (?) (C. 2.320), temáticas que inspiran a la fantasía compositiva, sigue su riguroso patrón. En sus paisajes (L. LXXX), reina la misma armonía clasicista. Ahora bien, será Claudio de Lorena (Claude Gellée, 1600-1682) el verdadero creador del paisajismo francés, aunque hasta Turner y la escuela de Barbizón no se volverían a aprovechar sus innovaciones; estas radican especialmente en la magia de la luminosidad, así capta los efectos solares, crepusculares y nocturnos, los reflejos sobre las aguas del mar y de los ríos (C. 2.253, 2.255, 2.257, 2.258 y 2.261); destaca el *Embarco de Santa Paula Romana en el Puerto de Ostia* (L. LXXXI).

Desde el siglo XVI el retrato había sido olvidado un tanto en Francia, desde que Corneille de Lyon y François Clouet hubieron hecho ejemplares llenos de encanto y personalidad. En la primera mitad del siglo XVII serán belgas, como Rubens y Frans Pourbus «el Joven» (m. en París, 1622), quienes harán los retratos oficiales; de este último tenemos el de *María de Médicis* (1617, C. 1.624), encargo de Corte, estereotipado e hierático; mientras en el de la mujer de Felipe IV, *Isabel* (C. 1.625), hay un mayor sentido de intimidad, pues aparece jugando con un perrito. También de origen flamenco, bruselés, es el gran renovador del retrato francés Philippe de Champaigne (1602-1674), su pintura se caracterizará por sus delicadezas en los grises y por el realismo en el retratado; así ocurre en el *Luis XIII* (1655; C. 2.240), vestido militarmente; mas donde su personalidad resalta es en el *Alma cristiana aceptando su cruz* (C. 2.365), inspirada en las meditaciones ascéticas del siglo XVII, lo que le da cierto carácter subreal. También es un excelente retratista Sebastián Bourdon (1616-1671) como lo demuestra la reina *Cristina de Suecia a caballo* (1653-54; C. 1.503) obra maestra realizada para Felipe IV. En la Corte de Luis XIV, la aparatosidad y la etiqueta se reflejan en el sentido mayestático de sus retratistas, entre los que destaca el catalán Jacinto Rigaud (1659-1743), que al trasladarse a París rápidamente conseguirá un esplendoroso éxito, llegando a establecer un taller en el que los colaboradores pintan los cuerpos y los fondos, mientras él, salvo en los encargos importantes, se limita a hacer las las cabezas; un excelente ejemplo de su estilo es el retrato del *Rey Sol* (C. 2.343), cuyo fondo de batalla fue pintado por el especialista de éstas, Parrocel (m. 1752); en el de *Felipe V* (C. 2.337) de 1701, por primera vez este rey aparece con traje español. Rigaud admiró y coleccionó obras de Antoine Coypel (m. 1722), ferviente rubeniano del cual tenemos una *Susana acusada de adulterio* (C. 2.247); muy preocupado por la realidad está Jean B. Jouvenet (1644-1717), cuyo *Magnificat* (C. 2.272), es un buen ejemplo de sus composiciones religiosas.

PINTURA DEL BARROCO

CARAVAGGIO: David vencedor de Goliat.

GUIDO RENI: Hipomenes y Atalanta.

GUERCINO: Susana y los viejos.

GENTILESCHI: Moisés salvado de las aguas el Nilo.

PRETI: La Gloria.

LUCAS JORDAN: Bethsabe en el baño.

RUBENS: El Duque de Lerma.

RUBENS: El triunfo de la Iglesia.

RUBENS: Danza de aldeanos.

RUBENS: El jardín del amor.

VAN DYCK: El prendimiento.

JORDAENS: La familia de Jordaens en un jardín.

STOMER: La incredulidad de Santo Tomás.

OSTADE: Concierto rústico.

METSU: Gallo muerto.

HEEM: Mesa.

ZURBARAN: Visión de San Pedro Nolasco.

ALONSO CANO: San Bernardo y la Virgen.

PEREDA: El socorro de Génova.

MAINO: Recuperación de Bahía del Brasil.

VELAZQUEZ: Cristo crucificado.

VELAZQUEZ: El Conde-Duque de Olivares.

VELAZQUEZ: La Infanta Margarita.

VELAZQUEZ: La Fragua de Vulcano.

MURILLO: La Inmaculada «de Soult».

MURILLO: Caballero de golilla.

CARREÑO: El Duque de Pastrana.

BOURDON: Cristina de Suecia a caballo.

MATEO CEREZO: El juicio de un alma.

CLAUDIO COELLO: El triunfo de San Agustín.

ESCALANTE: La prudente Abigail.

LINARD: Vanitas.

EL SIGLO XVIII

V

ROCOCO Y ACADEMICISMO

Francia.—Durante el siglo XVIII Francia será el centro de atracción artística para las Cortes europeas. A la vez que impone la moda en el vestir y en el comer, someterá a sus normas artísticas a gran número de pintores. Es en la época de Luis XV cuando comienza la reacción contra el estilo de seco equilibrio del reinado anterior. Los decoradores y los pintores, reaccionarán buscando la asimetría y hasta el desequilibrio, extendiéndose entre los talleres álbumes de modelos, donde triunfa la tarja y la rocalla. La frialdad en el color será sustituida por las tonalidades al gusto flamenco y holandés, siguiendo el precedente de Coypel, y se buscarán los efectismos. A pesar de ser riguroso contemporáneo de Rigaud podemos incluir dentro del nuevo estilo a Nicolás Largillièrre (1656-1746), quien cultiva el retrato de forma amable y decorativa preludiando el rococó; tal ocurre con la hija de Felipe V, futura mujer de José I de Portugal *María Ana Victoria de Borbón* (1724; C. 2.277), elegantemente vestida en tonos grises perlas y azules fosforescentes. La figura que verdaderamente abre este nuevo estilo es el enfermizo Jean Antoine Watteau (1684-1721), visionario con espíritu sarcástico, al que la sociedad le obliga a cubrir sus inquietudes con sedas y perifollos, donde debajo de ellos muchas veces aparecen la sátira encubierta, como en sus *Capitulaciones matrimoniales* (L. LXXXII); en cambio, en su pareja *Fiesta en un parque* (C. 2.354), se limita a presentarnos melancólicamente una escena galante.

El pintor favorito de la Corte de Luis XV es François Boucher (1704-1770), quien erotiza a dioses y jovencitas; dentro de su estilo sólo tenemos dos cuadros con *amorcillos* (C. 2.854-55). Jean B. Greuze (1725-1805), aunque practica la «fábula moralizante», en ocasiones también le da matizaciones eróticas, tal como se puede observar en *La joven de espaldas* («La pudeur agaçanté», C. 2.590 a). Del genial Fragonard carece el Prado de ejemplo alguno; en la Academia de San Fernando existe una obra juvenil: *El sacrificio de Coreso*, y un sensacional retrato se conserva en la Colección Cambó (Barcelona). También cultiva con gran originalidad el retrato rococó Jean Marc Nattier (1685-1766), como lo demuestra el de *María Leczinska* (C. 2.591), vestida con los radiantes azules característicos de su paleta.

Nuestra primera pinacoteca carece de una digna representación de la pintura neoclásica francesa, que nace como contrarreacción frente a los «desmanes» artísticos del rococó; como modelo no sólo se toma a Roma, sino a Grecia; tan sólo cuenta con una serie de estimables *paisajes italianos* de Claude Joseph Vernet

(1714-1789), donde vacila entre lo rococó y nuevas modas artísticas y, sobre todo, una obra maestra de Hubert Robert (1733-1808), en la que se representa *El Coliseo* (C. 2.883); en ella aparecen influencias del italiano Pannini paliadas un tanto por la poesía de Fragonard.

Pintores franceses en la Corte de Felipe V.—Felipe V y su política de afrancesamiento de España, atrae a la península a cierto número de artistas entre los que hay pintores de cierta categoría como Jean Ranc (1674-1735), buen retratista; como lo demuestran los ejemplares conservados en el Prado o en el Palacio de Oriente; un bello ejemplo es el de *Carlos III, niño* (C. 2.334), de delicadas tonalidades y en el que aparece clasificando flores con sus nombres latinos (más tarde será quien cree el Prado como Museo de Ciencias Naturales). El boceto de *La familia de Felipe V* (1733; C. 2.376) hace pensar que el cuadro definitivo, hoy perdido, era superior al del mismo tema (1743; C. 2.283) realizado por Louis Michel van Loo (1707-1771), siendo éste de gran tamaño y aparatoso, cuyo principal interés radica en lo iconográfico, pues nos representa el pleno de la familia real; ahora bien, hay que reconocer que sus retratos «están bien hechos». El más personal del grupo es Michel-Ange Houasse (1680-1730), quien trabaja para Felipe V entre 1717 y 1730; su *Sagrada Familia* (1726; C. 2.264) está realizada pulcramente y en ella expresa el conocimiento de la pintura italiana; inspirada en Poussin están la *Bacanal* (1717; C. 2.267) y *Sacrificio a Baco* (1720; C. 2.268), en las cuales se añade un sentido realista de procedencia flamenca y holandesa; así, un niño vomita el vino copiosamente consumido. Además es un sensible paisajista, destacando su *Vista de El Escorial* (C. 2.269), en la que preludia al paisaje romántico. También un excelente retratista: los delicados grises del malogrado *Luis I* (1717; C. 2.387) anticipan los que usará Goya en los alrededores de 1800, y demuestra que es uno de los más sensitivos pintores de su época.

Italia y sus relaciones pictóricas con España.—A mediados del siglo XVIII, vuelve a despertar el genio decorativo de la pintura veneciana, especialmente en la obra incandescente de Giovanni Battista Tiepolo (1696-1770). Aunque existen en Venecia dos excelentes precursores: Piazzetta y Pittoni; él será quien haga que vuelva a resurgir el esplendor de los grandes frescos no sólo en la «terra ferma» veneta, sino hasta en la propia ciudad lacustre. A partir de 1751 pasará tres años pintando en la Residencia de Wüzburg. Después de un intermedio veneciano, en que decora el palacio Labia (1757), en 1761 se instala en Madrid —llamado por Carlos III— donde permanece hasta su muerte; realizando alguno de sus más bellos y refulgentes frescos en el Palacio Real, ayudado por sus hijos, culminando en el que en el Salón del Trono representa la *Apoteosis de la Monarquía española*, dominadora de las cuatro partes del mundo; en él, su colorido se purifica y cristaliza, atreviéndose a llenar un gran espacio con un cielo en donde sobre los blancos con fuerza irresistible aplica azul añil y verde puro, contrapunteándolo casi musicalmente, como en las «Cuatro estaciones», de Vivaldi; en lugar de notas, usará toques rojos, naranjas, cobaltos... que causarán el estupor y hasta el odio de los «prudentes» neoclásicos. El Prado conserva un boceto preparatorio representando el *Olimpo* (C. 365), relacionado con sus decoraciones para el Salón de Alabarderos. Mientras tanto pinta grandes cuadros para otros conjuntos palaciegos, destacando los retablos de la iglesia de San Pascual de Aranjuez (Lámina LXXXIII).

Ya antes habían venido a trabajar a España fresquistas italianos desde el siglo XVII; así, Velázquez había traído a Mittelli y a Colonna, para decorar el Palacio del Buen Retiro, del que se conserva aún el gran Salón de Reinos (existe un boceto en el Prado de factura cuidadosa). En la época de Carlos II el fértil Lucas Jordán y en el reinado posterior el romano Andrea Procaccini (1671-1734), continuarán las decoraciones palaciegas; este hará retratos, cual el *Cardenal Borja* (C. 2.882). En las postrimerías de este reinado (1747), será llamado el importante artista napolitano Jacopo Amiconi (1675-1752) quien, además de realizar la decoración de algunos techos de La Granja, ejecuta algunos retratos como el de la *Infanta María Teresa Antonia* (C. 2.392), que casó con el Delfín de Francia, hijo de Luis XIV; y el de la *Infanta María Isabel* (C. 14); superior a esto es el arrogante *Marqués de la Ensenada* (C. 2.939). Al morir llega a Madrid para sustituirle otro napolitano Corrado Giaquinto (1700-1765), delicioso compositor de escenografías dignas de las de Jordán; en el Palacio de Oriente pinta el *Nacimiento del Sol, con el triunfo de Baco* («Salón de columnas») cuyo muy cuidadoso boceto está en el Prado (C. 103), como el de la *Batalla de Clavijo* (C. 106). Bellas composiciones barroquizantes y de alegres tonalidades son las de la *Justicia y la Paz* (C. 104 y 582), una de ellas pintada para la Sala de Juntas de la Academia. También cultiva escenas con motivos religiosos o mitológicos, de las cuales existen aquí importantes ejemplos. Aunque otros pintores napolitanos no vienen a España, mandan sus obras, por encargo de Carlos III; así, de Giovanni Paolo Pannini (1691-1765) se conservan en nuestra pinacoteca algunas de sus famosas *Ruinas* (C. 273, 275 y 276), donde la realidad se entrelaza con la fantasía, además de dos cuadros religiosos: *La disputa de Jesús con los doctores* (C. 277) y con los *Mercaderes del Templo* (C. 278), bocetos para composiciones más amplias. Y de Giuseppe Bonito (1707-1789) la *Embajada Turca en Nápoles* (C. 54) es una obra importante, donde aparece —con carácter exótico y majestuoso— el Embajador Hussein Effendi rodeado de su séquito.

De otras escuelas italianas del siglo XVIII también existen ejemplos, destacando un paisaje del genovés Alessandro Magnasco (1677-1749), donde entre una lujuriante y tempestuosa vegetación —refulgen los pigmentarios cromatismos— aparece *Cristo servido por los ángeles* (C. 3.124). También se puede incluir dentro de la escuela italiana la *Vista de Venecia desde la isla de San Giorgio* (C. 475), una de las obras más hermosas y características de Gaspare van Vitelli (van Vittel, 1693-1737), pues aunque nacido en Utrecht pasó parte de su vida en Italia interviniendo en la creación del paisaje veneciano, e influye en Giovanni Antonio Canal «Canaletto» (1697-1768), de su escuela son los catalogados (2.465-66 y 2.478) y posiblemente obras de Francesco Battaglioli, quien trabaja en España hacia 1756.

Mengs y el academicismo español.—Al fundarse la Real Academia de Bellas Artes de San Fernando (1752), su principal objetivo era el de la «purificación» de las artes, pues lo mismo que la de la Lengua había nacido para «pulimentar» el idioma castellano, ésta intenta por todos los medios a su alcance limpiar de aderezos barrocos no sólo los edificios españoles, sino también las obras escultóricas y pictóricas. La llegada a España de Antón Raphael Mengs (1728-1779), artista checo, nacido en Aussig, marca un nuevo rumbo a la pintura hispánica, pues la Academia obliga a los pintores españoles a seguir su ejemplo imitando el estilo grecorromano que él teóricamente considera como el único practicable, aunque a veces se aparte un tanto de sus principios. Con excelentes cualidades de dibujante y gran sabiduría técnica, a veces sus composiciones son frías, como ocurre en su *Adoración de los pastores* (C. 2.204), hecha en Roma en 1770 y donde se percibe la influencia de Correggio. En cambio, son excelentes muchos de sus retratos, el estudio para el de *María Luisa de Parma* (L. LXXXVI) como su autorretrato (C. 2.197) semejante a otro ejemplar de Munich. Suerte para la pintura española que el pontificado de Mengs fuera fugaz; pues aunque algunos artistas siguieran las normas neoclásicas por él dadas, otros las abandonan paulatinamente, aunque en los comienzos del siglo XIX, con Vicente López y José de Madrazo, volverán a resurgir.

A mediados de siglo el grupo de decoradores cortesanos integrado por los hermanos González Velázquez y su círculo, mantendrán un estilo ecléctico, que se irá haciendo más neoclásico en el momento citado. De él se despega el indómito Luis Paret y Alcázar (1747-1799), cuyo temperamento e ideales chocan con los de sus compañeros de la Academia. Posiblemente influye en la formación de su estilo el pintor Charles François de la Traverse (m. 1789) —en el Prado se expone una *Montería* (C. 2.496)—, pero no hay duda de que conoce la obra de Fragonard y Boucher, a través de sus grabados, y que ha tenido entre su manos los deliciosos cuadritos de Houasse. Mas no se limita a la fácil copia, sino que con una gracia y originalidad admirable, nos ofrece la crónica amable, en donde muchas veces se esconde su ironía hacia la sociedad cortesana española del reinado de Carlos III. Entre este tipo de obras destacan: *Las Parejas Reales* (C. 1.044), fiesta típica celebrada en Aranjuez en 1773; el *Baile de máscaras* (C. 2.875), en el Teatro del Príncipe; la *Jura de Fernando VII, como Príncipe de Asturias* (C. 1.045) el 23 de septiembre de 1789 en la iglesia de los Jerónimos; y, sobre todo, la *Comida de Carlos III* (L. LXXXVIII). Además es un buen pintor de *Flores* (C. 1.042-43); un excelente paisajista y, sin embargo, un desigual pintor religioso. Sus ideas le llevaron a estar desterrado en Puerto Rico.

Luis Eugenio Meléndez o Menéndez (1716-1780), comienza su carrera con alguna escena religiosa que como la *Virgen con el Niño*, realizada en 1739, posee texturas pigmentadas (dep. Prado, *Casa de Colón*, Las Palmas). Ahora bien, llega ser el mejor bodegonista español de su tiempo (L. LXXXVII) y un gran retratista.

Fue Francisco Bayeu y Subias (1734-1795) quien llamado desde Zaragoza, su ciudad natal, alcanzará la protección del omnipotente Mengs, el cual le ofrece importantes encargos. decorativos en los Palacios Reales, de los cuales existen bocetos en el Prado y numerosas composiciones religiosas y mitológicas. Sin embargo, lo que nos interesa de su arte son sus escenas populares, expresadas en los cartones para tapices que realiza para la Real Fábrica, por él dirigida (C. 605-607 y 2.520); también son interesantes sus retratos como el de su hija *Feliciana* (C. 740 h.). Su hermano Ramón (1746-1793) y José del Castillo (1737-1793) colaborarán con él en la creación de estos cartones; pero sobre ellos destaca el genio y la gracia sin par de Goya. Contemporáneo es el salmantino Antonio Carnicero (1748-1814), que también pintará con gracia y originalidad escenas matritenses, como la *Ascensión de un globo Montgolfier* (C. 641); ahora bien, sus retratos son un tanto secos (C. 2.649). En cambio, en este género destaca el valenciano Agustín Esteve (1753-1820), quien colaborará en algunas ocasiones con Goya; casi siempre mantiene cierto sentido neoclásico, aunque no desconoce la pintura inglesa, como denota el retrato en blanco de *Doña Joaquina Téllez de Girón* (C. 2.581), hija de los duques de Osuna.

64   El verdadero heredero de la pintura decorativista, iniciada por Jordán y conti-

nuada por Giaquinto, es Mariano Salvador Maella (1739-1819); sólo Goya superará sus decoraciones al fresco. Su estilo derivará poco a poco hacia el neoclasicismo; así, en cuatro paneles representando las *estaciones* (C. 2.497-2.500), convierte a éstas dentro del ideal clasicista en Flora, Ceres y Baco, salvo al invierno que lo personificará en dos ancianos. Sus *Marinas* (C. 873-75) tendrán un gran éxito, y tampoco descuida el retrato, como el de la enigmática infanta *Carlota Joaquina* (C. 2.440), que llegará a ser reina de Portugal.

GOYA

La obra de Goya representa un capítulo completo de la Historia de España, en un momento en el que la oscuridad política es iluminada en ocasiones por el deseo apasionado hacia la libertad del pueblo español. Su producción es inmensa, se conocen unas quinientas pinturas, un millar de dibujos, unos doscientos setenta y cinco aguafuertes y litografías. Por ello, aquí solamente se puede tratar muy someramente su evolución estilística unida a su biografía, dejando un tanto mutilado el desarrollo estructurológico de su vida y producción; aunque complementado con los comentarios a las láminas que se reproducen.

Francisco de Goya y Lucientes nace en un mísero pueblo aragonés, Fuendetodos, el 30 de marzo de 1746, dentro de una familia humilde; su padre no testó «porque no tenía por qué». Estudia sus primeras letras con un fraile poco docto y luego pasa al taller de José Luzán, formado en la escuela napolitana. Después de fracasar por dos veces en los concursos bienales de la Real Academia de San Fernando, se traslada a Italia en 1770, donde consigue un segundo premio otorgado por la Academia de Parma. Este viaje le abre las puertas zaragozanas, pues le encargan la pintura de la bóveda del coreto del Pilar. Y cuatro años después, al casarse con la hija y hermana de los Bayeu, entra dentro del grupo de pintores que trabajan para la Real Fábrica de Tapices (L. XC). Aunque los primeros cartones son flojos, poco a poco va desarrollando un estilo en el que su personalidad se va definiendo. Y mientras tanto comienza la extensión de su clientela entre la aristocracia y los intelectuales. Hasta los cuarenta años ha realizado pinturas religiosas, escenas populares, retratos y decoraciones inspiradas en Van Loo, Houasse, Wouwerman, Tiepolo y Velázquez, a las que va dando un sentido personal, con estructuraciones elípticas y pinceladas rápidas. Por estas fechas consigue la amistad de los duques de Osuna, del infante don Luis y de la duquesa de Alba. El propio soberano, Carlos III, posa ante él y le nombra «pintor del rey»; su hijo Carlos IV, en 1789, le hará su pintor de Cámara. Años antes, en 1780, había sido elegido académico, presentando su *Cristo en la cruz* (C. 745), de frío sentido neoclásico.

En pleno éxito sufre una enfermedad que hace peligrar su existencia y marca su manera de ser y su arte para siempre. Al quedarse sordo se aísla del mundo y se concentra en sí mismo; después de un año de total inacción (1792), comienza a preparar los grabados de *Los Caprichos* (cuyos dibujos pertenecen al Prado), penetrando en un mundo de monstruos, brujas, asesinos, ladrones, prostitutas, pero en el fondo son problemas eternos los que saca a la luz. Además tienen un valor simbólico, con el que ataca a las estructuras político-sociales del momento. Mientras, realiza pinturas de diversiones populares (1793, Academia de San Fernando). Un tanto repuesto, en 1795, ocupa la plaza de director de pintura en la Academia y pinta el retrato póstumo de su cuñado Francisco Bayeu, matizado con

65

los grises característicos de esta época, y también el del melancólico *Duque de Alba* (C. 2.449) hojeando canciones de Haydn, a su vez pinta el de la duquesa, de la que luego hará su prodigioso retrato en negros (Hispanic Society, N. Y., ver L. XCI), y un año más tarde los frescos de San Antonio de la Florida. Será en 1800, después de pintar otros retratos de amigos y de la familia real, cuando realice una de las obras más sorprendentes de la pintura universal: *La Familia de Carlos IV* (L. XCII). *Las Majas* (L. XCI; C. 742) deben ser inmediatamente anteriores, pues en la desnuda todavía quedan sedimentos neoclásicos. Antes de la invasión napoleónica sigue ejecutando elegantes retratos como el del actor Máiquez (1807, C. 734), uno de sus más emotivos retratos masculinos, donde con factura nerviosa logra destacar la inteligencia sensible del rostro del amigo, dándole un vago sentido romántico; con él los grises y ocres son tratados con modulaciones casi musicales, revoluionando la técnica pictórica de su momento.

Napoleón decide la ocupación de España, creyendo que las corrupciones y errores del reinado de Carlos IV la convertirían en un simple paseo militar; para ello confía en la colaboración de Godoy, verias veces retratado por Goya. No obstante, cuando todo parece consumado —los reyes en Bayona y José Bonaparte designado para ocupar el trono— el pueblo madrileño se subleva el 2 de mayo, y ello será la antorcha que incendiará los amplios campos de España. Como tantas veces el suelo ibérico se cubre de ruinas sangrientas, donde pululan famélicos espectros. Goya refleja este mundo apocalíptico en los *Desastres de la Guerra*, *El Coloso*, y en las dos famosas pinturas: *El 2 de Mayo* y *Los fusilamientos del 3 de Mayo* (L. XCIII). Durante la guerra retrata a personajes de los dos campos contendientes, así al usurpador *José I*, en el Ayuntamiento de Madrid, a su alcalde colaboracionista *Don Francisco Silvela* (1809; C. 2.450), al *General Palafox* (C. 725) y a Lord Wellington. Al propio Fernando VII le efigia poco antes de su exilio francés en 1808, y a su retorno. En esta época de carestía ofrece a sus amigos en Navidades manjares suculentos, mas pintados por él mismo; entre ellos sobresale el *Trozo de salmón* (Fundación Oskar Reinhart, Winterthur, Suiza) y en el Prado existen otros dos de estos «christmas»: un *Pavo muerto* y *Gallos y gallinas* (C. 751-52).

Terminada la guerra se autorretrata (C. 723) y pinta a personajes del momento, realizando pinturas religiosas entre las que destaca la *Ultima comunión de San José de Calasanz* (Escuelas Pías, Madrid); con la reposición del absolutismo en España, Goya, viejo liberal, tiene que refugiarse en la Quinta del Sordo, donde enfrentando su ser con el mundo que le rodea, plasma en sus *Pinturas negras* (L. XCIV y L. XCV) la más patética representación pictórica de todos los tiempos, hasta Edvard Munch; sólo en sus *Disparates* logra penetrar tan profundamente en las entrañas del subconsciente.

Temiendo que su vida terminara en el patíbulo que Calomarde levantó en la Plaza de la Cebada, pide trasladarse —con el permiso real— a Francia, para «una cura de aguas»; mas en lugar de encontrarse en el balneario, en julio de 1824 está en París, «debilitado y sin saber una sola palabra de francés» (Moratín); pero puede contemplar *Les Masacres de Scio*, de Delacroix en el Salón. Instalado en septiembre en Burdeos en compañía de doña Leocadia Weiss, compañera de sus últimos tiempos, comienza a preparar sus litografías —«aún aprende» el nuevo procedimiento de grabación— *Los toros de Burdeos*. En 1826 hace un corto viaje a Madrid, siendo retratado por Vicente López (C. 864, Casón del Buen Retiro); al año siguiente retorna realizando el delicioso retrato de su nieto, y a su vuelta a Burdeos el de *Juan Bautista Muguiro* (1827; C. 2.898), «a los ochenta y cuatro años de edad», de una gran belleza plástica y que preconiza su impresionante y último retrato, el de *Don Pío de Molina* (Col. Reinhart), auténtica sinfonía de grises; también de meses antes de morir —fallece el 16 de abril de 1828— debe ser la graciosa *Lechera de Burdeos* (C. 2.899), donde con tonos azulados y grisáceos, además de verdes suaves, logra representar armoniosamente la melancolía juvenil. Con estos últimos cuadros Goya se encamina hacia una nueva concepción de la pintura.

LA ESCUELA INGLESA

Aunque en Inglaterra aisladamente han existido algunos pintores importantes desde el siglo XVI, como el miniaturista Hilliard, sólo se logra la creación de una verdadera escuela pictórica en el momento neoclásico. Ahora bien, cuando la pintura europea ha quedado enfriada por la resurrección de formas sacadas de la escultura y de la pintura romana y griega, en Inglaterra surge un estilo donde existe una total independencia y libertad en relación a la de los otros europeos. En él destacará especialmente el retrato, bajo el signo de la elegancia y la distinción, características que son hijas del propio carácter británico; aunque contribuye a formar este estilo la labor retratística realizada en Gran Bretaña por Holbein, y especialmente por van Dyck, en donde los aristócratas británicos encuentran plasmados sus ideales estéticos, sin él no se podría explicar el desarrollo del retrato inglés en el siglo XVIII. Muy significativa es la despedida de Gainsborough en el lecho de muerte de Reynolds, en que le dice: «Adiós, que nos encontremos en la gloria, y con van Dyck en nuestra compañía».

Solamente en los últimos años el Museo del Prado ha logrado reunir cierto número de pinturas inglesas de este momento; hoy, con la colección conservada en el Museo Lázaro Galdiano, se puede conocer la evolución del retrato inglés. Es la generación de 1725, encabezada por los dos pintores citados, y con el precedente de Hogarth, la verdadera creadora de esta escuela. Sir Joshua Reynolds (1723-1792), nacido de familia modesta pronto escalará las alturas sociales, logrando éxitos que le llevarán a crear la Real Academia, de la que será presidente vitalicio. Gran admirador de Murillo, al que conoce gracias al gran número de obras conservadas en Inglaterra, y al viaje que inicia por el Mediterráneo en 1749. También se dejará influenciar por la pintura italiana y flamenca, no obstante alcanzará una originalidad indiscutible, donde la elegancia tiene el lugar más destacado. Gran erudito, cultivará también el género mitológico y el paisaje. Mas donde su personalidad brilla con más fuerza es en el retrato, al que aplica una técnica alambicada: aunque produzca la sensación de espontaneidad, la realización ha sido hecha cerebralmente. En el Prado existen el de un *Eclesiástico* (L. LXXXIV) y el de *Mr. James Bourdieu* (C. 2.986). En cambio, la carrera artística de Tomás Gainsborough (1727-1788) será más lenta, aunque mediada su vida ya se establecerá en el elegantísimo barrio de Pall Mall, en Londres y Jorge III le abrirá las puertas de la Corte. Aunque menos cultivado que Reynolds, su temperamento es más genial. Sin el afán viajero de su compañero en su obra sigue la tradición inglesa; por ello en su pintura que parte de van Dyck, logra efectos cromáticos en los que por medio de un solo color, desarrolla múltiples variantes, especialmente en los azules; así buen ejemplo de ello es el retrato del *Doctor Sequeira*

(L. LXXXV); de menos calidad es el de *Mr. Robert Butcher of Walttamstan* (C. 2.990).

Del tercer pintor importante de este momento en Inglaterra Georg Romney (1734-1802) existe en el Prado un *Retrato de caballero inglés* (C. 2.584) y el delicioso de *Master Ward* (C. 3.013), donde se representa a un típico «señorito» británico retratado junto a su perro, en el que ya parece intuirse el romanticismo; pues Romney fue de temperamento apasionado, como demuestra su ardoroso amor por lady Hamilton, que compartió con Nelson, lo que le lleva casi a la locura; en los numerosos retratos de esta ardiente mujer cambia las actitudes, alguna de las cuales están tomadas de la escultura clásica, lo que denota su pasión por lo italiano, puesto que en algunas ocasiones también se perciben influencias da los clasicistas boloñeses.

En los comienzos del siglo XIX aún continúa esta tradición de elegancia en el retrato, destacando Thomas Lawrence (1769-1830), niño prodigio, el cual a los diez años ya expone con éxito una serie de retratos bicolores realizados al pastel. Desde muy joven se convierte en el ídolo de la aristocracia británica, especialmente entre las damas, de las cuales realiza hermosos retratos, en los que las vestiduras y tocados tienen tanta importancia como los rostros, diferenciándose en ello de la mayoría de sus contemporáneos que dejaban estos accesorios en manos de colaboradores. La ejecución técnica de sus obras es de factura vibrante, aunque en ocasiones llegue a la retórica, como en el retrato del *Conde de Westmoreland* (C. 3.001), que aparece apoyado en el pedestal de una columna, vistiendo el traje de Corte característico de los lores, rojo con franjas de armiño, forrado de seda blanca, y bajo este manto, casaca de terciopelo y medias blancas; el peinado «coup de vent», usado por los elegantes de la época de Jorge IV, le da un sentido romántico, aunque también pedantesco. Sin embargo, en el delicioso de *Marthe Carr* (C. 3.012) logra una gran intimidad y unos efectos cromáticos delicadísimos en sus blancos y rosas, convirtiéndole en una de sus más importantes obras maestras, en la que se aparta del sentido académico y cortesano que generalmente practica. También es de su mano el retrato de una *Dama de la familia Storer* (C. 3.011); otros miembros (C. 3.000 y 3.014) fueron retratados por Martín Shee (1769-1860), cuyo mayor interés estriba en representar a personajes de la burguesía británica que tuvieron relaciones con España. Fue Shee discípulo de Reynolds, y su sucesor en la Corte.

Algo más joven que Lawrence, y el más importante pintor escocés del momento es Henry Raeburn (1756-1823), el cual se forma en el neoclasicismo, mas sus personajes son de marcado carácter realista; buen ejemplo de ello es el de *Mrs. Mclean of Kinlochaline* (C. 3.116), una de las tres hermanas que elogia Samuel Johnson por su hermosura en su *Tour of the Hebrides*. Continuador de su estilo en Edimburgo es John Wattson (1790-1864), obra suya e importante es el *Retrato de Caballero* (C. 3.003). De los tres paisajistas románticos más característicos de la pintura británica, Constable, Turner y Bonnington, sólo tienen representación en Madrid en el Museo Lázaro Galdiano; como ejemplo de este momento existen en el Prado dos pequeños apuntes sevillanos (C. 2.852-53) realizados por el infatigable viajero y grabador David Roberts (1796-1864).

PINTURA DEL SIGLO XVIII

HOUASE: Luis I.

VAN LOO: Familia de Felipe V.

MAELLA: Marina.

F. BAYEU: Merienda en el campo.

MAGNASCO: Paisaje: Cristo servido por ángeles.

LAWRENCE: Miss Marthe Carr.

PANINI: Ruinas con San Pablo (?) predicando.

GOYA: El pintor Francisco
Bayeu.

GOYA: El Pelele.

GOYA: Fernando VII.

GOYA: La maja vestida.

GOYA: Duelo a garrotazos.

GOYA: El Coloso o El Pánico.

GOYA: El 2 de mayo de 1808.

GOYA: Los Desastres, dibujo.

ESCULTURA

VI

La colección escultórica del Prado pasa, por lo general, desapercibida para el visitante, ya que queda inmersa dentro de la fabulosa galería pictórica. Ahora bien, existen otros museos en España que dan una visión de la escultura española: M. Nacional de Escultura de Valladolid, M. de Arte de Cataluña y M. Marés de Barcelona y en Madrid el Arqueológico Nacional. El Prado conserva una importante colección de obras clásicas; la mayor parte procede de las colecciones reales; las más antiguas son donación de don Mario de Zayas. Cronológicamente comienza la escultura en el Prado con una magnífica cabeza sumeria, una de las mayores conocidas, que pudiera ser retrato de *Gudea* (2300 a. C.), el famoso «patesi» (gobernador) de Lagasch; también se expone un *Halcón* egipcio de época saita. Anterior a este es un precioso *Kouros* (joven) de comienzos del siglo VI, semejante a los hallados en la Acrópolis de Atenas, todavía con los brazos rígidos, pero con la pierna izquierda avanzada. Del primer gran escultor crononógicamente de este siglo: Mirón, es la *Atenea*, la cual formaba grupo con el sátiro Marsias; en esta copia romana se perciben las formas del realismo clásico, el cual triunfa plenamente con Fidias, al que se debe la *Atenea Parthenos* (438 a. C.); una copia, aunque de tamaño reducido y de época romana, recoge la expresión del ideal fidíaco. La *Centauromaquia* (lucha de dioses y centauros) que adornaba las sandalias de la gigantesca estatua está copiada en la parte inferior de un ánfora (siglo I d. C.) conservada en el Museo. Del tercer gran escultor de este siglo, Policleto, existe uno de los más bellos ejemplares de su *Diadumeno* (L. XCVII). Dentro de las representaciones concebidas en el siglo siguiente sobresale el *Sátiro en reposo*, pues está en contacto con el estilo de Praxiteles, que fue restaurado por el formidable escultor barroco Bernini, según los inventarios. Pero sobre todo destaca una impresionante *Cabeza* en bronce (L. XCVIII) dentro del estilo de Lisipo, que con Scopas completa la gran trilogía del momento. La tipología del *Hypnos*, se ha relacionado con este último o con Praxiteles, en esta maravillosa versión romana queda expresado plásticamente el avanzar del sueño.

El Prado tiene importantes obras escultóricas en las que han sido romanizadas las formas helenísticas. Entre ellas podemos citar la *Venus del Delfín* (siglo I d. C.) que aunque deriva de un tipo creado por los seguidores de Praxiteles y está relacionada con las *Capitolina* y *Medici*, especialmente el peinado es de gusto románizante; fue descubierta por Cristina de Suecia. Esto mismo se puede aplicar a las Venus *del Pomo*, de *Madrid* y *de la Concha*; o, la serie de las *Musas* procedente de la Villa de Adriano en Tívoli, y las *Bacantes*, pues aunque derivan de un original de Kalimakos tienen cierta frialdad académica propia del arte romano.

Posiblemente el más original ejemplar de este momento es el *Neptuno*, realizado por los escultores que en la época de Adriano trabajaban en Afrodisias de Caria (Asia Menor); fue descubierto en Corinto en el siglo XVIII. *El rapto de Ganimedes*, también es de gusto helenizante. Junto con el relieve histórico (el Museo conserva un magnífico sarcófago) es el retrato el género más personal del arte romano, pues aunque tiene antecedentes griegos —aquí existen buenas copias de originales helenísticos— cobra en el Imperio un desarrollo fuera de lo común; el Prado posee estupendos ejemplares de *Augusto, Antonio Pio, Trajano, Adriano, Druso el Menor...* dentro del característico realismo; mas en algún caso como en el favorito de Adriano, el bitinio *Antinoo*, los rasgos se idealizan por influencia helenizante. Iconográficamente es muy interesante el posible de *Aníbal*. Algunos de estos retratos estaban hechos con sentido apoteósico; así, centrando el vestíbulo bajo, aparece un águila con trofeos marciales, sobre la que al parecer se asentaba un retrato de *Claudio*.

De la etapa medieval existen pocas representaciones, la más antigua es una bella *Virgen sedente*, románica del siglo XII, en la capilla de Maderuelo. En cambio, dentro del gótico destacan: un *Cristo* alemán (siglo XIV) en la citada capilla, dos bellísimos ejemplares de *ángeles* flamencos, datables a mediados del siglo XV y una encantadora *Virgen con el Niño*, de la misma escuela, pero realizada a fines del siglo, pues está próxima a ejemplares existentes en la región burgalesa.

Tampoco del Renacimiento guarda el Prado una auténtica colección, pero sí hay exquisitas producciones, como los fragmentos con relieves procedentes del monumento funerario de Gastón de Foix, obra de Agostino Busti «el Bambaia», cuya famosa estatua sedente se conserva en el castillo Sforzesco de Milán. En la misma vitrina [sala 83] otro delicado relieve representa una *Alegoría de Francisco de Médicis*, obra de Giambologna (Juan de Douai, 1524-1608); podría ser suya una pequeña estatua ecuestre de Felipe III, anteriormente realizada a la que se admira en la Plaza Mayor de Madrid. Destaca *Carlos V venciendo a sus enemigos* (*al Furor*), obra de León Leoni (1509-1590) aretino formado en Milán; las piezas de la armadura se desarman dejando ver al emperador desnudo como retrato de héroe antiguo; encargada en 1549 debió de terminarse en 1555. Junto con su hijo Pompeyo elabora un gran número de retratos del Emperador, de su hijo y familiares, de los que el Prado posee amplia representación. Algún otro retrato del César hispano se debe a otros autores italianos sobresaliendo el hecho por Bandinelli (C. 284), el rival florentino de Miguel Angel. Dentro de la órbita de este último está un delicado busto de *Cristo* [s. 6] atribuido a Begarelli (Módena, h. 1500-1565). Culmina el Renacimiento con dos raras esculturas del Greco: *Epimeto y Pandora*, cuya iconografía, como ha demostrado —partiendo de Panofsky— Xavier de Salas, está tomada de los *Adagios* de Erasmo.

Dentro de la escasa representación de la escultura barroca resalta los pequeños retratos reales ecuestres, como el de Luis XIV, debido a François Girardon [s. 34; m. 1713] y el de Carlos II de España, aunque berninesco, obra de Giovanni B. Foggini (1652-1725) hoy en la Sala de Juntas. Sobresale por su gracia y delicadeza el marmóreo *Grupo de niños* [s. 39] realizado por el más importante escultor siciliano del barroco: Giacomo Serpotta (Palermo, 1656-1732), con las sierpes que aluden a su apellido; aquí se aparta del estuco que usa comúnmente.

72   Por su complejidad no citamos la escultura española del siglo XVIII.

ESCULTURA

ARTE SAITA: Halcón.

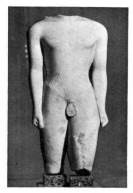

ARTE GRIEGO ARCAICO:
Kouros (joven).

FIDIAS: Copia de Atenea.

ARTE ROMANO: La
Venus del Delfín.

ARTE ROMANO:
Hipnos (el sueño).

ARTE ROMANO: Adriano.

ARTE ROMANICO: Vir-
gen sedente.

ARTE GOTICO FLAMEN-
CO: Virgen con el Niño.

POMPEYO LEONI: Carlos V
y el Furor.

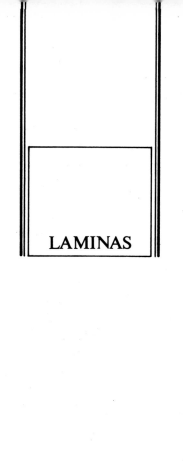

LAMINAS

MAESTRO DE BERLANGA.
Cacería de liebres, pinturas de San Baudelio de Berlanga (h. 1100). Frg.
Pintura mural al fresco con retoques al óleo, pasada a lienzo, 185 × 360 cm.

La pintura románica en Castilla se abre con la obra del primer maestro de San Baudelio de Berlanga. Su fuerte mozarabismo hace necesario adelantar la datación tradicional, como ha señalado Camón Aznar; según él hay en ellas «una tal atmósfera de orientalismo que no encontramos referencia alguna posible en todo el arte europeo».

Proceden estas pinturas de un singular edificio: la iglesia mozárabe de Casillas de Berlanga, construida en el siglo xi en la margen sur del Duero a su paso por la provincia soriana. La fecha de construcción del edificio estará delimitada por el momento de la conquista por Alfonso VI de esta zona y su repoblación por Alfonso el Batallador (1108). Por estar realizado en época incierta y de peligro, la hipótesis de que fuera pabellón de caza, antes de ser consagrado iglesia, no es descabellada. Fue ignorado hasta 1907; su publicación y divulgación originó que la codicia de unos y la dejadez de otros permitiera le exportación de estas pinturas a los Estados Unidos, donde el conjunto fue repartido entre distintas colecciones. Por suerte, una parte importante ha retornado a España, gracias a un préstamo intemporal del Metropolitan Museum, aunque a cambio el Gobierno español ha «prestado» el ábside románico de la iglesia de Fuentidueña (Segovia).

Existen dos grupos de pinturas procedentes de esta ermita: el que podíamos llamar del **primer** Maestro de Berlanga, más orientalizante, y que comprenden las pinturas de la parte inferior de la ermita; y el del segundo formado por las escenas religiosas de la parte superior siguen en los Estados Unidos. Trataremos solamente del primer maestro, el único representado en el Museo del Prado. Toda su obra es temática profana, representando en los paneles por él pintados escenas de caza y guerra. Así, en el reproducido aquí, aparece un fragmento de una *cacería de liebres*, donde un caballero con un tridente persigue con su jauría a dos liebres. En otras escenas aparecen un ballestero asaeteando un ciervo ya herido, un elefante blanco portando un castillete y un soldado con lanza y rodela (un oso y un camello han quedado en América); además también hay una copia de una tela de tipo bizantino con águilas. El mozarabismo es tan fuerte en todo que hace pensar que estas pinturas estén realizadas antes de comenzar el siglo xii. Mas ya existen en el Maestro de Berlanga unas preocupaciones realistas, expresadas en la búsqueda del movimiento y de las proporciones. Su espíritu de observación le ha llevado a captar detalles animalísticos que desde la prehistoria no habían sido nunca superados en la historia del arte español.

Están expuestos estos frescos en el Prado desde 1957.

LAMINA I

MAESTRO DE MADERUELO.

El pecado original. Pinturas de Santa Cruz de Maderuelo: primer tercio del siglo XII. Frg.

Fresco y temple sobre muro, pasado a lienzo. Mide la instalación 498×540 cm.

El pintor anónimo de Maderuelo nos expresa aquí una de sus más logradas escenas: el momento en que Adán, después de haberse comido la fruta prohibida, con un gesto de preocupación se lleva la mano al cuello, mientras que Eva, muy femenina, sigue jugueteando con la serpiente. Aquí existe una representación de las formas dentro de un marcado carácter románico, que se limita el artista a describir las contexturas que componen el cuerpo humano. Pero la grandeza de su arte radica en el sentido expresionista con que ejecuta esta composición, gracias a un dibujo como ha dicho Post, de «impresionantes y poderosas líneas». A su lado, y a la izquierda del espectador, aparece la Creación del hombre. Los árboles le dan un sentido paisajístico al ambiente. Sólo en uno de los basamentos de la entrada resta la cabeza de un perro, que se ha relacionado con el Anuncio a los pastores, cuando éstos aparecen enfrente, en lugar importante, pues Maderuelo está en una comarca pastoril.

Forma parte este detalle de las pinturas que antaño adornaban la capilla de Santa Cruz de Maderuelo (Segovia), hoy en el Prado, donde han sido reconstruidas con gran rigurosidad. En la bóveda, aparece la Majestad (*Maiestas Domini*, no *Pantócrator*), rodeada de cuatro ángeles, pues los Evangelistas (*Tetramorfos*), aparecen en las paredes laterales, sobre un *Apostolado*, con serafines y una representación femenina que pudiera ser la Virgen o una santa; para ello se basó el anciano artista en el *Apocalipsis*. En el frontis está la Magdalena lavándole los pies a Cristo y una Epifanía, además de una Cruz con el Cordero místico.

Está realizada esta obra con una técnica muy característica del románico al combinar el fresco con retoques al temple; la paleta es de gran sobriedad, así las figuras, silueteadas con ocre casi negro, están policromadas tan sólo con rojos, azules, blancos y tierras. Cook, refrendado por Gudiol, sospechó que pudiera ser esta obra del mismo maestro que decoró la iglesia de Santa María de Tahull, mas ha de tenerse en cuenta que existían círculos de pintores que cultivaban un estilo similar y de muy difícil diferenciación.

Taddeo Gaddi, Círculo de
San Eloy en su taller de orfebrería (1350-1380).
Temple sobre tabla, 35 × 39 cm.   C. 2.842

Todavía existen bellas obras del protorrenacimiento italiano cuyo autor es ignorado o se discute. Así sucede con dos tablitas que se conservan en el el Prado, representando a San Eloy cuando se presenta ante el rey Lotario y a este santo en su taller; por sus formatos y asunto deben de haber pertenecido a una «pala» (retablo pequeño), dedicado al Patrón de los orfebres y plateros. Esto era corriente en la época puesto que los retablos gremiales no sólo servían de ornato a las iglesias, sino que daban un sentido de poder a las corporaciones artesanas, ya que competían con la nobleza en el adorno de sus templos importantes.

Mas ¿quién lo ha realizado?. Por su estilo de derivación giottesca, sabemos que está pintado en Florencia en la segunda mitad del siglo XIV. Ya en el siglo pasado se atribuían estos dos paneles a Taddeo Gaddi (h. 1300-1366). Berenson pensó que estaban próximas a Jacopo di Cione (Orcagna); Donati (1966) cree también que pudieran ser de éste. El sensible historiador Enzo Carli (*La pittura gotica*, 1965), volvió a la antigua atribución gaddesca.

Representa la escena que aquí se reproduce, el trabajo cotidiano en un taller de orfebrería florentino del siglo XIV. La labor se realizaba a la vista del público, como también se acostumbra hoy en algunas ciudades italianas. Sobre el banco están colocadas una serie de joyas, las cuales están siendo rematadas por San Eloy, ayudado de dos artesanos. El santo termina las últimas labores de la silla de montar del rey Lotario, mientras sus compañeros trabajan en una cruz y una tabla repujada. Al fondo, con un sentido íntimo, una mujer aviva el fuego del horno con un fuelle y un joven amartilla una pieza. Mientras, el rey Lotario, su cliente, admira junto con sus acompañantes la labor del joven artesano.

Lo mismo que en su pareja, aquí la composición es equilibrada; y aparece una gran preocupación por la perspectiva que, aunque es fallida en el banco, logra un sorprendente efecto en las bóvedas del taller, donde entre arcos fajones aparecen bóvedas de arista; el efecto espacial se consigue por graduaciones del claroscuro. También existe en esta pequeña obra una búsqueda de los volúmenes y del color dentro de la mejor tradición giottesca. Así, los cuerpos, vestidos con lujosos ropajes, dan sensación de corporeidad. En cambio, el fondo de oro, que cubre el espacio dejado libre por las formas arquitectónicas, es de marcado carácter gótico.

En 1883 estas tablas figuraron en el *Catálogo* de la subasta de la colección Toscanelli de Pisa. Pasaron a la colección Spiridon en 1898. Adquiridas por el ilustre político y mecenas Francisco de Asís Cambó, las donó al Prado en 1941.

80

LAMINA III

NICOLÁS FRANCÉS.
Retablo de la vida de la Virgen y de San Francisco: *La Virgen con el Niño* (1445-60). Frg.
Temple con veladuras al óleo sobre tabla, 557 × 558 cm. (total).   C. 2.545

Este retablo, realizado por el Maestro Nicolás, es obra bien conservada y procedente de la capilla de una granja llamada Esteva de las Delicias, próxima a La Bañeza (León). Sorprende, pues, que este pintor que lo fue de la catedral de León, y que trabajó para el rey de Castilla, se dignara realizar una obra importante para lugar tan insignificante. Su relación con el retablo legionense es estrecha, aunque muestra menos aparatosidad en la forma y en la composición, salvo en la tabla que reproducimos, es más descuidada, y posiblemente está ejecutada en época posterior, lo que prueba su mayor intensidad del colorido y la superior maestría en las veladuras al óleo; pues en España, antes que en la misma Italia, se emplean los colores disueltos en aceite como retoque sobre el temple.

El retablo completo lo forman nueve tablas, más las del banco, donde aparecen alternando profetas y apóstoles. La tabla central, que es la que aquí se reproduce, representa *La Virgen con el Niño*, con dos ángeles músicos de gran tamaño a su lado y otros dos más pequeños en la parte inferior del cuadro, que llevan un laúd, un arpa, una cítara y un órgano de mano. La Virgen y el Niño se encuentran situados dentro de un baldaquino, que recuerda a un edificio religioso; a su vez, María está sentada sobre un trono, en el cual hay un bello cojín de damasco rojo. Viste ésta túnica azul y el Niño, semidesnudo, juega con un pajarito, mientras en el cuello lleva un amuleto de coral contra los malos espíritus. Post cree que esta tabla sería pintada por un discípulo, mas según Sánchez Cantón esto no parece posible, «aunque se echen en falta por la solemne simplicidad de la composición, los episodios a que tan dado se mostraba el pintor».

Encima de esta tabla se encuentra la *Asunción de la Virgen*, tabla, incompleta, sobre la que se alza como «espina» el Crucificado, herido por Longinos y acompañado por la Virgen, San Juan y las tres Marías. En la calle derecha, la tabla baja representa la *Anunciación*, donde un ángel, no una sirvienta como dice Sánchez Cantón, riega las albahacas con el agua que extrae de un pozo, y el Padre Eterno con tiara pontificia impele por su boca del Espíritu Santo. En el segundo cuerpo aparece la *Natividad* y en el superior de esta calle la *Purificación*. En la calle izquierda aparecen historias de la vida de San Francisco. *San Francisco ante el Sultán de Babilonia*, es la escena que se representa en la tabla baja; en la segunda, la *Aprobación canónica de la Orden franciscana* por el Papa Inocencio III y en la última tabla los *Estigmas del Santo*.

En todas estas tablas existe una gran preocupación por la perspectiva, y aunque se pueden englobar estilísticamente dentro del gótico internacional, hay influencias italianas, posiblemente venidas de Nicolás Florentino, quien por estos tiempos trabaja en Salamanca. Ingresó en el Prado en 1931.

LAMINA IV

JUAN DE PERALTA (Maestro de Sigüenza).
Retablo de San Juan Bautista y Santa Catalina. Danza de Salomé (mediados
del siglo xv).
Temple sobre tabla, 135 × 64 cm.   C. 1.336

La tabla que se reproduce venía atribuyéndose al Maestro de Sigüenza,
nombre dado a un autor anónimo por proceder esta pintura, junto con otras
de la misma mano, de la capilla de los Arces, hoy sacristía, de la catedral
de Sigüenza. Aún se conserva allí el bancal y el cuerpo alto, que completa-
rían el retablo. En el Prado se guardan además de ésta, la tabla central
con los dos santos titulares, cuyas cabezas han sido repintadas en el siglo xvi, y los otros compartimentos laterales en los que se representa la
Degollación del Bautista, Santa Catalina entre las ruedas del martirio y la
Decapitación de la Santa.

En la misma catedral existe otro retablo, al parecer de la misma mano,
dedicado a *San Andrés y un Santo diácono*. Otro *San Andrés* (colección particular, París) lleva la firma: *Johns Peraltis*, lo que ha hecho posible identificar a este maestro con Juan de Peralta. El estilo de todas estas tablas es
uniforme y parte del de Rodríguez de Toledo, pintor formado con Gerardo
Starnina [importante artista italiano de fines del siglo xiv, el cual viene a
España y trae un estilo giottesco evolucionado, que preludia el arte de Masaccio (capilla de San Eugenio y San Blas en la Catedral Primada)]. Mas
en la pintura de Juan de Peralta los rasgos faciales pierden el suave modelado florentino agudizándose y deformándose hasta llegar en algunas ocasiones a formas expresionistas.

Aunque Post intentó identificar a este pintor con Juan Arnaldin activo en
Zaragoza en 1433, Gudiol, con agudeza, ha identificado a Juan de Peralta
con Juan de Sevilla, lo que aclararía la formación y evolución de su obra.
Así se podría pensar que era un pintor andaluz, mas formado en Castilla,
donde evolucionó su arte, pasando de un estilo italianizante a lo estarni-
nesco con ciertas blanduras en las formas (*Tríptico de la Virgen* del Museo
Lázaro Galdiano, Madrid), a un estilo más bronco y patético dentro de las
corrientes del gótico internacional.

En la escena que se reproduce se representa con cierta ingenuidad el
momento en que Salomé baila púdicamente ante su padrastro Herodes. Este
porta una corona real. Sobre la mesa aparecen viandas y cubiertos preludiando los futuros bodegones' españoles. Aunque a primera vista parece
que predomina una narrativa superficial, muestra en realidad preocupaciones perspectivas en suelos y techumbres que hacen de esta obra un
precedente diacrónico de la pintura del Renacimiento español.

Las tablas fueron adquiridas por los Patronatos del Tesoro Artístico y
del Prado en 1930; habían pertenecido a la colección Retana.

LAMINA V

ANÓNIMO LEVANTINO ESPAÑOL.
El martirio de San Vicente (h. 1460).
Oleo sobre tabla, 250 × 84 cm. (Ala.)   C. 2.670

El *Martirio de San Vicente* es parte integrante del ala de un retablo dedicado posiblemente a su tormento y muerte. En el Museo del Prado se conserva también otra calle de este retablo. En la escena superior, sobre la tabla reproducida, aparece el Santo en la hoguera, arrodillado sobre una parrilla y en ésta, la inferior, arrojado al agua, con una piedra de molino amarrada al cuello, por tres esbirros, aunque más bien parecen niños, puesto que todas las escenas están narradas con ingenuidad popular. Aquí de desdobla la acción ya que en primer término aparece San Vicente después de que su cuerpo ha sido arrojado a la orilla por las olas a pesar del enorme peso de la rueda pétrea y al fondo se representan navíos entre ellos una carabela. En la costa y a la derecha del espectador hay un castillo semejante al de Bellver en Mallorca.

La ambientación de la escena y la representación del mar, que recuerda fuertemente al Mediterráneo, nos hace pensar en un maestro del reino de Aragón de hacia 1460, dentro de las corrientes hispano-flamencas. Su origen levantino queda clasificado por el uso de oro en relieve en la indumentaria de los personajes y en el halo que circunda la cabeza del Santo. A pesar del ingenuo matiz popular hay ciertas preocupaciones perspectívicas; y esto hace pensar lo mismo que algunos detalles como la planificación de los tonos, en corrientes de procedencia italiana además de las nórdicas citadas. Bajo un punto de vista cromático es interesante destacar los delicados azules de las aguas sobre los que resaltan las pigmentaciones cromáticas de los sayones-niños.

La otra calle recoge en la escena superior al Santo, golpeado cuando se halla amarrado en una cruz aspada. Y en la inferior, al Santo muerto en la orilla de un río, rodeándole cuervos, un pavo real, perros y otros animales. Al fondo, aparece una ciudad amurallada y líricamente idealizada donde penetran campesinos.

Es este retablo un delicioso ejemplo de arte popular que, siendo anónimo como los romances, merece por su espontaneidad y sensibilidad, los honores de estar expuesto en el Prado, desde que el agudo coleccionista Pablo Bosch lo donara en 1915.

JAUME HUGUET.
Un Profeta (h. 1435).
Temple sobre tabla, 30 × 26 cm.   C. 2.683

Es este pequeño fragmento de una *sub-predella* (típica de la Corona de Aragón) una bella representación del estilo de Jaime Huguet, el gran pintor catalán del siglo xv, del cual sólo se conserva este delicioso ejemplo en el Museo del Prado. Si es minúsculo de tamaño, la calidad es en cambio asombrosa, puesto que la mirada vivísima del personaje aquí representado da un gesto de sorprendente naturalismo, en relación con la época representada; además de estar realizado con una gran capacidad de técnica dibujística, que recuerda a la de algunos pintores contemporáneos del norte de Italia, acostumbrados a la ejecución de frescos.

Según Ainaud de Lasarte, la tipología de este rostro, con ojos rasgados y mirada oblicua, está en relación con algunas de las figuras que pertenecieron al desmantelado retablo de San Jorge. Por ello, hay que fechar este pequeño fragmento dentro de la producción juvenil del pintor de Valls cuando su técnica es más cuidada, al carecer de un taller que más tarde desvirtuaría muchas de sus producciones.

A pesar de una incompleta inscripción, en la filacteria (cartela sinuosa que acompañaba generalmente a los profetas y en las que se leen profecías) no podemos identificar con seguridad el personaje representado. Es también desconocida su primitiva procedencia; fue donada al Museo del Prado por el ilustre mecenas don Pablo Bosch.

LAMINA VII

Jan van Eyck y colaborador.
La Fuente de la Gracia (h. 1423-1429).
Oleo al temple sobre tabla, 181 × 116 cm.   C. 1.511

Se ha discutido la atribución a Jan van Eyck de esta obra, llegándosele
a considerar copia de un original perdido, tesis rechazable, dada la calidad
de algunas de las figuras. Está en relación muy directa con la famosa tabla
central de la *Adoración del Cordero místico* (1425-29) en San Bavón de Gante;
el simbolismo y técnica hace pensar que puede estar realizada antes de su
primer viaje a España (1427), pues no existe ningún motivo o adorno con
características hispánicas al contrario de lo que sucede en obras posteriores.
Van Eyck viene a España en dos ocasiones, acompañando misiones diplo-
máticas para buscar esposa al duque de Borgoña Felipe el Bueno, que en-
viudó en 1425. La primera en 1427 a Valencia; al no tener éxito, en 1428 vuelve
a la Península, para pedir al rey de Portugal Juan I la mano de su hija Isabel;
en esta ocasión Eyck peregrina a Santiago, visita a Juan II y al rey de
Granada.
      Es posible que el tríptico del que formaba parte esta tabla como el panel
central no fuera encargo —según César Pemán— sino adquisición de Juan II
al propio pintor, pero realizado anteriormente a estos viajes, o en todo caso
como sugirió Kämmerer (1898) entre ambos. Lo mismo que su obra maestra,
es esta también de exaltación eucarística. Cristo entronizado y bendiciendo
preside la escena, rodeado por los símbolos de los cuatro evangelistas (*Tetramorfos*); a sus pies está el Cordero Místico, y a los lados la Virgen y San Juan
(*Deesis*); en el gótico baldaquino que cobija al Salvador están representados
escultóricamente los profetas. En el plano intermedio, ángeles músicos de
tipología germánica se asientan sobre un prado, por el que pasa el arroyo
que viene del Cordero. Y, en la parte inferior, a ambos lados de la Fuente
Eucarística, sobre cuyas aguas flotan hostias, aparece la Iglesia, enfrentada
con la Sinagoga; en la primera existen una serie de personajes que son retratos; así se reconocen los del emperador Segismundo, el papa Martín V
(m. 1431), el rey de Francia Carlos VII, a no ser, como afirma Pemán, Juan II
de Castilla, si así fuera sólo habría que retrasar la fecha de *La Fuente*
hasta los alrededores de 1430, antes de la muerte del papa retratado; en el
extremo está su posible autorretrato. La calidad de algunos personajes —no
sólo el grupo de la Iglesia, sino de la Sinagoga— lo mismo que la figura de
Cristo, nos hace opinar que es obra realizada por el propio Van Eyck en su
juventud y con la colaboración de un maestro renano, como indica Bruyn;
aunque parece prematura la fecha que da Post (1420). Procede el panel de
la sacristía del monasterio de El Parral (Segovia), siendo donacion de Enrique IV. Se hicieron copias, hay una en la catedral de Segovia; como ha
demostrado Pemán, la descrita por Ponz en la de Palencia, es la que se encuentra hoy en el Museo de Oberlin (Ohio). El original fue llevado al Museo
de la Trinidad en 1838, y pasó al Prado en 1872.

LAMINA VIII

MAESTRO DE FLÉMALLE. Atribuído al
Santa Bárbara (1438).
Oleo sobre tabla, 101 × 47 cm.   C. 1.514

Se ha venido dando la denominación de Maestro de Flémalle o Merode al autor de un grupo de pinturas que hoy la crítica intenta dividir entre Robert Campin —el maestro de Roger van der Weyden— y otro discípulo llamado Jacques Daret. Aún más, ultimamente se ha dado la hipótesis, nada descabellada, de que algunas de estas obras pertenecen a la juventud del propio Roger, al poco tiempo de abandonar el taller de Campin, donde está documentado en 1427.

La gran relación existente entre esta *Santa Bárbara* y la *Virgen con el Niño* (Prado), obra de Weyden, hacen posible esta última hipótesis. Esta tabla, junto a la que presenta al franciscano *Enrique de Werl con San Juan Bautista*, formaba parte de un tríptico, cuya tabla central está hoy perdida. Al pie del retrato del franciscano, existe una inscripción en la que se dice que fue realizada esta obra en 1438, año en que este personaje era profesor de la Universidad de Colonia y asistente al Concilio de Basilea (1431-1439).

Santa Bárbara aparece aquí en un aposento sobriamente elegante donde el mínimo detalle ha sido fielmente reflejado. Se encuentra sentada en un banco reversible y leyendo de espaldas a una chimenea encendida. El resplandor del fuego se refleja en los objetos produciendo sombras vibrantes, que contrastan con las estáticas de la luz diurna; es este uno de los aciertos más interesantes del pintor flamenco que ha ejecutado esta obra. Pues en otras pinturas atribuidas al Maestro de Flémalle, si aparecen las sombras son inertes. Esto ocurre en las obras que bajo su nombre se conservan en el Prado (*Los desposorios de la Virgen* y *La Anunciación*), donde el goticismo internacional está más patente que en la *Santa Bárbara* y en su pareja.

Es esta pintura uno de los precedentes, junto al *Matrimonio Arnolfini* de van Eyck (que estuvo en las colecciones reales españolas), de la pintura intimista holandesa. Si no fuera por la torre que se percibe en el paisaje del fondo a través de una ventana, símbolo fundamental de la Santa —puesto que el padre la encerró en ella antes de decapitarla—, podría ser un ejemplo de interior flamenco con una joven en su estudio o, en todo caso, la Virgen María, ya que los atributos de la pureza de la Santa: el lirio, el aguamanil y la redoma con agua, son también marianos.

El exterior también estuvo pintado: bajo una espesa capa de pintura basta se distinguen dos nimbos; la radiografía no ha tenido éxito, mas Renders cree que el dibujo de la *Virgen con el Niño*, de Dresde, atribuido a Weyden, puede ser el preparatorio para este reverso. Estuvo en Aranjuez hasta 1827. Se sabe que fue adquirido por Carlos IV.

LAMINA IX

Roger van der Weyden.
El descendimiento de la Cruz (1436-1437).
Oleo sobre tabla, 220 × 262 cm.   C. 2.825

Sin duda alguna, este *Descendimiento* es una de las más importantes
y bellas obras de la pintura flamenca medieval. Fue realizado entre 1436 y
1437, para la capilla del gremio de ballesteros de la iglesia de Nuestra Se-
ñora de las Victorias, en Lovaina. Su composición, lo mismo que en ciertos
relieves escultóricos de la época, se ordena verticalmente, ya que el astil de
la Cruz la divide en dos, equilibrándola de una manera admirable. Quedando
así un grupo de tres personajes a la derecha y otro casi idéntico a la izquierda. La verticalidad de la Cruz queda paliada por una diagonal que va
desde la cabeza del joven que ha desclavado a Cristo, hasta la Virgen y el
pie derecho de San Juan, pasando por la cabeza del Redentor y de Nico-
demo. Toda la composición general queda englobada en un óvalo, y una línea
ondulante, perfectamente marcada, formando una ese, da un sentido de sin-
copación a toda la parte central del cuadro, recordando composiciones musicales de la época, pues su estructura corresponde a cuatro compases, de
cuatro por cuatro, exactamente los mismos que los del «Stabat Mater Do-
lorosa» del franco-flamenco, G. Dufay (m. h. 1470). Comienza esta línea
sinuosa por el pie derecho de San Juan (*Sta*), el cual equivale a una blanca;
continúa en la calavera de Adán (*bat*), y la mano derecha de la Virgen (*Ma*),
dos negras seguidas de una blanca, el pie izquierdo del Evangelista (*ter*);
el manto azul es silencio de negras; otras dos negras están formadas
con la mano izquierda de la Virgen (*Do*) y la derecha de Cristo (*lo*); su izquierda y el ombligo, representan una blanca con puntillo (*ro*), y los pies
cruzados de **Cristo** (*sa*), son la última nota de esta estrofa, una redonda.
Panofsky ya había intuido la intención del pintor al decir que este cuadro
no estaba dirigido hacia la acción ni tampoco hacia «el drama», sino en dirección al problema esencial de concentrar el máximo de pasión en una
composición tan rigurosamente estructurada como un soneto de Shakespeare.
    Von Simson (*Art Bulletin*, 1935) ha estudiado con detenimiento los crite-
rios teológicos relativos a este cuadro, relacionándolos con la «compasio», el
dolor compartido de María con el de su Hijo, afirmado por el paralelismo
entre sus dos cuerpos, idea que deriva de Bernardo de Claraval, pues con su
meditación sobre el sufrimiento de Madre e Hijo iniciará uno de los temas
favoritos de los teólogos y artistas medievales: el de la «co-redemptio»; ello
confirma la interpretación que damos en relación con el «Stabat Mater».
El fondo de oro, además de valorizar los delicados cromatismos, quizá
indica el sentido intemporal de la acción, pues Weyden, influido por la
mística de su época, probablemente quiere expresarnos que el cuerpo de
Cristo es descendido, no en el Gólgota solamente, sino en todos los ins-
tantes del transcurrir de la Humanidad.
    María de Hungría, hermana de Carlos V, lo adquirió; llegó a España en
1556, y entró en El Escorial en 1564; pasó al Prado en 1939.

LAMINA X

ROGER VAN DER WEYDEN.
La Piedad (1440-1450).
Oleo sobre tabla, 47 × 35 cm.

C. 2.540

Es esta *Piedad* el más bello ejemplar de una serie de obras que con el mismo tema se atribuyen a Roger van der Weyden o a su círculo. A la derecha aparece un grupo en el que destaca la Virgen abrazando con dolor sicológico el cuerpo inerte del Hijo. La expresión dramática de la Madre se palía un tanto por la inmensa ternura que dimana de su rostro; a su lado, San Juan ayuda a sostener el peso del cuerpo de Cristo. Mientras, en el otro extremo aparece la figura burguesa de Broers de Malinas, que fue el donante de esta pequeña pero magistral obra; se encuentra de rodillas y contempla la escena con unción, expresando una emoción sincera, pero sin dramatismo. La capacidad de Roger de plasmar con honda intensidad emotiva los sentimientos religiosos es lo que le lleva a realizar gran número de obras relacionadas con la Pasión de Cristo, donde lo divino se humaniza.

Así, en esta *Piedad*, la tragedia sucede dentro de un marco hecho para el hombre: al fondo, en el horizonte de una llanura típicamente flamenca, se divisa tenuemente una ciudad gótica; y, cerca de la mitad del cuadro está dedicada al celaje, cosa extraña en los primitivos flamencos. Sobre este cielo, donde unas pequeñas nubecillas pasan vagamente, y revolotean unas golondrinas, destaca la inmensa Cruz, como símbolo de la redención. El sentido naturalista de Roger van der Weyden (la denominación francesa es Roger de la Pasture), hace que aquí aparezcan pintados uno por uno los vellos de las piernas de Cristo; como vemos, este admirable pintor flamenco une al realismo un sentido idealista paralelo al del «quattrocento» florentino.

La antigua procedencia de esta obra es por ahora desconocida; solamente sabemos que en el siglo XIX perteneció al duque de Mandas.

96

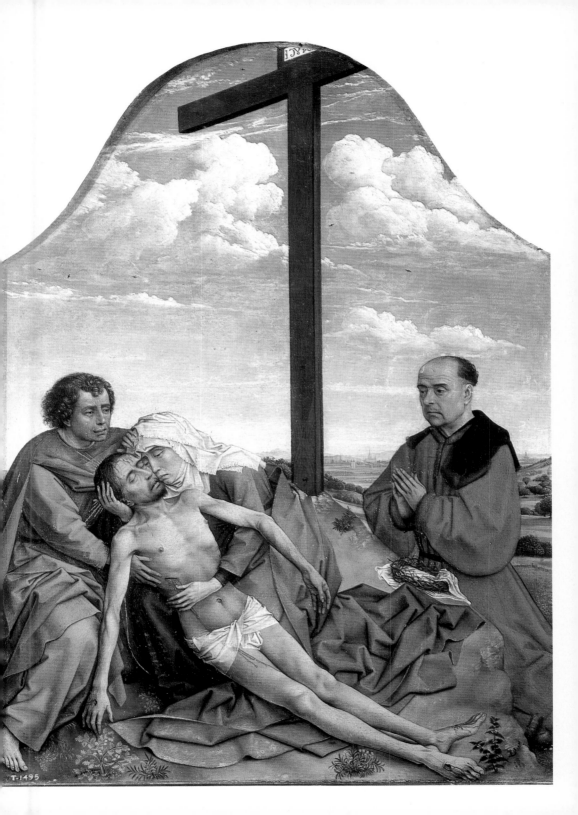

HANS MEMLING.
La Adoración de los Magos (h. 1470). Tabla central.
Oleo sobre tabla, 95 × 145 cm.   C. 1.557

Es esta *Epifanía*, la parte central de un tríptico, que existe en el Museo del Prado, completado por la Purificación y la Adoración del Niño Jesús por los ángeles y la Virgen. Aquí Memling se inspiró en una obra maestra de Roger van der Weyden, el retablo de San Columbano de Colonia, hoy en la Pinacoteca de Munich en cuya tabla central aparece el mismo asunto tratado de una manera semejante, mas Memling ha espaciado y simplificado la escena. Así, San José, que aparece a la izquierda, está ajeno a lo que ocurre, y el donante ha sido desplazado a un lado, pues será la figura rasurada que aparece en el extremo derecho, mientras que en Weyden aparecía en el centro de la composición. Un rey arrodillado besa los pies de Jesús con cierta tímida afectuosidad, al contrario de lo que aparece en el cuadro de Roger, que besa la mano enfervorecidamente. Se ha pensado que los dos magos sean los retratos de Carlos el Temerario y de Felipe el Bueno.

En esta obra ha desaparecido el sentido heroico característico de Weyden. Las formas se han suavizado y los personajes expresan un lirismo muy característico del arte del Memling. Al trazo intenso y vibrante del maestro, opone el discípulo superficies homogéneas, más suavizadas, y usa a veces tonos tornasolados en las vestimentas de las figuras, las cuales alarga con un sentido casi manierista.

Antes de haber realizado esta *Adoración*, realizó una copia que es más fiel al original de Weyden; también conservada en el Museo del Prado. Más tarde, en 1479, pintó para Jan Floreins, una réplica hoy conservada en el Hospital de Brujas, en la cual las formas aún se estilizan más.

En la *Purificación*, detrás de la figura de Simeón, aparece un rostro que recuerda al de su hipotético autorretrato.

Este tríptico fue poseído por Carlos V y estaba en el oratorio del castillo de Aceca, ayuntamiento de Villaseca de la Sagra (Toledo). Ingresó en el Prado en 1847.

EL BOSCO (Hieronimus van Aeken Bosch).
La Mesa de los Pecados Capitales (1480-1490). La Gula.
Oleo sobre tabla, 120 × 150 cm.   C. 2.822

Es esta *mesa*, que representa los siete pecados capitales, una de las
obras más antiguas conservadas del Bosco, como demuestra la pincelada
apretada y cierta rigidez propia del gótico. En el centro de ella aparecen
tres círculos concéntricos, a la manera de un gran ojo, el de Dios, puesto que en la pupila aparece la figura de Cristo mostrando las llagas pro-
ducidas en su Pasión, para conseguir la redención de los hombres; debajo
de él hay una inscripción que dice: «Cuidado, cuidado, el Señor te ve». Pero
los hombres insensatamente se dejan arrastrar por las pasiones y siguen
pecando. En unas filacterias aparecen escritas las palabras de Moisés: «Es
una nación que ha perdido su buen sentido; no hay en ellos inteligencia. Si
fueran cautos, comprenderían y pensarían qué es lo que va a sucederles».

La parte periférica del ojo está dividida en siete partes, donde aparecen
los pecados capitales; cada uno de ellos lleva un rótulo en latín con el nombre correspondiente. *La Gula*, posiblemente el último de la serie, es representado por un hombre que devora con ansiedad una mano de animal, mientras bebe. Sobre la mesa esperan suculentos alimentos. Otro comensal bebe
ávidamente, derramando el líquido sobre sí, y una pata de pollo sobresale
de su faltriquera; en la pierna, una fina gasa deja ver un sangrante chancro,
como otras veces aparece en la obra de Jerónimo Bosco. Mientras tanto una
dueña acude con un pollo asado, y una morcilla se asa al lado de la lumbre.

En los cuatro ángulos aparecen dentro de círculos, la muerte del pecador,
el Juicio Final, el Infierno y la Gloria. En el Infierno el glotón ya no devora
sabrosas viandas, sino que es condenado a comer lo que hay sobre la mesa:
un sapo, una serpiente y un gran lagarto. Como indica Isabel Mateo, la
importancia de esta mesa, además de en su belleza, radica especialmente «en
que constituye el punto de partida para todo aquel que se interesa en la
interpretación de los cuadros del Bosco», puesto que muchos de sus motivos
iconográficos son luego repetidos en otras de sus pinturas.

Según Carmen Bernis, por la indumentaria, se puede fechar hacia 1480-
1490. Se ha discutido si originalmente fuese mesa o tabla para colgar; en
los inventarios de Felipe II, aparece ya con la primera denominación. En
1574 se encontraba en El Escorial, y decía el P. Sigüenza, en 1605, que era
«cuadro y tabla excelente».

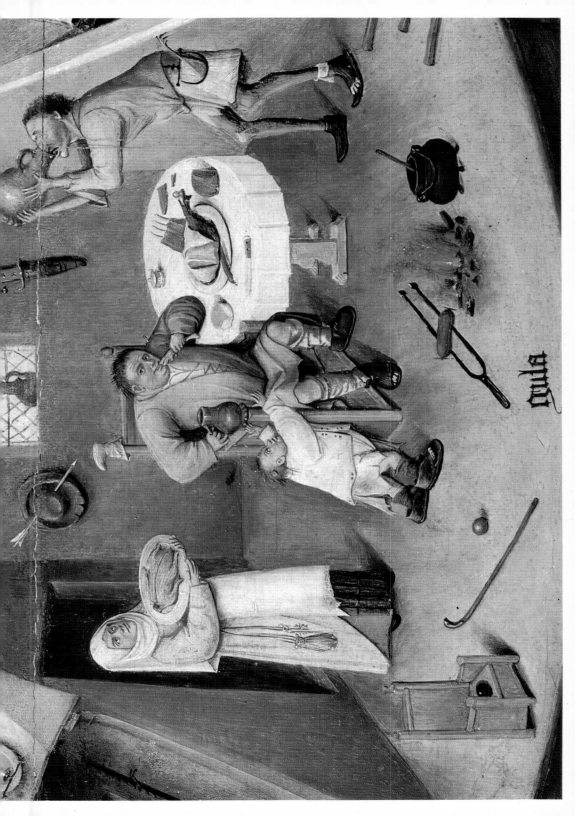

El Bosco (Hieronimus van Aeken Bosch).
La Epifanía (h. 1510).
Oleo sobre tabla, 138 × 33 × 72 cm.   C. 2.048

Esta *Epifanía* debe ser ya obra de sus últimos tiempos, de gran equilibrio armónico, posiblemente reflejo de un apaciguamiento anímico. El tríptico cerrado representa la misa de San Gregorio con donantes (?), donde en
grisalla se han representado escenas de la Pasión, alrededor del Ecce-Homo.
Mas una aparición sorprendente sucede cuando se abre el tríptico, pues
surge una de las obras más bellas del Bosco en cuanto a su aspecto formal.

El paisaje que cubre los tres cuerpos da unificación al conjunto uniendo
las escenas del panel central con las laterales, donde aparecen otros donantes junto a sus santos patronos, San Pedro y Santa Inés. Este paisaje es
uno de los más hermosos de la pintura flamenca de su época. La luz cris-
talizada de los últimos días del verano, está aquí prodigiosamente captada;
al fondo, entre dorados campos, surge una imaginada Jerusalén con edifica-
caciones donde se entremezclan construcciones flamencas, como un molino,
con torres orientales que recuerdan *zigurats*. En el centro, sobre la ciudad,
aparece la estrella de Oriente, y a la derecha una laguna de aguas pla-
teadas. Mientras que el ejército de Herodes busca al recién nacido, la tragedia no falta: un oso herido destroza a un viajero, y una mujer huye
perseguida por un lobo, en el ala de la izquierda; en la derecha, unos campesinos bailan alegremente.

En la escena central los Reyes Magos, cuyos ricos vestidos tienen bor-
dados motivos alegóricos, adoran al Niño Jesús, el cual aparece en los brazos de la Virgen a la manera tradicional. El mago que le presenta una ban-
deja con incienso o mirra, tiene bordada en su esclavina la visita de la reina
de Saba a Salomón; sobre el suelo ha sido depositada la ofrenda del oro,
con una representación en orfebrería del sacrificio de Isaac. Hay extrañas
figuras que miran desde la ruinosa cabaña y en la pierna de un hombre
con barba existe una llaga sifilítica dentro de un tubo de cristal; Brand-
Philip, basándose en textos judaicos, cree que es el Mesías hebreo; Combe
que son los malos pastores, uno de ellos el Mesías hebreo; los trajes tienen motivos tomados del talmud babilónico. Los verdaderos pastores miran desde fuera, uno de ellos con rostro de envidioso. Mientras tanto, San
José aparece apartado calentando los pañales del Niño, al calor del fuego.

Baldass lo fecha en 1490, Friedländer en 1495, y Tolnay en 1510, época
que concuerda con la indumentaria. En las alas aparecen las divisas de la
familia Bronckhorst y Bosschuyse y la de «een voer al» (*uno para todos*).
Perteneció esta obra a Jean de Casembroot, señor de Backerzeele, partidario
de Guillermo de Orange; como castigo Felipe II se la confiscó, dándole un
lugar de honor en su oratorio escurialense.

LAMINA XIV

EL BOSCO (Hieronimus van Aeken Bosch).
El Jardín de las Delicias (1500-1510).
Tríptico. Oleo sobre tabla, 220 × 195 cm. (Total.)   C. 2.823

Posiblemente es esta pintura una de las más estudiadas en los últimos tiempos de las existentes en el Museo del Prado, a la que se ha dedicado gran número de artículos y hasta una ingeniosa monografía (Fraenger, *The Milenium of H. Bosch*). Según este autor el Bosco era miembro de una secta adamita, la de los *Hermanos del Espíritu Libre*, por lo que el *Jardín* sería una explicación ilustrada de las doctrinas de esta secta, en la que la libertad sexual, por medio de la iluminación del Espíritu Santo, sería una de las vías que encaminaban a la salvación del alma, o sea, una vuelta a la inocencia original descrita en el Génesis. El matrimonio y los vestidos, eran fruto del pecado. Ahora bien, muchas de las interpretaciones de Fraenger no son convincentes. Así él no sigue lógicamente la sucesión temática del tríptico: Creación, Mundo e Infierno. Sino que explicándola con criterio adamita sigue este sentido: Creación, Purificación (el Infierno, no es castigo eterno, sino purificación) y en la tabla central en lugar de un mundo pecaminoso aparece el *Milenio*, estado de perfección, donde sólo hay placeres sin pecado. Combe y Gauffreteau-Sévy, entre otros, creen en cambio que, aunque el Bosco conociera estas doctrinas, sin embargo, su fin es condenarlas, lo mismo que los pecados carnales. Fue el P. Sigüenza en su *Historia de la Orden de San Jerónimo* (1605), el primero que nos da una interpretación moralista de este tríptico, al oponerse a las acusaciones de los que tachaban a la pintura del Bosco de herética; como argumento principal esgrime «la gran consideración que le merece al Rey don Felipe II, que si hubiera visto cualquier indicio de herejía, no hubiera permitido que estos cuadros hubieran llegado a sus habitaciones». Mas a nosotros hoy día nos interesan más sus argumentos moralistas; así nos dice que estos cuadros «son unos libros de gran prudencia y artificio..., es una sátira pintada de los pecados y desvaríos de los hombres»; añade también que éstos les convierten en bestias, lo que abre las puertas de la simbología del Bosco. La crítica más actual, vuelve otra vez a la interpretación moralizante, partiendo del P. Sigüenza, que llamó a este tríptico, del *madroño*, por ser frutilla que «apenas su olorcillo se siente cuando ya es pasado», lo mismo que ocurre en los placeres de la vida.

En el ala de la derecha, aparece como tema principal la creación de Eva por el Padre Eterno, siendo contemplada por la figura confiada de Adán. Todo lo que le rodea tiene un sentido maléfico, así en la parte central de la tabla aparece, presidiendo una fantástica fuente, una lechuza, símbolo de la sabiduría en la antigüedad clásica, pero del mal en la Edad Media; para Fraenger, significa la sabiduría y el conocimiento. Pensamos que esta fuente que vierte sus aguas en una zona pantanosa —donde patos necios, cisnes orgullosos e inmundas sabandijas la pueblan—, podría significar el *árbol de*

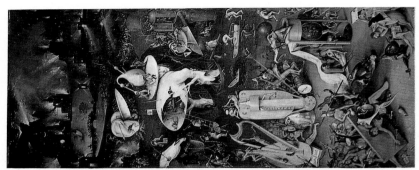

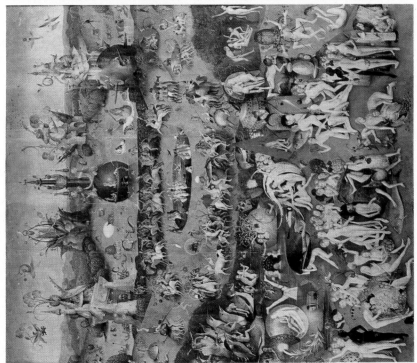

la vida, pero de una vida en la que, aun recién nacida ya está presente la corrupción. Fraenger cree que la *Fuente de la Vida* está representada en el exótico drago, originario de las Canarias, que se había divulgado por una estampa de Schongauer; mas este *árbol*, por estar al lado de la primera pareja humana debe ser el del bien y del mal; sus formas cartilaginosas, casi diabólicas, le hacían por entonces ser confundido con la mandrágora. En la parte inferior algunos animales comienzan ya a devorarse entre sí. Uno de ellos mitad pez, mitad pato, simbolizará la estupidez de cierta parte del clero, pues usa caperuza de fraile, leyendo un libro posiblemente sin saber entenderlo. A la izquierda de la fuente, el toro salvaje símbolo de la pasión, acecha al unicornio blanco, representación de la castidad. El elefante blanco, personificación de la inocencia, tiene sobre su lomo al lujuriento simio. Más arriba, una gran bandada de pájaros abandona la tierra, y las rocas toman formas fálicas o anales.

En la tabla central la mayoría de los seres humanos aparecen desnudos. Casi todos ellos son muy parecidos, no por incapacidad del Bosco, sino por un afán de masificar a los hombres. Este carácter estereotipado como señala G.-Sévy, es «una abolición del espacio en un lugar donde el tiempo ya no existe». Esta Humanidad, que a primera vista parece feliz, está inmersa en la melancolía; para ella los placeres no le producen gozo, y una gran soledad le envuelve. Por ello estos placeres están representados por medio de símbolos, como frutas, que, como ya indicó el P. Sigüenza, son de corta duración; fresas, cerezas, moras, frambuesas, simbolizan lo efímero del placer sexual. En el extremo de la derecha, casi en primer término hay un hombre vestido con una piel de camello, que señala a una mujer detrás de un tubo de cristal; por tener una manzana debe de ser Eva. Isabel Mateo considera acertadamente que es esta una representación del Bautista, señalando a la portadora del pecado; y no el Gran Maestro del Espíritu Libre, como ha dicho Fraenger. Una pareja está en el otro extremo dentro de una esfera de vidrio, que como una pompa de jabón sale de una flor; para Combe significa el *matrimonio nuevo* y lo compara con la boda *alquimista*. Será, en verdad, una personificación del refranero popular, «el placer es como el vidrio, cuanto más grande más pronto se rompe», aquí la pompa de cristal pronto va a estallar y a convertirse en minúsculos fragmentos. Esta flor sale a su vez de una forma ovoide desde donde un envidioso —la envidia está simbolizada por el ratón; «le roe la envidia», dice el dicho popular— observa a través de un tubo de vidrio, a una pareja que hace el amor dentro de una almeja (representación del sexo femenino); a su vez, unas perlas hacen relación con el refrán: «La felicidad es como las perlas, basta una gota de vinagre para que se deshaga». Cerca de ellos aparece un grupo de pájaros, según Fraenger puede significar las *bodas de pájaros*, que inician el deseo de imitación por las parejas próximas; sobre uno de ellos cabalga una negra y un blanco, y otra ave ofrece como *alhiguí* («alhiguí, alhiguí, con la mano no, con la boca sí») unas simbólicas frambuesas, a unos hombres. Otros tres, aprisionados por un cardo, cuya flor liba una mariposa

106

y uno de cuyos pedúnculos es mordisqueado por un pájaro, son representaciones de hermafroditas, los cuales aparecen diversamente en el *Jardín*.

En el centro de este panel hay una gran cabalgata que gira alrededor de un estanque circular; posiblemente representa a los hombres sobre los vicios cabalgando. En el estanque jóvenes blancas y negras tienen sobre sus cabezas ciervos, pavos reales e ibis, estos últimos por entonces se identificaban con el *Ave Fénix* y manzanas; Combe lo interpreta como la fuente de la vida, «ombligo del mundo alrededor del cual gira todo». Encima de éste otro gran estanque, es interpretado por Tolnay como la *Fuente del adulterio*, pero como alega Isabel Mateo (*El Bosco en España*) pudiera ser la *Fuente de la juventud*, ya que existen representaciones medievales similares. En el fondo las rocas adquieren otra vez formas eróticas y sobre éstas ciertos hombres vuelan por la fuerza de sus pasiones.

El centro del infierno está ocupado por un ser monstruoso con cuerpo en forma de huevo huero y quebrado y piernas que recuerdan cráneos de ciervos y árboles secos, las cuales se apoyan en barcas. Su rostro recuerda el autorretrato del Bosco; ésto sería muy significativo, pues en una pierna aparece un chancro sifilítico, apenas tapado por un vendaje, lo que explicaría la raíz de su misogenia (a este mal se la llamaba «gálico» o «hispánico», causando grandes estragos por estas fechas), y sobre su cabeza aparece la gaita, símbolo de la inversión sexual. Rodeando estas figuras aparecen los castigos de los pecadores. Así, los clérigos aparecen con picos de aves, como malos predicadores y uno de ellos dentro de una llave: «Llamé a tu puerta y no me abriste». Posiblemente el grupo más terriblemente castigado es el de los músicos, aprisionados en sus instrumentos; Fraenger lo interpreta como la lucha por alcanzar la armonía universal. En la parte inferior derecha, una abadesa, que ha sido convertida en cerdo, firma un documento relacionado con el comercio de las reliquias, puesto que aparece un pie cortado. Al fondo, y en la parte superior, se desarrolla un espectáculo grandioso producido por los efectos luminosos de los edificios en llamas.

Entregado al Escorial en 1593; en el acta de entrega se dice que fue adquirido en la almoneda del prior D. Fernando, de la Orden de San Juan, el cual era hijo natural del duque de Alba (†1591). Depositado desde 1940 en el Museo del Prado.

EL BOSCO (Hieronimus van Aeken Bosch).
El Carro del Heno (1503-1512). Total.
Tríptico. Oleo sobre tabla, 135 × 100 cm.   C. 2.052

Uno de los motivos más usuales en El Bosco es el de la representación de la locura humana en sus diversas facetas: así ocurre en la tabla central del tríptico *El Carro del Heno*. La codicia es la que produce en esta obra la alteración psíquica de los seres humanos. La idea general está basada en un proverbio flamenco: «El mundo es un carro de heno, del que cada uno toma lo que puede coger»; el cual posiblemente deriva de un pasaje de Isaías: «Toda carne es como el heno y todo esplendor como la flor de los campos. El heno se seca, la flor se cae». (XL, 6-7.) Como se ve, el heno simboliza las riquezas temporales, aunque posiblemente también los placeres. Por ello, el heno amontonado en el carro es objeto de la codicia de la multitud. Hay hombres que intentan trepar al carro con una escalera y otros con grandes ganchos intentan extraer una parte de la carga. Se asesina, se lucha, se roba por unas briznas de hierba seca. Un hombre va a ser aplastado por las ruedas del carro al no querer abandonar su botín. En primer término, una gruesa abadesa espera, bebiendo un vaso de vino, a que sus monjas le traigan heno abundante; una de ellas la contempla muy devotamente, con la ceguera estúpida que los *Hermanos del Espíritu Libre* (ver *Jardín de las Delicias*) tachan de padecer al bajo clero; otra, intenta tentar con un puñado de heno a un joven, mas a éste no le interesa, pues lleva una gaita, símbolo de la inversión sexual. Tampoco les importa el heno a los que les duelen las muelas, o la las madres que cuidan a sus hijos (para Baldass son dos gitanas que predicen el porvenir a una joven burguesa). El carro es arrastrado por unos monstruos que sinificarán las pasiones; tradicionalmente se pensaba en los pecados capitales. Detrás de él van los poderosos del mundo que poseen el heno deseado. Son pocos los que han logrado trepar hasta la cima del montículo; éstos que a simple vista parecen felices, pues cantan acompañados de un laúd, y por la trompeta de un diablo, que baila gozoso, pues los que semejan plácidos cantores están corroídos por la lujuria. Detrás de ellos, una pareja, que se abraza escondida en la maleza, es observada por un mirón, posiblemente un marido engañado, ya que sobre su cabeza hay una jarra vacía, símbolo de la traición conyugal. Mientras, un ángel pide ayuda al Señor, que desde los cielos contempla el loco hacer de los hombres. El Bosco se muestra aquí como un moralista, un tanto misántropo, que sermonea más que con ira, con ironía. A la izquierda de la tabla central surge el Infierno y a la derecha el Paraíso. Cerrada aparece el hombre, caminante por un mundo lleno de peligros.

Fue comprado en Flandes por Felipe de Guevara y vendido a Felipe II hacia 1570. Estuvo en El Escorial hasta 1939, en que fue traído al Prado, siendo cambiado por una réplica o copia.

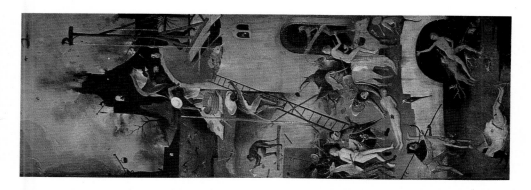

Jheronimus bosch

LAMINA XVIII

Esta tabla es la correspondiente a la parte central de un retablo de la iglesia de Daroca (Zaragoza), que llevaba el nombre del santo aquí representado. En ella Santo Domingo de Silos aparece entronizado y de pontifical, como correspondía a la titularidad de abad, puesto que lo fue de Silos. Vivió cuatrocientos años antes que Bermejo, naciendo en la Rioja en los comienzos del siglo XI; allí fue prior del monasterio, entonces navarro, de San Millán de la Cogolla. Su fama hace que Fernando I de Castilla le llame para regir el viejo convento de Silos, que reconstruye material y espiritualmente, siendo abad entre los años 1047 y 1073. De esta época son los capiteles del claustro bajo con los que se abre una etapa dentro de la escultura románica española: la silense.

Bartolomé Bermejo representa en la obra del Prado a Santo Domingo, dándole un fuerte carácter a su rostro, como en la realidad lo tuvo; su fuerte realismo hace pensar que pudiera estar directamente inspirado en el natural, siendo el retrato de algún personaje contemporáneo del pintor. Este mismo sentido realista aparece en las manos, mientras todo lo restante del cuadro está idealizado. Bermejo, aunque cultiva y conoce perfectamente el estilo flamenco, adopta en lo accesorio de este cuadro las formas pictóricas de la tradición gótica de Aragón, región donde el estilo internacional había tenido una fuerte raigambre. Por ello, coloca un fondo de oro en la tabla y también es dorada la dalmática. Mas logra darle a lo metálico distintas matizaciones. Esta excesiva riqueza proviene de las estipulaciones del contrato del retablo, realizado en 1474, en las que se comprometía Bermejo a realizar los ornamentos pontificales recamados de oro; además debía estar Santo Domingo sentado en un trono con las tres virtudes teologales en la parte alta y las cuatro cardinales a los lados. Estas figuras femeninas dan una nota de color al no estar realizadas en *grisalla*, como se acostumbraba a hacer en las pinturas flamencas, imitando escultura y ser, en cambio, representaciones naturalistas con vestiduras de fuerte cromatismo. Por el contrario, en las representaciones de santos en la dalmática, las figuras aplanadas dan una perfecta sensación de bordado. Las telas tienen los pliegues tubulares característicos de la pintura hispanoflamenca, lo que da a la figura un fuerte empaque.

La tipología de las obras de Bermejo está próxima a la del pintor portugués Nuño Gonsalves, dato que confirmaría su origen cordobés por la proximidad fronteriza; además de que los apellidos Cárdenas y Rojo, con los cuales se firma, aparecen en esta ciudad andaluza; por lo que la opinión de Post, de que sería pelirrojo y a ello debería el apelativo de Bermejo, no tiene consistencia. No hay duda de que es el más recio, como dijo Elías Tormo de los pintores primitivos españoles.

FERNANDO GALLEGO.
Cristo entronizado, bendiciendo (1467-1470).
Oleo sobre tabla, 169 × 132 cm.

C. 2.647

Entre 1466 y 1467 aparece trabajando en Zamora Fernando Gallego; allí realiza el retablo de San Ildefonso de la catedral. En 1468 está documentado en Plasencia. Más tarde se trasladará a Salamanca, donde reside todavía en 1507. Aunque parezca lo contrario, debe ser una de sus obras más antiguas conocidas, el *Cristo entronizado,* que centraba —hasta el siglo XVIII— el retablo de San Lorenzo de Toro, pintado en las proximidades de 1490 —ostenta los blasones de sus fundadores doña Beatriz de Fonseca (m. 1483) y de su marido el infante Pedro de Portugal (m. 1492)—, lo que hace suponer que está ejecutado entre ambas defunciones. Ahora bien, la tabla del Prado difiere de las restantes, su calidad es superior y las que se mantienen en su lugar están realizadas con un sentido más expresionista (figuras alargadas y pliegues de telas quebradizos) que la aproximan al antiguo retablo de la catedral del Zamora, hoy en Arcenillas, elaborado inmediatamente después (1472-1495). Además, el *Cristo* del Prado por sus tonos cálidos y translúcidos se acerca a las mejores tablas del citado retablo zamorano y a su más antigua obra conocida, un fragmento con la misa de San Gregorio (Col. Gudiol, Barcelona). Aunque es suponible la colaboración de taller en el retablo de Toro (en estos tiempos trabaja junto a Fernando su hermano Francisco, además de otros discípulos), la separación estilística y formal es tan grande que nos obliga a afirmar que la tabla del Prado está realizada en sus primeros años zamoranos, y colocada más tarde centrando el retablo de la bella iglesia morisca.

Se perciben influencias formalistas eykianas, más técnicamente se aproxima a las pinturas de Dierik Bouts. Su flamenquismo hizo que, en 1907, al ser expuesta en la Exposición del Toisón de Oro en Brujas, fuera atribuida al propio Van Eyck. Su majestuosidad, su primorosa ejecución, su preocupación por los pequeños detalles hicieron posible este error. Hoy, parece imposible tal confusión; pero a principio de siglo los primitivos castellanos eran totalmente desconocidos. Sin embargo, este lapsus era signo de la gran capacidad de Gallego, uno de los pintores más importantes del siglo XV.

Aparece Cristo en un trono de diseño gótico, semejante al que en la tabla principal zamorana se asienta la Virgen; en las pinturas de Toro y Arcenillas, se simplifican los elementos decorativos. Cristo bendice con la mano derecha, mientras en la otra sostiene una esfera translúcida con cruz bizantina, símbolo del poder universal. A su derecha está la Iglesia triunfante, coronada de laurel y con estandarte erecto; a la izquierda la derrotada Sinagoga que sostiene a duras penas la Tablas de la Ley. Los símbolos de los evangelistas, con ondulantes filacterias, flotan en el aire.

Adquirido a tenor de la citada exposición por don Pablo Bosch, en 1913, lo legó, con las obras por él atesoradas, al Museo del Prado (1915).

LAMINA XX

La Resurrección de Lázaro (h. 1512-1518).
Oleo sobre tabla, 110 × 84 cm.   C. 2.935

El más bello conjunto realizado por Juan de Flandes que se conserva intacto, son las tablas del retablo que preside la catedral de Palencia, encargado por el obispo Diego de Deza al pintor flamenco el 19 de diciembre de 1509. Posiblemente al terminar este encargo, comenzaría la ejecución del retablo de la iglesia de San Lázaro en la misma ciudad, y no antes, como han indicado algunos críticos, pues pasa directamente desde Salamanca a Palencia para realizar el retablo mayor de su catedral. En las tablas de San Lázaro el pintor flamenco se hispaniza; además el estilo es aquí más avanzado que en las obras documentadas anteriores a esta época, como demuestra el realismo de esta *Resurrección de Lázaro*, apartándose del naturalismo idealizante de las obras anteriores, como la tablita del mismo tema perteneciente al *Políptico de la Reina Isabel la Católica* (Palacio de Oriente, donde también existen tablitas del pintor nórdico Michel Zittow). Las figuras (entre las que aparece el retrato de la reina) están realizadas con cierto convencionalismo, del que se aparta en las tablas de San Lázaro, ya que en ellas hay un sentido expresionista que le aproximan a obras de Pedro de Berruguete o Fernando Gallego.

Mas no por ello abandona el naturalismo, de tal forma que al fondo de esta *Resurrección de Lázaro* aparece una iglesia en estado de abandono, a la que le faltan parte de las pizarras del tejado y tiene las vidrieras rotas. En los rostros de los personajes secundarios surgen rasgos de marcado carácter castellano, lo mismo que en la *Pentecostés* del mismo retablo.

Este conjunto, por desgracia fue de antiguo desmantelado, puesto que antes de su venta se encontraban estas tablas enmarcadas en un retablo del siglo XIX; la fundación norteamericana Samuel H. Kress lo adquirió hace unos años cediendo cuatro tablas al Prado, las dos obras citadas más *La Oración del Huerto* y *La Ascensión*, reservándose cuatro tablas, que hoy están depositados en museos americanos.

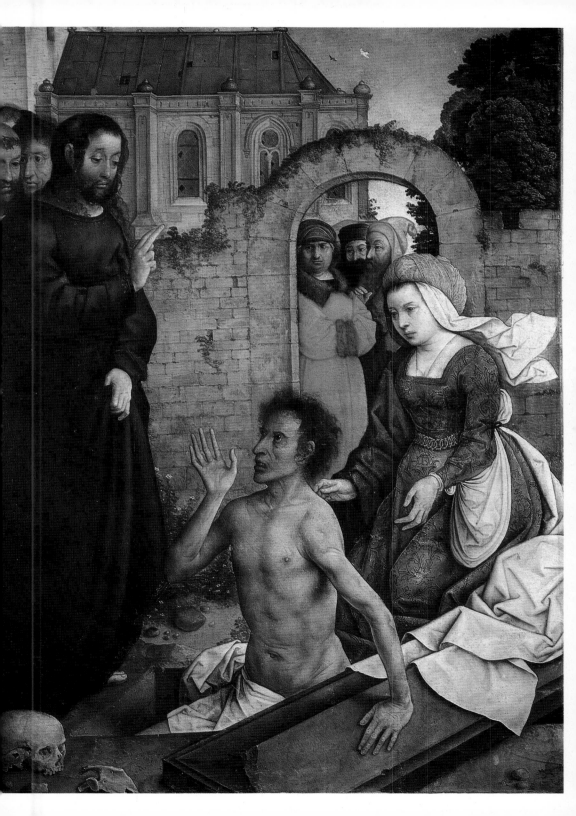

Beato Angélico (Guido di Pietro).
La Anunciación (1431-1435).
Temple sobre tabla, 194 × 194 cm.   C. 15

En octubre de 1435 es consagrada la iglesia de Santo Domingo en Fiesole.
Para su ornato Beato Angélico realizó tres retablos; siguiendo un orden cro-
nológico, el primero sería la *Pala de Fiesole* (h. 1430), como mayor, cuya
tabla principal aún se conserva en la iglesia conventual y seguirían la *Pala
del Prado*, y la *Pala del Louvre* (1434-35). Esta última con gran intervención de colaboradores

La *Pala del Prado* está formada por la bellísima *Anunciación* y una *predella* (banco) con cinco tablillas. La tabla principal debe de haber sido
comenzada por Fra Angélico después de terminar el retablo mayor. Es
esta una obra maestra de una belleza pocas veces igualada en la obra
del artista. Por ello es inadmisible la opinión que la considera obra de
su taller o de seguidores. No existen dudas de que hay cierta intervención de algún colaborador, mas toda la escena de la *Anunciación* es obra
indiscutible del pintor de Fiesole. Dentro de una «loggia» (pórtico) de
admirable arquitectura brunellesquiana, y donde hay una intensa preocupación perspectívica, aparece la escena. Las columnas son de orden compuesto y en la parte superior de la central hay un tondo con el rostro del
Padre. Al fondo se percibe un pequeño aposento donde una luz violácea
modela los volúmenes, contrastados por la iluminación dorada que penetra
por la ventana, produciendo efectos de luces y sombras muy característicos
del primer renacimiento. La Virgen y el ángel, reflejan todavía en sus rostros un sentido de espiritualidad gótica; María, envuelta en un sorprendente
manto azul, pronuncia el «fiat» humildemente y con expresión casi infantil;
mientras, la mano de Dios, le envía entre rayos dorados al Espíritu Santo.
En toda esta escena sólo se puede admitir colaboración en los dorados, labor
propiamente artesanal. En cambio, el *Paraíso* es labor de otro artista, dentro de su escuela, probablemente Zanobi Strozzi. En la *predella*, dedicada
a la Virgen, también hay labor de taller como en la tabla central y las dos
de los extremos (*Nacimiento y Desposorios, Adoración de los Reyes, y Dormición*), donde aún aparecen «las figuras apretadas», expresión del *horror vacui* medieval. Mientras en los paneles restantes (*Visitación y Presentación de Jesús en el Templo*) el sistema estructural y espacial se hace
más renacentista, disminuye el número de figuras, y éstas son colocadas
de forma orgánica. Por ello éstas deben de estar pintadas después de que
algunos encargos, *Tabernáculo de los Linaioli* y *Pala de Cortona* —1433-
34—, hubieran interrumpido la elaboración de este retablo.

En el siglo XVI ya es citada por Vasari. Vendida en 1611 al duque Mario
Farnesio que la entregó al de Lerma. Estuvo en las Descalzas Reales de
Madrid de donde pasó al Prado en 1867. En 1943 fue restaurada hacién-
dosele desaparecer una gran grieta vertical.

LAMINA XXII

Sandro Botticelli y colaboradores.
Historia de Nastagio degli Honesti (1483). Tablas II y III.
Temple sobre tabla. T. II, 82 × 138; T. III, 84 × 142 (frag.).   C. 2.839-40.

En 1483 Lorenzo de Médicis encargó a Botticelli cuatro frentes de «cassone» (arcones de desposada), con motivo de las bodas de Gianozzo Pucci con Lucrezia di Piero di Giovanni Bini. Fue escogida la historia de Nastagio degli Honesti, narrada por Bocaccio en su *Decamerón,* como tema. En la primera tabla se relata el momento en que el joven Nastagio pasea pensativo y solitario por el pinar de Rávena, ya que su amada, hija de Paolo Traversari, le ha rechazado. Mas de pronto surge un caballero que persigue a una mujer a la que azuza sus dos mastines. En la segunda, el caballero arranca a la joven el corazón y las entrañas, que son devorados por los perros, pero antes el aparecido ha explicado a Nastagio su historia. Resumida es así: Ivo ha sido castigado por el cielo, después de su suicidio, a perseguir a la culpable de su desdicha, dándole muerte todos los viernes del año. En la tabla tercera, aquí reproducida, se narra el momento en que Nastagio invita a almorzar a su rebelde amada, junto con su familia, en el lugar de la escena; así, Nastagio astutamente le hace presenciar el hecho; llevada por el miedo más que por el amor, la joven Traversari envía a una dueña con una cita conciliadora para Nastagio. En la cuarta tabla, en colección extranjera, se describe el banquete de boda.

En la primera tabla el sentido de la narración es lírico, siendo su ejecución muy caligráfica, como corresponde al estilo de Botticelli en 1483: perfiles nítidos, tonos claros y nacarados, perfecto ordenamiento estructural... En cambio, la segunda tabla, que aquí se reproduce, es de carácter más épico; sus personajes expresan más dramatismo, pues en ellos hay una preocupación sicológica, casi diríamos psíquica. Nastagio aparece aquí como un joven lleno de inquietud espiritual, y el «aparecido», sanguinariamente, casi con sadismo, abre las entrañas del horizontal cuerpo femenino tendido en el suelo. Además, el sentido caligráfico botticelliano, aquí aún se intensifica en las figuras humanas, llegando lo curvilíneo a formas llenas de barroquización. Esto mismo se percibe en el caballo blanco y, especialmente, en los dos perros; el blanco nos recuerda el dragón que pintara Filippino Lippi, en la *Historia de Felipe,* en Santa María Novella de Florencia. El color terroso de las carnaciones también concuerda con su estilo. Por ello, no sería aventurado el considerar esta obra, por lo menos las figuras, realizadas por el más importante de los discípulos de Botticelli. Hay que pensar que en este mismo año, trabajan juntos en la Villa del Spedaletto, en Volterra, por encargo de Lorenzo de Médicis. Además, en el fondo hay también detalles característicos de su estilo; así, aparece una zorra mordisqueando un arbusto, y una nave se encuentra varada en el puerto de Rávena, ya en esta época encenagado. La ciudad de Rávena, que antes estuvo a la orilla del mar, se

120

LAMINA XXIII

había alejado de éste unos seis kilómetros, creciendo un pinar en esta zona abandonada por las aguas. El cual está representado como en otras ocasiones lo hiciera Filippino, recordemos la finca hacia la que se dirige Ester (G. N., Otawa). Mas sobre todo los crispados pliegues, y los nerviosos y puntiagudos dedos confirman la intervención del genial hijo de Fra Filippo Lippi. El caballo del primer término es filológicamente, en cambio, boticeliano.

En la tercera tabla, que ya hemos descrito someramente, existe la colaboración de otro artista, casi seguro, Bartolomeo di Giovanni junto con Botticelli; así, es obra del maestro la figura de Nastagio y de los dos «aparecidos», la que representa a su dama, ésta (no aparece en la reproducción) es también obra de Botticelli; el anciano vestido de negro debe ser un retrato y es, aunque minúsculo, una obra de gran perfección sicológica. En la reproducción destaca, sobre la empalizada, el escudo de los Médicis, con sus perlas características.

Es interesante observar cómo las figuras de Botticelli destacan por su vibrante colorido y su capacidad dibujística, además de un penetrante y agudo poder de observación sobre las del colaborador. Muy interesante es también la «naturaleza muerta» que aparece sobre la mesa, además de las vajillas y las cerezas —pues estamos en los postres—, hay una viola de gamba, espléndidamente dibujada; pero no solamente aparece este instrumento musical, ya que colgado de un árbol cuelgan dos tamboriles o atambores, lo que indica que los comensales en lugar de presenciar tan horrible visión, pensaban danzar y cantar después del ágape. Ahora bien, esto queda para otra ocasión, que está representada en la última tabla, que hoy se guarda en el extranjero, pues allí están representadas —posiblemente por Jacopo del Sellaio y con inapreciable colaboración de Botticelli— las fiestas de bodas, en donde aparecen tenedores, rarísimos en aquel tiempo.

Estas cuatro tablas estuvieron en poder de los Pucci hasta 1868, cuando fueron vendidas a Mr. Alexander Barker, en cien mil liras; a su muerte, en 1879, por poco tiempo, pasaron a la colección de Mr. I. R. Leyland, ya que en 1892 fueron adquiridas por el lionés M. Aynard; las tres que hoy pertenecen al Prado, pasaron al famoso coleccionista Joseph Spiridon, de quien fueron adquiridas por Cambó, quien las donó en 1941. La cuarta, en cambio, la adquirió Donaldson, el cual la cedió a Watney, y, por último, ha sido subastada en la Galería Christie's de Londres.

ANDREA MANTEGNA.
El tránsito de la Virgen (1461-1463).
Temple sobre tabla, 54 × 42 cm.   C. 248

Obra minúscula en tamaño, aunque es una de las obras maestras del Museo, nos parece excesiva la opinión del sutil pensador Eugenio D'Ors, que la consideró en sus *Tres horas en el Museo del Prado* como la primera. Formó parte, al parecer, de un retablo hoy disperso, realizado para los Gonzaga, que ostentaban el ducado de Mantua.

La escena representada está tomada de los Evangelios apócrifos cuando relatan el momento del tránsito de la Virgen. Convocados por ésta, después de haberle sido comunicado por San Miguel su próximo fin terrenal, han acudido todos los apóstoles excepto Santo Tomás, pues según uno de los Evangelios apócrifos (*Narración del pséudo-Arimatea*) llegó tarde, ya que se encontraba evangelizando en las lejanas Indias. Por ello en el cuadro aparecen sólo once. San Juan, el más joven, porta la palma que anuncia la dormición, no la muerte, en espera de la resurrección. Los apóstoles están representados con un sentido escultórico procedente de Donatello, ya que en la formación de Mantegna en Padua la influencia de éste es decisiva. Además, hay un contacto en esta Dormición con los «misterios» medievales, ya que posiblemente uno de ellos sirve de base iconográfica a Mantegna para esta obra maestra; la escena está narrada a la manera del que se sigue representando en Elche en la actualidad. Y no es en Jerusalén donde sucede le acción, sino en el Palacio Ducal de Mantua; así, al fondo se perciben los lagos —el Mincio— que rodeaban a estos edificios palaciegos de perfiles cúbicos, cuyas aguas grises azulean por el reflejo del nítido cielo, al que sólo mancha un suave celaje.

Originariamente, la tabla era de mayor tamaño, y en la parte superior representaba a Cristo glorioso, que acogía entre sus brazos una figura infantil, representando el alma de la Virgen, siguiendo la tradición iconográfica (Col. Baldi, Ferrara). Completa la obra, la disposición de las figuras en el escenario arquitectónico estaba perfectamente equilibrada no se ha perdido el efecto espacial armonizado por el estudio perspectívico [logrado por el pavimento cuadrangular y la proyección paisajística] y la sensación de verticalidad no sólo es lograda por la arquitectura apilastrada, donde el clasicismo simplificado había hecho a Mantegna abandonar los medallones —que tanto había usado en sus obras anteriores—, sino por la erección de las figuras, los dos hacheros y la altitud del horizonte. Aunque la fecha de ejecución debe estar situada entre 1461 y 1463, algunos historiadores la retrasan hasta treinta años.

Esta pintura fue adquirida en la subasta de las obras de arte de Carlos I —que la había comprado a los Gonzaga— por el embajador Cárdenas para Felipe IV. Detrás aparece aún la marca del rey de Inglaterra.

LAMINA XXV

ANTONELLO DE MESSINA.
Piedad (h. 1477).
Oleo sobre tabla, 74 × 51 cm.   C. 3.092

Rarísimas son las obras de Antonello descubiertas en los últimos cincuenta años, y hasta ahora todas ellas en mal estado de conservación; además, no llegan a la cuarentena el total de las conocidas. Por ello ha sido una sorpresa en el mundo del arte la adquisición por el Museo del Prado de esta obra maestra de su mano.

Es posible que esté realizada la *Piedad* del Prado después de su retorno a Messina, su ciudad natal, en 1476, cuando había pasado casi dos años en Venecia y realizado un viaje a Milán. El contacto con la pintura del norte de Italia, especialmente con la veneciana, ha suavizado su estilo, y aunque quedan en esta obra todavía recuerdos flamenquistas, como las duras telas del paño de pureza o el fondo paisajístico, el ángelito lloroso ya tiene el característico sentido colorista de Giovanni Bellini. Especialmente en sus alas multicolores la idealización del querube contrasta con el realismo del rostro de Cristo. En el paisaje hay recuerdos de sus dos crucifixiones (Amberes y Londres), donde hay multitud de calaveras y al fondo delicados celajes. Pero aquí aparecen los olivos mediterráneos y la ciudad de Messina, como una Jerusalén imaginaria, además de dos cruces con dolientes, que indican su ejecución en el sur de Italia.

La composición, donde destaca una *diagonal sicológica* que va desde el rostro de Jesús a su mano izquierda también atestigua que es obra de su último período; y esto mismo es reafirmado por el soberbio escorzo aunque mantegnesco de la mano derecha, «inventada» por Bellini y continuada por Antonello, si fuera a la inversa, como piensa Salas, la obra necesariamente ha de estar ejecutada en Venecia. Esta es una de las obras más perfectas y mejor conservadas de Antonello; sólo en el cabello de Cristo y en la catedral de Messina existen pequeñas y cuidadosas restauraciones.

Se conocen varias versiones de un *Cristo a la columna*, ninguna autógrafa, que repiten el torso y la cabeza de este Cristo expirante. Otra *Piedad* con tres ángeles existe en el Museo Correr de Venecia, pero con distinta tipología.

La que aquí se estudia proviene necesariamente de un grabado germánico de *Cristo varón de dolores*, anteriormente usado por Mantegna y repetido por su cuñado Giovanni Bellini, que como ha estudiado meticulosamente el actual director del Prado, don Xavier de Salas, tiene gran difusión en Venecia en el último tercio del siglo xv (*Gazzete de Beaux Arts*, 1967, página 125 y ss.).

Procede la del Prado de una colección de Irún, y a su vez de Galicia, pues como ha indicado Xavier de Salas, es casi seguro que esta *Piedad* perteneció antaño al Monasterio de Monforte de Lemos.

PEDRO BERRUGUETE.
Auto de Fe (h. 1495).
Temple y óleo sobre tabla, 154 × 92 cm.   C. 618

Está aquí representada una escena de Santo Domingo de Guzmán (1170-
1221): el perdón del albigense Raimundo, mientras que sus compañeros son
conducidos a la hoguera, al no retractarse. Formaba parte de un retablito,
relatando historias del fundador de la Orden de Predicadores, que junto
con otro dedicado a San Pedro Mártir, centraba al mayor del convento de
Santo Domingo de Avila. Aunque según Cruzada Villamil (*Catálogo del Museo de la Trinidad*), estaban los dos en el Claustro alto de los Reyes; para
él debieron ser pintados entre 1480 y 1490, fecha que hoy se podrá retrasar
algo.

Berruguete pinta en varias escenas de este retablo, hechos ocurridos a
Santo Domingo en el sur de Francia, en los alrededores de Albi, después de
1207, año en que recibe la orden pontificia de aniquilar la herejía albigense,
la cual intenta suprimir primero por la predicación y los milagros (de esta
forma, nos presenta en un panel de este mismo retablo la destrucción por
el fuego de libros albigenses, mientras los ortodoxos son respetados por las
llamas). En cambio, aquí se nos presenta el momento del perdón de un
hereje, mas el mayor interés de la escena radica en la presencia de un
«auto de fe», en el que son carbonizados no libros, sino hombres. Un sentido
de fuerte realismo envuelve la escena llegando a verdaderos estudios de
perfección sicológica; así vemos cómo uno de los jueces está adormilado por
el humo de los holocaustos, y otros dialogan entre sí sin darse cuenta de la
tragedia humana que ocurre a su lado.

Berruguete expresa en esta obra una gran preocupación por la luz, debido
a sus conocimientos de la pintura de Piero de la Francesca y de Luca Signorelli, cuyas obras conoce en Urbino hacia 1475; mientras el carácter realista de sus personajes es de origen flamenco. El fondo rojizo, que deja
entrever una preparación plateada enriquece esta composición, donde el
renacimiento y el gótico se estrechan la mano.

Del Museo de la Trinidad pasaron al Prado, donde, en 1836, fueron llevados por la Comisión incautadora de la Academia de San Fernando.

RAFAEL (Rafaello Sanzio).
La Sagrada Familia del Cordero (1507).
Oleo sobre tabla, 29 × 21 cm.   C. 296

Al trasladarse Rafael, en 1504, de Perusa a Florencia, su pintura comenzará a transformarse poco a poco; apartándose de las formas esterotipadas de su maestro Perugino, comenzará la búsqueda de su propio estilo, aunque no por ello dejan de influir en la creación de su personalidad artística otros pintores, especialmente fra Bartolomeo della Porta y Leonardo.

Ello es patente en *La Sagrada Familia del Cordero*, que por su delicada factura se debe considerar una de las obras maestras de su último momento florentino, en el que logra su madurez estilística. Está firmada con caracteres áureos en la cenefa del corpiño de María: *Raphael Urbinas MDVII* (no en 1505 como se ha llegado a leer; además de la claridad de la lectura, su sentido artístico concuerda con el desarrollado en esta etapa, en la que existe aún cierto eclecticismo.)

Así, mientras que las figuras de la Virgen y el Niño Jesús se percibe el indiscutilble sello personal de Rafael —aunque en el rostro de María aparezca un rictus melancólico de origen leonardesco—, la de San José aún se encuentra en la línea de fra Bartolomeo, con la corpulencia característica de este pintor florentino.

Rafael logra dar a esta obra un seductor colorido, rico en matizaciones, y que muy pocas veces igualará. En el fondo paisajístico delicuescentes azules recuerdan los de algunas composiciones de Leonardo, mas la generalidad de este paisaje se inspira en pinturas flamencas; sus exóticas construcciones son de clara inspiración nórdica, como la extraña iglesia, cuya torre se remata en azul, o la casa de empinado tejado. Por un camino la Sagrada Familia se dirige a un «Egipto norteño» entre húmedas frondosidades; por ello, creemos que este cuadro representa el *Descanso en la huida a Egipto.*

El éxito de esta admirable y pequeña pintura lo atestiguan múltiples copias, realizadas durante los siglos XVI y XVII. Una de ellas fue propiedad de Lord Lee of Fareham, en Richmond, y está fechada apócrifamente el 1504. La existencia de copias seiscentistas confirma la hipótesis de que, hasta las proximidades de 1700, permaneció en Roma (colección Falconieri), de donde pasó a El Escorial.

Es de destacar que en esta obra aún mantiene Rafael una composición clara y sencilla: la simple diagonal. Más tarde, en sus pinturas de la etapa romana, buscará una mayor complicación compositiva. Así, en la *Virgen del Pez* (Cat. 297), logrará el equilibrio armónico por medio de una serie de diagonales ópticas; y colocará, en primer término, un enorme bloque pétreo, que hace desplazar la escena hacia un interior ficticio, mientras la cortina verde empuja las cabezas del arcángel Rafael, la Virgen y el Niño hacia el espectador, acentuando este complicado equilibrio compositivo.

98.

LAMINA XXVIII

Rafael (Rafaello Sanzio).
El cardenal (h. 1510).
Oleo sobre tabla, 79 × 61 cm.   C. 299

Esta figura aquí reproducida es una de las pocas realizadas totalmente por la mano de Rafael en su etapa romana (1508-20). Aparece un cardenal prototipo de los del renacimiento, a quien su incierta identidad ha convertido en un personaje misterioso. Se ha propuesto un gran número de nombres; entre ellos podemos citar los de Julio de Médicis, Dovizi di Bibbiena, Inocencio Cybo, Francisco Alidosi, Scaramuzza-Trivulzio, Hipólito de Este, Silvio Passerini, Antonio Ciocchi, Matías Schinners, Luis de Aragón, etc. Suida hace algunos años aseguró que en una obra de Piombo (Col. Kres, Nueva York), aparecía este mismo cardenal y en la campanilla colocada sobre la mesa se lee el nombre de Bandinello Sauri, cardenal de Julio II. Rafael le representó otra vez en *La disputa del Sacramento*. Fue éste un hombre inquieto que estuvo preso en 1517, lo que le produjo la muerte en 1518. Además, su tipología: rostro enjuto, nariz sensual, ojos de extrema dureza, labios finos y crueles, hace pensar en un personaje semejante a Sauri, si no fuera el propio retratado.

A. Venturi consideró este cuadro realizado hacia 1510-11, rechazando la hipótesis antigua que lo creía de los últimos años de Rafael. El brazo apoyado sobre el marco, lo mismo que si fuera el alféizar de una ventana, no sólo da elegancia a la pose, sino que hace que la figura se proyecte hacia el fondo.

La seguridad de la pincelada, el refinamiento de los contrastes cromáticos —en la muceta los carmines juegan con aguas blanquecinas— y, sobre todo, la penetración sicológica en el rostro del retratado, hacen de este retrato uno de los ejemplos más importantes no sólo de la retratística de Rafael, sino de la de todos los tiempos.

El fondo neutro ayuda a destacar esta impresionante cabeza. En él aparecen ciertas trazas de restauración, y existe alguna pequeña grieta. El cuadro está necesitado de una limpieza que dé pristinidad a los volúmenes y las tonalidades.

Adquirido por Carlos IV, siendo Príncipe de Asturias; en 1818 estaba en Aranjuez como retrato del cardenal Granvela, pintado por Moro: lo dice un letrero al dorso de la tabla.

ANDREA DEL SARTO (Andrea d'Agnolo).
La Virgen, el Niño, Tobías (?) y el ángel (Madonna della Scala) (1515-1520).
Oleo sobre tabla, 177 × 135 cm.   C. 334

Es esta obra maestra una de las más importantes producciones de Andrea del Sarto. Hasta podríamos decir que dentro de sus composiciones, la más lograda, aun superando a la famosa *Madonna de las Arpías*, del Museo de los Uffizi. Aparece aquí la Virgen, en el centro, reflejando dolor síquico en las facciones; a sus lados hay dos figuras, una de ellas se ha dicho que pudiera ser Tobías y la otra, un ángel, San Rafael, puesto que Sánchez Cantón consideraba este cuadro como una afirmación por Jesús de la autenticidad del *Libro de Tobías*, al que señala. Hoy se ha vuelto a tener en cuenta la vieja tradición iconográfica; el P. Santos, biógrafo de El Escorial, decía que la figura masculina era una personificación de San Juan Evangelista y de esta forma Viardot llama a este cuadro *La consagración del Apocalipsis*. En este caso el ángel sería la representación de una testificación de la profecía de la Pasión, lo que explica la expresión de angustia de María; y, las figuras del fondo Santa Isabel y el Bautista niño.

Está pintado en la época llamada «heroica» de Andrea del Sarto, o sea a mediados de su vida. Existe una *Virgen con el Niño*, conservada en el Museo de Carolina del Norte (Raleigh), que es casi una repetición de las dos figuras de este cuadro, añadiéndole un San Juanito. Ahora bien, el ejemplar del Prado es mucho más completo y estilísticamente lo supera pues es prodigiosa su composición; probablemente el sentido piramidal está basado en Rafael y la Virgen se inspira en una Niobe conservada en Florencia. En el colorido, existe una gran armonía y sus tonalidades son ya manieristas. Así, Tobías viste túnica rosada clara, tornasolada en blancos; el ángel, túnica verde, con manga vuelta amarilla, y la Virgen —cuyo doble «contrapposto» en relación al Niño es miguelangelesco— se envuelve en un manto azul, también de formas y pliegues manieristas, mientras que la túnica es roja. El paisaje que rodea las figuras tiene tonalidades azul-verdosas y la escalinata que da nombre al cuadro es un tanto azulada. En él aparece una villa fortificada, muy característica de la Toscana. El éxito de esta obra fue grande desde el momento de su creación, puesto que se hicieron muchas copias. Andrea, además, cuidó meticulosamente la composición, ya que realizó bastantes dibujos preparatorios, de los que se conservan todavía algunos.

Firmada con el anagrama característico. Fue pintado para Lorenzo degli Jacopi. En 1605 pasa al duque de Mantua Vicenzo Gonzaga. Comprada junto con toda la colección del duque por Carlos I de Inglaterra, a su muerte en 1649, el embajador español don Alonso de Cárdenas la adquiere para Felipe IV, en la cantidad de 230 libras. El P. Santos la describe en la Sacristía de El Escorial en 1657. Pasó al Prado en 1819.

ANDREA DEL SARTO (Andrea d'Agnolo).
Lucrecia di Baccio, (h. 1518).
Oleo sobre tabla, 73 × 56 cm.   C. 332

Aunque la identificación no es del todo segura, tiene este personaje feme-nino el mismo carácter que otros de los retratos de Lucrecia realizados por su marido. El tipo de mujer representada es de temperamento sensual, ambicioso y egoísta; mas en este personaje de la clase media existe una belleza casi animal que corresponde a la descripción de la infiel esposa hecha por Vasari. Posiblemente es el mismo modelo que le sirve para algunas de sus Vírgenes, como la de las *Arpías,* en el Museo de los Uffizi, en Florencia.

Cuando, en 1517 Andrea contrajo matrimonio, Lucrecia era viuda y, al parecer, nunca estuvo enamorada del pintor. Un año después el artista, ya famoso, es llamado por Francisco I para pintar en su corte, y posiblemente antes de su marcha ejecutó el retrato de su mujer Lucrecia di Baccio del Fede [es coincidencia sarcástica que se apellidara Baccio (beso), esta infiel esposa]. Pasado otro año consigue el permiso para visitar Florencia. Allí derrocha el dinero que el rey de Francia le había entregado para la adquisición de obras de arte, según Vasari, por incitación de su mujer. Por ello, nunca vuelve a la Corte de Francisco.

Existe en esta obra cierta influencia de Rafael, del cual toma la postura del cuerpo. Es muy bella la composición, y aparecen las tonalidades perfectamente equilibradas dentro de un sentido de sobrio cromatismo. Pero especialmente el valor de este cuadro radica en la penetración sicológica, ya que sin saberlo, el pintor nos presenta toda una novela de amor frustrado.

Se cita varias veces en los inventarios del Alcázar madrileño y desde 1794 en el Palacio de Oriente, llamado por entonces Nuevo.

CORREGGIO (Antonio Allegri).
Noli me tangere (1518-1519).
Oleo sobre tabla, pasado a lienzo, 130 × 103 cm.   C. 111

Es esta pintura cronológicamente la primera obra maestra del pintor parmesano. Siendo característica de su primera manera pictórica la sutileza
con que trata el tema y el movimiento de las figuras. En la figura de Cristo
aún se ven reflejos de Beccafumi, lo que demuestra que está realizada antes de su viaje a Roma en 1519. Aquí aparece con los pies cruzados en posición de inestabilidad, lo que acentúa el movimiento basculante de los
brazos, casi de paso de danza; con ello ya se anticipa el Correggio al
estilo barroco y aún al rococó. Especialmente en las carnaciones aparece
el *sfumato* leonardesco, mas Correggio lo dulcifica dorando los tonos lechosos de las carnes; en lugar de «mezclar las tinieblas con las luces» —como
hacía el pintor de la Gioconda—, forzando la potencia luminosa, las sombras sólo tenua y delicadamente matizan el modelado de las formas.

La Magdalena aparece representada con expresión de ardiente misticismo, como un anticipo del *Extasis de Santa Teresa* de Bernini. De esta manera, sus labios se entreabren ambiguamente y su mirada profunda se clava
en la de Cristo. (Esto crea una tipología muy definida de rostros que tendrá
una gran aceptación en la pintura posterior.) Los desbordantes cabellos rubios matizan la expresión prebarroca. Mientras su cuerpo se estremece impulsado hacia atrás al oír el tajante: *No me toques,* de boca de Cristo resucitado, a quien confunde con un hortelano (San Juan, XX, 2). La prerromántica frondosidad del paisaje donde los verdes azulean en los fondos,
además de producir un efecto de compacticidad, parece empapada en sustancia grasa. Lo que podría simbolizar el triunfo de la pintura al óleo sobre
el temple.

Aunque la mayor parte de la crítica databa esta obra entre los años 1523
y 1525 (Venturi, Ricci), hoy, después de lo dicho, debemos colocarla antes
de 1519.

Su historia se puede seguir documentalmente. Ya Vasari la alaba cuando estaba en la casa Ercolani de Bolonia. Ello es confirmado por Lamo en
1560. Después perteneció a los cardenales Aldobrandini y Ludovici. Llevada
a España, fue regalada a Felipe IV por el duque de Medina de las Torres.
En 1657, la describe en El Escorial el padre Francisco de los Santos, elogiándola de un modo efervescente. Pasó al Prado en 1839.

LAMINA XXXII

GIORGIONE (Giorgio da Castelfranco).
La Virgen con el Niño entre San Antonio y San Roque (1505-1510).
Oleo sobre lienzo, 92 × 133 cm.   C. 288

Este cuadro inacabado es motivo de una polémica iniciada hace cincuenta años. El problema sigue en pie: ¿Giorgione o Tiziano? Entre los últimos especialistas que tratan del problema, Wethey considera que es obra del primero, mientras Pallucchini la suscribe al pintor de Cadore. Nosotros consideramos que por su técnica es adscribible al pintor de Castelfranco, en la última fase de su vida, y no como estudio preliminar para la «Pala de Castelfranco», pues es mucho más ágil que esta técnica pictórica.

El uso del temple combinado con el óleo es muy característico de este pintor, y aquí falta rojo especialmente en los carmines de la Virgen y de San Roque; la misma postura de este santo recuerda la de otros personajes, como el que aparece en *La Tempestad*. El paisaje abocetado o con sentido sintético es de una gran belleza plástica, pero para algunos críticos está sin terminar. A veces se perciben aquí manchas de pintura, como extendida con espátulas pequeñas [¿pequeñas cañas a la manera oriental, como en algunas ocasiones usara el Greco?] como hemos observado en otros cuadros del pintor de Castelfranco. Fue pintada ya sobre lienzo, siendo Giorgione uno de los primeros artistas que lo hacen corrientemente de la pintura italiana.

Hacia 1650 el duque de Medina de las Torres, virrey de Nápoles, ofreció esta pintura a Felipe IV. En algunos inventarios reales aparece como de Zorzo (Giorgione), mientras que en otros como del Pordenone, posible equivocación ortográfica del nombre del pintor de Castelfranco. Al parecer Velázquez la estimaba, pues fue este pintor quien la colocó, como «aposentador de palacio» sobre una de las puertas del Monasterio de El Escorial.

El 13 de abril de 1839 llegó al Prado, donde en los primeros *Catálogos* apareció como de Pordenone, rectificándose en el de 1920.

TIZIANO (T. Vecellio).
La Bacanal (1518-1519).
Oleo sobre lienzo, 175 × 193 cm.   C. 418

Es esta obra maestra, junto con su compañera en el Prado, la *Ofrenda a
la Diosa de los Amores,* y el *Baco* y *Ariadna* de la National Gallery de Londres, una de las «poesías» pintadas en Venecia por el pintor de Cadore·para
Alfonso de Este, entre los años 1517 y 1519, para su estudio en la fortaleza-
palacio de Ferrara.

Fue el mismo Alfonso, al parecer, quien dio a Tiziano el tema de los
cuadros, basándose en las «Immagini» de Filostrato; que su hermana Isabel
había hecho traducir al italiano. Así, en primer término y a la derecha del
espectador, se representa a Ariadna dormida, inspirada en una escultura
clásica y en la *Venus* de Giorgione y traspasada la escena de la isla de
Andros a la de Naxos, ya que al principio de su producción le gustaba
usar la complejidad humanística de los anagramas (Alfonso, Andros, Ariadna). La habilidad de Tiziano no era tan sólo artística, sino humanística;
por ello logra plasmar y desarrollar las ideas neoplatónicas del príncipe de
Este, alterando y poetizando la fábula mitológica, que se convierte aquí en un
canto pletórico de amor y de vino. Así, en el centro de la composición hay un
grupo —separado de Ariadna por un niño que vierte el líquido eliminado
sobre un pequeño arroyo de vino— en el que aparecen dos muchachas que
se embriagan después de haber tocado con sendas flautas una melodía es-
crita en francés arcaizante y que dice: «Quien bebe y no vuelve a beber, no
sabe lo que es beber». Y la problemática anagramística continúa, pues en
el pecho de una hermosa rubia que centra la composición, aparece la firma
de Tiziano y unas violetas, lo mismo que en su oreja izquierda, lo que indica que representa a su amada Violante. Mientras, en el fondo aparecen
hombres y muchachas que danzan o beben, y, en la lejanía, se perciben
las velas blancas de un navío, que nos señala que la escena sucede en
una isla.

La serie fue llevada a Roma en 1598 por el cardenal Aldobrandini, desde
Ferrara. *La Bacanal* y la *Ofrenda* fueron ofrecidas a Felipe IV, en 1639, por
el conde de Monterrey, mas al parecer eran presente de Niccoló Ludovisi,
Virrey de Aragón. Firmado: *Ticians F. n.° 101.*

LAMINA XXXIV

TIZIANO (T. Vecellio).
El Emperador Carlos V, en Mühlberg (1548).
Oleo sobre tabla, 332 × 279 cm.   C. 410

Los protestantes alemanes son derrotados el 24 de abril de 1547, en Mühlberg, por el ejército imperial, al frente del cual se hallaba el propio Emperador. Carlos decide que esta victoria sea conmemorada en un cuadro, que ha de ser pintado por el que considera el artista más importante del momento: Tiziano.

Carlos V después de esta famosa batalla pasa varios meses en Augsburgo; allí es llamado su pintor áureo para que le retrate por dos veces, en este famoso retrato ecuestre y en el retrato sedente de la Pinacoteca de Munich; en éste hay colaboración de Lamberto Sustris, al contrario del ejemplar del Prado, que está totalmente ejecutado por Tiziano entre abril y septiembre del año siguiente a la batalla.

Está representado el Emperador cabalgando en dirección al enemigo, sobre un caballo castaño oscuro; viste armadura de guerra y empuña enérgicamente con su mano derecha la lanza. Aquí se efigia al último rey conductor de un ejército; unos años después será retratado su hijo por Tiziano en un despacho burocrático. No hay duda de que este es uno de los más impresionantes retratos sicológicos de toda la Historia de la Pintura, pues el rostro expresa a la vez que la enfermedad y la fiebre, la fuerte energía espiritual de Carlos V, que hace superar el agotamiento físico con una fuerza sobrehumana desbordante en la mirada. Este drama sicológico está acentuado por el paisaje, donde una luz crepuscular rojiza, casi con tintes sanguíneos, ilumina un bosquecillo.

Al poco tiempo de ser pintado, a causa de unos desperfectos motivados por un traslado, tuvo que ser restaurado en Augsburgo por el propio Tiziano con la colaboración de Amberger; por segunda vez después del incendio del Alcázar de Madrid, en 1734; y, por último, una reciente limpieza ha valorizado sus cromatismos. Vino a España con las pinturas que trajo María de Hungría. En 1600 estaba en la Casa del Tesoro, y en 1619 a El Pardo.

Tiziano (T. Vecellio).
Autorretrato (h. 1568).
Oleo sobre lienzo, 86 × 65 cm.   C. 407

Posiblemente uno de los autorretratos más bellos del pintor de Cadore, donde su paleta, debido a la experiencia que consigue en su vejez, ha llegado a una síntesis cromática admirable; negros, grises, rojos y blancos, logran hacer una de las obras más sintéticas del siglo XVI. Solamente Rembrandt y Goya en sus últimos momentos llegan a tanta abstracción dentro del realismo. Esta obra, al lado del *Entierro de Cristo,* es el máximo ejemplo que de Tiziano existe en el Museo del Prado dentro de su última etapa; recordemos que este Museo conserva la colección más importante del pintor veneciano en el mundo.

Tiziano aparece aquí autorretratado en las proximidades de los ochenta años, expresando toda la serenidad conseguida por él después de una vida dedicada principalmente a la observación de la belleza, y a su representación. No existen fundamentos de que ésta sea la obra vista por Vasari en casa del propio artista que «e lo trovó, ancorchè vecchissimo fusse, con i pennelli in mano». Ya que, al parecer, sería el ejemplar conservado en el Museo de Berlín, pues el de Madrid está realizado por lo menos cinco años después.

Fue adquirido en 400 florines en la almoneda de los bienes de Rubens, en Amberes. En 1666 figuraba en el «Pasillo del Mediodía» del Alcázar de Madrid.

VERONÉS (Paolo Caliari).
Venus y Adonis (h. 1580).
Oleo sobre lienzo, 212 × 191 cm.   C. 482

Es este cuadro, representando a *Venus y Adonis* durmiente, una bella
muestra de la rica colección que de obras del Veronés se conserva en el
Prado. Posiblemente está realizado en la etapa de madurez del pintor,
puesto que Borghini, en 1581, describía un cuadro bellísimo, «di Adone ador-
mentado in gembro a Venere». Mas no sería necesario que este gran conocedor de la pintura veneciana de su momento lo elogiara, para admirar hoy
la belleza de esta obra maestra. Adonis dormita, inconscientemente, sobre el
regazo de la diosa del amor, fatigado después de la caza del jabalí; mientras, Cupido juega con unos lebreles. Esta escena de la mitología sirve de
tema a una bellísima composición donde triunfa el sentido decorativista
del Veronés. Para lograr tal efecto hace que una gran diagonal divida en
dos triángulos el cuadro, acentuando su ritmo compositivo. El fastuoso
colorido, en el que destacan los amarillos y verdes característicos de Caliari,
es amortiguado por las nacaradas carnaciones de la blonda de Venus.
Tormentosos celajes enmarcados por la floresta, parece que preludian la
dramática muerte del protagonista, como algo más tarde versificara Shakespeare.

Existen dos versiones pintadas por el Veronés que se relacionan con el
cuadro de Tiziano del mismo tema que guarda el Museo del Prado, pero en
ellas aparece aparece Venus en el momento de intentar retener a Adonis.

Posiblemente esta obra fue adquirida por Velázquez en Venecia en 1649
o 1650 para Felipe IV. En una colección inglesa existe un fragmento de un
ejemplar perdido en el que aparece un amorcillo con lebrel, parecido al que
existe en esta pintura.

TINTORETTO (Giacopo Robusti).
El Lavatorio (antes de 1547).
Oleo sobre lienzo, 210 × 533 cm.   C. 2.824

Al parecer esta obra maestra del Tintoretto está realizada para el presbiterio de la iglesia veneciana de San Marcuelo, puesto que allí existe una *Ultima Cena* de tamaño algo menor que esta obra, la cual se cree su pareja, aunque la superioridad de la pintura del Prado es patente; además, en el fondo de ésta, aparece a la izquierda el momento de la institución eucarística, y sería una redundancia repetir lo mismo en otro cuadro. Por ello, creemos que esta tesis, defendida por Coletti, no tiene consistencia. Además, la técnica pictórica del cuadro es anterior a 1547, como ya indica Tietze. Más tarde, en el ejemplar de Londres (National Gallery) le da mayor sentido dramático, y en sus últimas representaciones de la *Cena* y del *Lavatorio* las diagonales son más acentuadas.

La situación en profundidad es la principal característica estilística de esta obra, donde el sentido espacial cobra proporciones inusitadas en su época. Por medio de una arquería el espacio se proyecta hacia un estanque, el cual termina en otro arco y está bordeado de edificaciones escenográficas que recuerdan a las de Palladio, el gran arquitecto del Véneto, contemporáneo del Tintoretto. Gould señala a Serlio como inspirador de esta arquitectura, pero el sentido efectista y el tipo de capitel aquí empleado están más cerca del amigo de Tintoretto; además, hay una gran relación con el Teatro Olímpico de Vicenza. El sentido geométrico del pavimento acentúa la sensación espacial y debajo de la mesa se percibe la atmósfera. Velázquez partirá de esta obra, que él mismo llevará a El Escorial, en su búsqueda del espacio libre.

Las figuras de los apóstoles aparecen aquí como gigantes distribuidos rítmicamente dentro de esta atmósfera espacial, formando puntos de referencia para una serie de diagonales. En el ángulo izquierdo, a la derecha del espectador, aparece el momento en que Jesús lava los pies a un apóstol, mientras a la izquierda, otro ata su sandalia, apoyando su pie sobre una banqueta, lo que da ocasión al Tintoretto para retorcer miguelangelescamente esta gigantesca figura, proyectándola hacia delante. A pesar que en Robusti no sea el color su principal preocupación, sino el espacio, no puede abandonar el sentido colorista veneciano. Una luz lívida da a los colores tonos fríos, acentuando la sensación de drama y expresión teatral buscada por el autor, ya que éste es uno de los más grandes escenógrafos del Renacimiento.

Fue adquirida por el embajador Cárdenas, en la subasta de los bienes artísticos de Carlos I de Inglaterra. Hasta 1940 estuvo en El Escorial, de donde pasó al Prado.

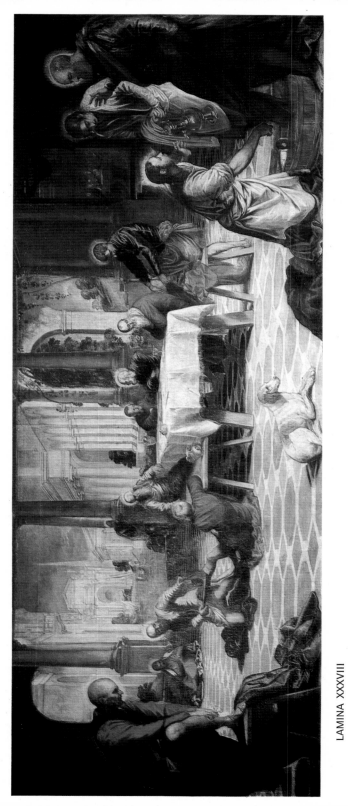

LAMINA XXXVIII

EL GRECO (Domenicos Theotocopuli).
La Trinidad (h. 1578).
Oleo sobre lienzo, 300 × 179 cm.   C. 824

He aquí una de las primeras producciones del Greco en España cuando, procedente de Roma, posiblemente en 1575, viene a la Península y después de pasar alrededor de un año en Madrid, donde radicaba la Corte, se traslada a la vieja ciudad imperial. En 1577 debe estar instalado ya en Toledo, a donde posiblemente acude para realizar el retablo de Santo Domingo el Antiguo. El 11 de septiembre del mismo año, son encargados al escultor Monegro los retablos de esta iglesia, según trazas de micer Domenico Theotocopuli. El proyecto de la iglesia lo realizó Juan de Herrera. Como se ve, el Greco, en sus primeros momentos toledanos, estuvo ligado a artistas que trabajaban para el rey, lo que le auguraba éxitos que nunca alcanzará en lo cortesano. El encargo le fue encomendado por el deán Diego de Castilla, protector y propulsor del arte toledano de su época. La arquitectura de los retablos abre una etapa en el renacimiento español, pues se sustituyen las decoraciones platerescas por esculturas de carácter clásico. Con sentido «purista» se labran columnas corintias que sostienen un entablamento de gran simplicidad, a la manera de retablos venecianos y romanos. Aunque se ha pensado que las esculturas pudieran ser del propio Greco, no hay que descartar la intervención de Juan Bautista Monegro, autor de las decoraciones escultóricas de El Escorial.

Culminando el retablo mayor, en el segundo cuerpo, centrada por pilastras clásicas y por un frontón triangular, aparecía la prodigiosa *Trinidad;* posiblemente la más espiritualizada de todas las que se han pintado. El grupo formado por Cristo, el Padre Eterno y un ángel con túnica carmín recuerda a las últimas Piedades de Miguel Angel, especialmente a la del Duomo de Florencia y la Academia. Camón nos dice que la figura del Hijo puede estar inspirada en el *Esclavo moribundo* del florentino, al que admiraba más como escultor que como pintor. Angeles efebos al gusto manierista, rodean al grupo central, mientras el Espíritu Santo en su forma tradicional de paloma revolotea sobre el cielo dorado. Son sorprendentes las cabezas de los querubes que aparecen a los pies de Cristo. En todo el cuadro aparece una fuerte influencia veneciana, especialmente en el inefable colorido. Mas este sentido aún se percibe más claramente en la *Asunción* (1577, Instituto de Arte de Chicago), donde se inspiró directamente en la *Asunta* de Tiziano; del veneciano hereda este color que «es el que llena los ojos de éxtasis de nuestros místicos», como ha dicho Camón.

Vendido al escultor Valeriano Salvatierra, fue luego adquirido a éste por Fernando VII, en 15.000 reales, previo informe favorable de los pintores Vicente López y Juan de Ribera.

152

EL GRECO (Domenicos Theotocopuli).
El caballero de la mano al pecho (1578-1583).
Oleo sobre lienzo, 81 × 66 cm.   C. 809

«Este desconocido es un cristiano / de serio porte negra vestidura / donde brilla no más la empuñadura / de su admirable estoque toledano. / Severa faz de palidez de lirio / surge de la golilla escarolada / por la luz interior, iluminada / de un maciliento y religioso cirio / ...... / el gesto piadoso, y noble y grave / la mano abierta sobre el pecho pone / como una disciplina, el caballero.»

Creemos que queda justa la descripción de esta obra maestra con estos iluminados versos de Manuel Machado. Mucha literatura se ha hecho sobre este prodigioso retrato, no intentaremos añadir más.

Así se ha intentado ver un signo en la manera forzada de colocar los dedos de la mano, separados todos salvo el anular y el corazón, cuando ésto es propio de los pintores manieristas y del mismo Tiziano; posiblemente de éste lo tomaría El Greco, ya que trabaja con él en Venecia. Ricardo Baroja y Willumsen, han creído, interpretando el gesto como afirmación del *ego*, que se trataría de un autorretrato. Camón reconoce que existe cierta relación con el de la *Pentecostés*. Otros lo consideran retrato de un notario, ya que interpretan la postura como gesto de dar fe. Cassou lo pone en relación con los *Ejercicios espirituales* de San Ignacio, pues el santo aconseja llevar la mano al pecho cada vez que se cae en el pecado.

Angulo Iñiguez ha hecho notar que el hombro izquierdo se encuentra fuertemente caído, y que el antebrazo correspondiente se «consume hasta no sentirse bajo la tela». Lo cual se hace destacar, al firmar en su superficie, que normalmente pertenecería al hombro, con caracteres griegos. Esto y el ser obra realizada en su primera etapa toledana, como afirman Cossío y Camón, nos hace reflexionar sobre los contactos que tendría con Cervantes, ya que por entonces habitaba también en Toledo.

Las características físicas y tipológicas de su rostro concuerdan con la autodescripción hecha en el conocido prólogo de las *Novelas ejemplares*: «Este que aquí veis de rostro aguileño, de cabello castaño, frente lisa y desembarazada, barbas... que no ha veinte años fueron de oro, los bigotes grandes, la boca pequeña..., la color más clara que morena». Además, Cervantes destaca la importancia de la espada y de su mano derecha: «Bien sé que en la naval, dura palestra / perdiste el movimiento de la mano / izquierda, para gloria de la diestra». Y su «enemigo» Lope de Vega ironiza en unos versos, hablando de este tipo de retrato: «¿Daquesto de en mi conciencia / con la mano sobre el pecho? / ... / los pintores dan en eso / por lo que por lo menos digan / que es de buena mano el lienzo».

Cossío lo data entre 1577 y 1584; Mayer antes de 1580; Camón entre 1580 y 1583; y, Willumsen en Madrid, antes de radicar en Toledo. Estaba en la Quinta del Duque del Arco en 1794.

154

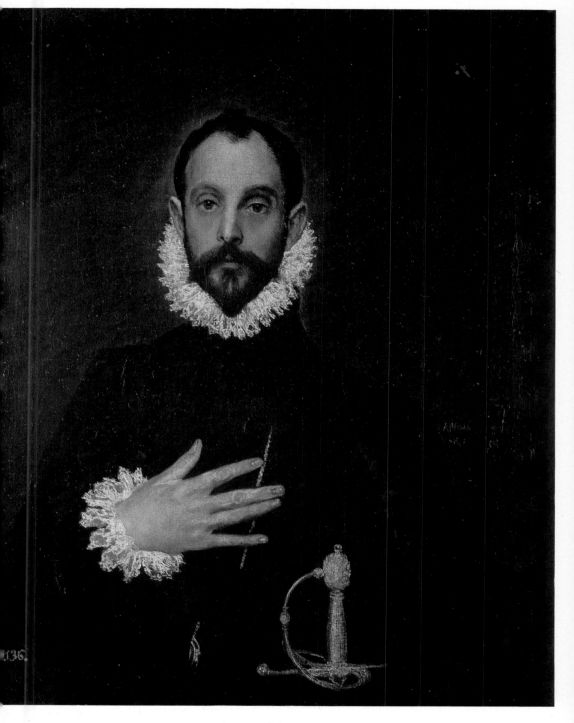

LAMINA XL

EL GRECO (Domenicos Theotocopulos).
Un caballero (h. 1600).
Oleo sobre lienzo, 64 × 51 cm.   C. 810

«Pocos rostros tan espirituales y penetrantes como este personaje ha producido el arte», ha dicho Camón Aznar agudamente de esta obra maestra, puesto que, además de ser un prodigioso trozo de bellísima pintura, esta cabeza de caballero toledano es un estudio de profunda penetración sicológica.

El Greco da siempre una importancia fundamental a los ojos de sus personajes, y aquí ha logrado posiblemente unos de los más misteriosos de toda su pintura; son éstos muy claros, pero mancha la esclerótica con grises convirtiendo sus cuencas en pozos profundos, en que se serenan las viejas angustias con reposadas meditaciones. El descarnamiento de las mejillas, sus ligeras oquedades, denotan tiempos de desdichas y de escaseces o también pueden ser producto de una exaltación sicológica, de una devoción hasta el místico ascetismo característico de los tiempos de Felipe II. El Greco, con una ligera disimetría facial y el sentido oblicuo de la barba ha acentuado el inquietante patetismo de esta faz. Y aun la frente, muy tersa en la mayor parte de las obras del Cretense, aquí está atravesada por arrugas horizontales, que acentúan el esperanzado pesimismo del incógnito personaje; el cual ha sido imaginariamente asociado por «Azorín» al hidalgo que dio cobijo al Lázaro de Tormes en la Ciudad Imperial, en la casa «triste y desdichada donde nunca comen y beben»; por lastimoso que sea, esto tan sólo es una bella paráfrasis literaria.

Aquí Theotocopulos logra uno de los retratos de técnica más sutil y alada; toques carminosos dan jugosidad a los planos y transparentes sombras agrisadas matizan los rosados planos del rostro. Por ello es obra que no puede fecharse en los primeros momentos toledanos, sino ya en las proximidades de 1600. Según Cossío entre 1584-1594 junto a otros retratos del Greco figura en los inventarios del Alcázar madrileño de 1686, Velázquez los había tenido en su taller.

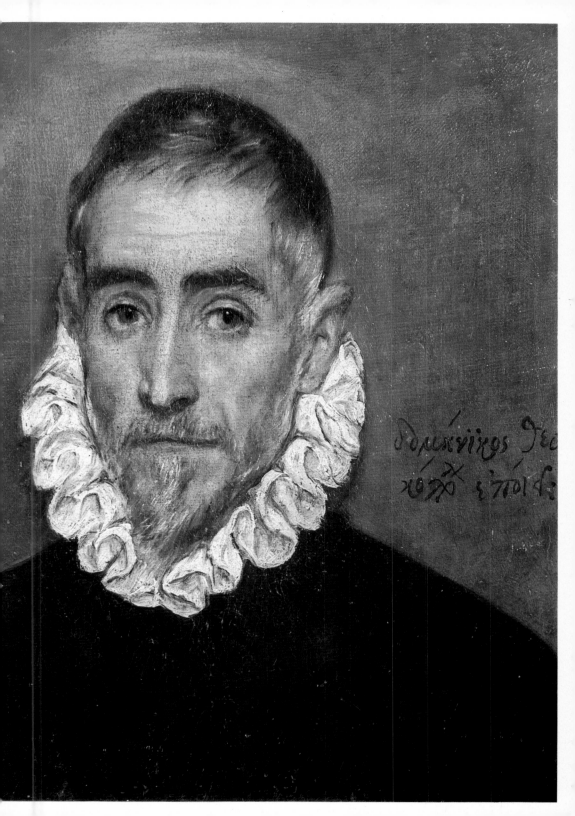

EL GRECO (Domenicos Theotocopuli).
La adoración de los pastores (1612-1614).
Oleo sobre lienzo, 319 × 180 cm.   C. 2.988

El hijo del Greco, Jorge Manuel, alquila el 2 de agosto de 1612 una cripta en la iglesia del convento de Dominicas de Toledo, Santo Domingo el Antiguo, para la sepultura de su padre y la propia. Como precio se compromete a que su progenitor construya un retablo y lo decore. Es posible que se comenzara a trabajar en el lienzo principal de este altar después de ser ratificado el contrato el 20 de noviembre.

El resultado fue una obra magistral: *La adoración de los pastores*. En donde, como expresa Wethey, «cada pincelada está pletórica de forma y significación». Mas a pesar de una técnica ilusionista, la descripción de los seres y de los objetos es minuciosa. El colorido llega aquí a capacidades sorprendentes, resaltando chispeante, fosforescente, sobre un fondo profundo y lúgubre. Rojos anaranjados, verdes jade, amarillos oro y azules oscurecidos, son vivificados o atenuados por la luz irradiada por el recién nacido que, como vivo fanal, centra la composición. La iluminación matiza las superficies infiltrándose entre los personajes, a los que espacia. En el fondo, a la derecha, aparecen oquedades delimitadas por arcos; éstos se proyectan hacia lo profundo, hasta que un telón, que recuerda a un retablo, les pone fin; es posible que tuviera presente la estructura de la catedral toledana. En las alturas revolotean ángeles que portan una filacteria con la inscripción: «Gloria in excelsis Deo et in terra pax». *Paz en la tierra* es lo que en estos momentos desearía El Greco; paz para él; paz para los hombres. Ya que en esta época plagada por conflictos mundiales, personalmente las enfermedades le atormentaban y los acreedores le asediaban. Cuando en 1614 muere el lienzo continúa en la iglesia de Santo Domingo, pero sus restos no son admitidos por no poder pagar Jorge Manuel los derechos de la sepultura. Pasan a otro convento y más tarde a la fosa común. Con ello, sus cenizas están integradas hoy en la tierra de Toledo, tal como debe ser. Su tumba es Toledo entera; toda la ciudad le cobija. Pues, como dijo Góngora, allí «yace El Greco. Heredó Naturaleza / Arte, y el Arte estudió, / Iris colores, / Febo luces si no sombras Morfeo».

Al tasarlo en 1618 Luis Tristán, su discípulo, afirmó haber visto a El Greco realizándolo, diciendo que «estaba allí». Lo que nos hace pensar, confirmado por los rasgos faciales semejantes a otros cuatro retratos del Greco, que el pastor del primer término es la última representación de su efigie.

Este cuadro fue vendido al Estado por las monjas en 1954, por un millón seiscientas mil pesetas; con ello quedó zanjado el peligro de su exportación que parecía inminente. Pasó al Museo del Prado el 31 de diciembre de 1954.

LAMINA XLII

LUIS DE MORALES.
La Virgen con el Niño (1568).
Oleo sobre tabla, 84 × 64 cm.   C. 2.656

Sin lugar a dudas el más importante pintor español contemporáneo de El Greco es Luis de Morales, al que el pueblo le dio el nombre de «El Divino». De formación casi autodidacta, logra una técnica de gran finura y llega a conocer la pintura de su época. Por eso en esta *Virgen con el Niño*, aunque pintada con una técnica arcaizante que recuerda a la de los maestros flamencos del siglo XV, no falta un carácter de tipo manierista próximo a la pintura italiana del momento. Así, está relacionada según E. Du Gué Trapier, con la Virgen de *La Sagrada Familia* de Luini, que estuvo desde antiguo en España y que se conserva en el Prado. Además, un sentido leonardesco, posiblemente a través de Van Scorel, le da un halo de misterio al rostro ovalado de María, esfumando un tanto su rostro; sus blondos cabellos son cubiertos por un velo transparente, conseguido por retoques hechos después de haber estado pintado. Muy pocos son los pintores que han logrado ahondar como Morales en la sicología maternal. Así, aquí aparece la Madre como prototipo de todas las del mundo, pintada con una ternura infinita; mientras su retoño busca el pecho, la Virgen le mira cariñosamente. Estos cuadros piadosos convirtieron a Morales en el pintor más estimado por la burguesía, el clero y las clases populares en Extremadura y sureste de Portugal, en la segunda mitad del siglo XVI.

Existen otras versiones de esta obra, pero ninguna llega a sublimar la maternidad como este ejemplar. Aquí las formas huesudas tan características del pintor extremeño, casi desaparecen para darnos una tipología más idealizada, que la aproxima a ciertas creaciones del cretense.

Para el arte español fue penoso el que Felipe II no considerara en su verdadero valor su obra, negándosele lo mismo que en parte había hecho con El Greco la decoración de los palacios e iglesias reales. Por ello, gran parte de las obras de Morales que existen en el Prado proceden de donaciones o compras recientes; así, debemos esta bella pintura al legado de don Pablo Bosch, uno de los pocos mecenas que han enriquecido la primera pinacoteca española, como estamos viendo.

JOACHIM PATINIR.
El paso de la laguna Estigia (h. 1510).
Oleo sobre tabla, 64 × 103 cm.   C. 1.616

Aunque no fuera Patinir propiamente el inventor del paisaje, este género fue desarrollado por él, dándole un nuevo carácter; y también es creación suya el tipo paisajístico que va a ser usado por los pintores flamencos y holandeses de los siglos XVI y XVII. Por lo general, en los *países* de éste abundan especialmente los verdes, ya sea en las aguas de los ríos, o en los árboles, o en los matorrales de sus márgenes, y hasta en algunas ocasiones, sus celajes verdean. Verdes que van del casi negro al claro esmeralda.

El paisaje cobra aquí unas calidades sorprendentes para su época; aunque todavía el horizonte esté muy alto, siguiendo la tipología medieval, ya se observa un nuevo sentido de curvatura en la lejanía, debido a las nuevas teorías de la esfericidad terrestre, confirmadas por el descubrimiento de América. Así, el horizonte no es indefinido como en la pintura anterior, sino que se percibe un radical corte; el antiguo paisaje como «caminar sin fin» —que, según Spengler, era la característica fundamental de la pintura nórdica—, ha dejado de existir.

Mas una terrible soledad emana del amplio río, al que ilumina una luz congelada, a pesar de los seres animados que aparecen en ambas orillas. En el centro de las aguas y en la proa de una barca, a un joven desnudo se le erizan los cabellos de espanto, mientras el remero Caronte le conduce a la orilla del Tártaro. Es fácil adivinar los alaridos que los condenados hacen llegar a los oídos del pasajero, ya que en la orilla derecha impera el terror. Allí, en las puertas del Averno, al lado de una torre albarrana por donde desemboca un lúgubre riachuelo, hace guardia el Cancerbero; y, sobre ella, aparece una escena de decapitación. En el fondo unos incendios nos recuerdan los «infiernos» del Bosco; en cambio, en los Campos Elíseos surge un apacible aburrimiento; ángeles que acompañan a espíritus seráficos, pasean por dulces prados donde surgen estructuras en vidrio semejantes a las del pintor del *Jardín de las Delicias.*

Son muy pocas las tablas conservadas de Patinir, aunque en muchos cuadros de pintores contemporáneos flamencos la parte paisajística se deba a su mano. El Museo del Prado conserva, junto con el Monasterio de El Escorial, la colección más importante de sus obras. Siendo la *Laguna Estigia,* al lado del *San Cristóbal* (El Escorial) sus piezas claves.

Perteneció a las colecciones de Felipe II; fue salvada del incendio de 1734 del Alcázar, y en 1799 se encontraba atribuida al *Bosco* en los inventarios del Buen Retiro.

162

LAMINA XLIV

Jan Gossaert (Mabuse).
La Virgen y el Niño (h. 1527).
Oleo sobre tabla, 63 × 50 cm.   C. 1.930

Está representada aquí la Virgen en un nicho muy característico del renacimiento flamenco, dentro ya de las corrientes manieristas. Bajo un sentido equilibrado de la composición se desarrolla la organización estructural del cuadro. María centra la escena y en ella hay un sentido de formas redondeadas que, como en muchos cuadros de Mabuse, tienden hacia una ampulosidad que recuerda a las empleadas más tarde por Rubens. Así, su rostro es redondeado, los labios carnosos y el cuerpo un tanto exuberante. No por ello, como se ha dicho, el seno desnudo es un símbolo mundano, sino que está relacionado con la iconografía medieval, en que la Virgen María aparece como *Virgen de la Leche*. El Niño, aunque por su aspecto es manierista, lleva en la mano una manzana como en las representaciones del siglo anterior. Mas esta obra, bajo un aspecto formal, se encuentra en la órbita artística de la pintura de Rafael. Es lógico ya que Gossaert llega a Roma el mismo año que el pintor de Urbino (1508). La composición triangular y los perfiles de la Virgen y el Niño dejan clara esta procedencia.

También se pueden observar en esta obra ciertas influencias leonardescas especialmente en la manera de modelar por la luz las figuras está presente el *sfumato* de Leonardo. Ha usado Mabuse la técnica flamenca de veladuras (pinceladas superpuestas), para valorizar las texturas, como en el velo que cubre parte del hombro de la Virgen; esto sería usado más tarde en España, entre otros por Morales. Esto nos lleva a considerar a Gossaert como uno de los primeros manieristas fuera de Italia, junto con Alonso de Berruguete y Pedro Machuca.

Aunque esta obra no está firmada ni fechada, su excelente estado de conservación hace posible un estudio exhaustivo, bajo un aspecto técnico y estilístico, como el realismo en las páginas arrugadas del libro, las citadas veladuras con las que logra sutiles transparencias, o su preocupación por destacar las calidades de las pequeñas cosas como las perlas de la diadema; todo lo cual hace de este cuadro una obra indiscutible y maestra de este importante pintor flamenco. Se puede datar en los alrededores de 1527, como hace Weiss, ya que, estilística y formalmente, está relacionada con la *Danae* (Pinacoteca de Munich), fechada este mismo año. Además, en 1530 realiza una copia de esta pintura Hans Baldung Grien (Museo de Arte Germánico, Nuremberg). Von der Osten cree que esta Virgen con *El hombre del rosario* (National Gallery, Londres), formaba un díptico; no es posible, pues el retratado no corresponde a su mirada, y no existe identidad arquitectónica. Desde 1572 estuvo en El Escorial, de donde pasó al Museo del Prado después de 1814.

QUINTIN METSYS.
Cristo presentado al pueblo (Los improperios) (1527-1530).
Oleo sobre tabla, 160 × 120 cm.   C. 2.801

A primera vista, lo que aparece aquí representado es una escena de la pasión de Cristo, mas si observamos agudamente veremos que existen, ornando la arquitectura del fondo, unas escenas simulando esculturas, cuyo contenido simbológico nos explicará el sentido secreto de esta pintura de Quintín Metsys.

La composición a primera vista es un tanto abigarrada siguiendo la tradición medieval, y así hay ciertos recuerdos de los *Ecce Homo* del Bosco. Sin embargo, la factura es ya renaciente, pues hay cierto sentido leonardesco en la manera de modelar por medio de la luz los rostros; y algunos de los tipos caricaturescos, no sólo semejan las sarcásticas expresiones del pintor de Bois-le-Duc, sino los dibujos fisonómicos de Leonardo y Durero. Ahora bien, Metsys va mucho más lejos; fervoroso lector de Erasmo y conocedor de las doctrinas de Lutero, el viejo pintor de Amberes ha expresado en este cuadro una sátira social contra la burguesía y contra los abusos del poder, empleando todo un programa simbológico, en el que con agudeza ha criticado ciertos problemas sociales del siglo XVI, subproductos de la transformación que se estaba efectuando en Europa durante el Renacimiento. La nueva economía capitalista en estos momentos sustituye progresivamente al régimen corporativo medieval; las manipulaciones monetarias, el comercio del oro y de la plata, y las especulaciones bursátiles, favorecen la construcción de grandes fortunas. Amberes, bajo el reinado de Carlos V, es el gran mercado monetario de Europa. El Emperador protege a aquellos financieros que apoyan su política europea y americana.

Todo esto es lo que aquí critica duramente Metsys; así, en la primera grisalla (izquierda del espectador), aparece la figura de Pilatos, símbolo del poder y con cierto parecido a Carlos V que, caricaturizado, se hace lavar los pies por el pueblo. En el centro, esta representación del poder da normas a una Caridad famélica, que sólo alimenta al pueblo, representado en unos niños hambrientos, con lo suficiente para que no mueran; y en un extremo la Verdad o la Libertad mira con codicia a una estrella de oro macizo que tiene en su mano en lugar de la antorcha, ya que sólo con el dinero se consigue la libertad o la verdad. En el antepecho del balcón aparece el César, representado como Alejandro Magno, puesto que lleva en el morrión la lechuza de Minerva. Lleva en su escudo de oro el águila imperial, que ondea también en una banderola. Mientras tanto, se deja entrever en un friso una escena de desollamiento. Es de notar que los que piden la muerte de Cristo son también hombres enriquecidos, puesto que llevan lujosos trajes y alhajas.

Es obra de sus últimos años. Perteneció, en el siglo XIX, al marqués de Remisa. Legado por Mariano Lanuza en 1936; entró en el Prado en 1940.

166   LAMINA XLVI

Marinus (Marinus Claeszon van Reymerswaele).
El cambista y su mujer (1539).
Oleo sobre tabla, 83 × 97 cm.   C. 2.567

Marinus toma de Quintín Metsys el tema del banquero y su mujer; pero él no se limita a presentarnos una pareja de cambistas o banqueros con ciertos rasgos sarcásticos, sino que desarrolla el tema aumentando su dramatismo en una serie de cuadros representando a los cobradores de impuestos y sus banqueros, en los cuales se ensaña duramente contra una nueva clase enriquecida por malas artes. En los rostros de estos personajes se refleja casi caricaturescamente, la codicia; esto ocurre en *El cambista y su mujer* del Prado, donde un matrimonio burgués recuenta afanosamente las monedas con temblorosas manos, acentuando el sentido de avaricia que Metsys había puesto en el cuadro del Louvre.

En el fondo, en estos cuadros existe un reflejo de la transformación social que se estaba efectuando en los comienzos del siglo XVI en Europa, como ya hemos indicado en el comentario de la lámina anterior. La nueva economía capitalista iba sustituyendo vertiginosamente a la vieja aristocracia, a la que arruinaba. Mientras se desarrolla la industria, el tradicional artesanado pierde su antiguo esplendor; esto reduce a numerosas familias a la miseria, las cuales terminarían por integrarse en una nueva clase: el proletariado. Las aldeas son abandonadas por las ciudades. Aprovechándose de la eclosión social e industrial, una nueva clase de hombres y mujeres vive de la usura. «Aunque la Iglesia prohíbe severamente el préstamo a interés, el progreso de la economía capitalista le obliga a atenuar sus rigideces» (Marlier).

Por ello, lo que se representa en esta tabla es a dos usureros, que comprueban el exacto peso de las monedas con una pequeña balanza, ya que la mayor parte de las piezas de oro y plata eran recortadas o raspadas. También se podría pensar en una representación, como ha dicho Winkler, de recaudadores de contribuciones, los cuales eran también criticados en la literatura renacentista. Así, Erasmo se ceba duramente con ellos en los «Adagios».

Está firmado: *Marinus me feci a(nno) d(omini) 1539.* Existen otras versiones, una de ellas en El Escorial, depositada por el Prado. La obra que comentamos fue legada por el duque de Tarifa, e ingresó en el Prado en 1934.

LAMINA XLVII

PETER BRUEGHEL, «el Viejo».
El Triunfo de la muerte (h. 1565).
Temple y óleo sobre tabla, 117 × 162 cm.   C. 1.393

Se representa aquí la terrorífica visión del triunfo de la muerte sobre la
vida, versando al lenguaje renacentista un tema favorito de la época medieval, del que se hicieron frescos como el del camposanto de Pisa o libros
miniados como los manuscritos de París o de El Escorial. Durante el siglo XVI
aún fueron representados en Alemania con profusión por artistas como
Holbein y Baldung Grien. El tema recuerda a otra obra suya, la *Dulle
Griet* (1564, Museo de Amberes), pero aquí la técnica es superior y lo mismo
la composición, por lo que pudiera estar ejecutado algún tiempo después.
Aunque Friedländer y Genalle la consideran cuatro años anterior.

En este *Triunfo de la muerte* los seres vivos quedan exterminados, nada
ni nadie se salva de su poder destructor. Casi en el centro de la composición,
inspirado en el Apocalipsis (VI, 8), aparece un esqueleto sobre un descarna-
do rocín segando con la guadaña la vida de los ricos y de los pobres, de los
poderosos y de los plebeyos. Un ejército numeroso de muertes matan por
doquier, y ni siquiera los reyes o los altos mandatarios de la Iglesia son
liberados. Sólo algunos militares bravucones intentan inútilmente hacer
frente al destino; y en el extremo izquierdo del cuadro, dos enamorados que
tañen y cantan, morirán sin sufrir, acompañados por el canto y la música
de uno de estos seres macabros. En el fondo marino naufragan los navíos,
y en la costa son incendiados los edificios.

Brueghel se aparta aquí de los temas populares tan característicos, de los
cuales hay una prodigiosa colección en el Museo de Viena; es posible que
aún quedara en él un lejano recuerdo del Bosco, que tanto influyó en sus
primeras obras. Todavía aquí la composición es un tanto abigarrada, apro-
ximándola a sus primeras producciones; hacia 1566 emplea menos figuras
y las ordena más sistemáticamente.

Esta obra estuvo en Amberes hasta después de 1614, ya que en esta fecha
se cita en las colecciones de Philips van Valkenisse. Por ello no está nada
clara la mención, en 1604, de van Mander, el *Vasari holandés*, y aparece
inventariada en La Granja en 1774. Ingresa en el Prado en 1827. Recientemente ha sido restaurada y la limpieza ha confirmado su calidad.

HANS BALDUNG GRIEN.
Las edades de la vida (1530-1545).
Oleo sobre tabla, 151 × 61 cm.   C. 2.220

Esta *alegoría* es, junto con su tabla compañera: *La Belleza, la Poesía y la Música,* un díptico imaginario donde se contrasta la perecedera realidad de la vida con la idealización armónica de la belleza, en continua renovación, simbolizada por los niños que nacen.

La mayoría de los artistas germánicos del renacimiento, tan escasamente representados en el Prado, gustan de cultivar estos temas alegóricos; Hans Baldung Grien llegará a tener una verdadera obsesión por lo simbológico, ya que son muy escasos los cuadros de su mano donde no aparezcan temas de este tipo.

A pesar de todo en el esquema y en la representación de sus pálidos desnudos, como los que vemos en las *alegorías* del Prado, existe un recuerdo goticista que le aparta de las estructuras renacientes. Así, si se comparan los *Adán* y *Eva* de Durero con estas figuras, se nota a simple vista una diferencia patente. Posiblemente pesa su formación de grabador en el perfilamiento de los cuerpos, en el grafismo de los árboles y en el sentido lineal del paisaje. Baldung trabaja especialmente en dos ciudades universitarias, Friburgo y Estrasburgo, donde tendría contacto con los humanistas alemanes. Existe la probabilidad de que la temática de estas dos tablas esté basada en sugestiones dadas por ellos, o en otras fuentes de la literatura humanística del momento.

Así la aquí reproducida representa, como hemos dicho, lo efímero de la vida. Un niño dormido tiene en su mano una lanza, símbolo de vitalidad, pero quebrada por la muerte; mientras, una joven doncella es desvestida por una vieja, cuyo brazo a su vez entrelaza la muerte, la cual está personificada por un corrupto cadáver. En la faz de esta mujer, que ha pasado ya su madurez, se percibe cierta influencia de Durero, pero es con Cranach con quien tiene más afinidad, especialmente en el rostro de sus jóvenes. Al fondo de esta tabla aparece un paisaje alpino donde en primer término arde una atalaya a la manera de los cuadros del Bosco. Debe de estar realizada al final de su vida.

La tabla compañera tuvo una inscripción al dorso, hoy perdida, donde se decía que había sido regalada a Juan de Ligne, barón de Barbanzón, por Federico de Solms, el 23 de enero de 1547, en Franckfort del Main. Perteneció a Felipe II, inventariándose en 1600 en el Alcázar madrileño. En 1814 estaba en el Palacio de Oriente; al crearse el Museo del Prado, por orden del pudibundo Fernando VII fue guardada en las salas reservadas a los desnudos, ya que expresó por escrito «que de ningún modo se pongan a la vista del público los cuadros indecentes».

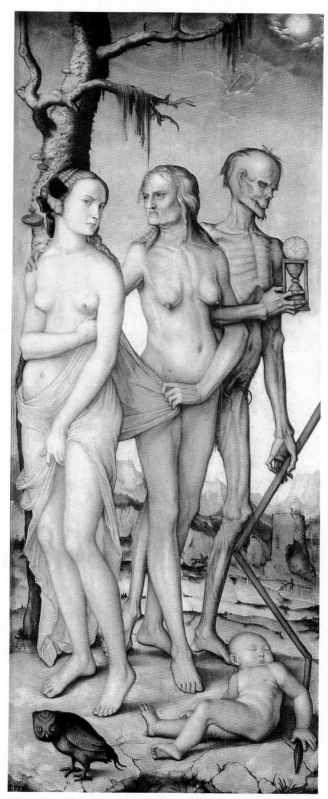

LAMINA XLIX

La gran capacidad intelectual y profesional de Alberto Durero, junto a su sentido humanista, le lleva a practicar todas las técnicas y géneros pictóricos conocidos en su época. Por ello, fundamentará los principios de su arte sobre un conocimiento de las ciencias. Así, busca la perfección de las proporciones basándose en la teoría del «segmento áureo», que estudia en los tratados de Euclides y Luca Pacioli, en los cuales será iniciado por Jacopo de Barbari —al que más tarde recordará llamándole cariñosamente «pintor amable y bueno»—; posiblemente a través de él conocería las teorías de Leonardo. De este modo, Durero también se preocupa en sus escritos de cuestiones dispares, como la manera de fortificar y de la partición del espacio según el círculo y el cuadrado, o de las proporciones humanas. Aunque traduce al modo realista germánico las idealizaciones del italiano, busca la belleza en la naturaleza lo mismo que Leonardo; por ello dibuja con exactitud animales y monstruos, plantas y montes y, sobre todo, al hombre, eje de la humanidad y rey de la Creación —pues siendo «humanista» no deja a un lado el espíritu medieval—; por ello grabará y luego pintará con especial atención a los progenitores de los hombres: *Adán* y *Eva*.

Estas dos tablas, realizadas por separado, forman un conjunto homogéneo, que fue compuesto en Nuremberg después del regreso de Alberto Durero de su segundo viaje a Italia. En ellas se perciben ciertos matices renacentistas. Especialmente en la *Eva*, donde hay recuerdos de los desnudos que por aquel entonces hicieron Giovanni Bellini, Giorgione y Tiziano, pero, sobre todo, de la *Eva* esculpida por Antonio Rizzo, y que se conserva en el Palacio de los Dogos. Como vemos, el venecianismo de Durero es patente en estas dos obras, puesto que en el mismo *Adán*, a pesar de su figura germánica, tiene también impregnaciones del arte del norte de Italia.

Si comparamos estas dos obras con un grabado hecho tres años antes por Durero, con el mismo tema: *El pecado original*, veremos que las formas se ablandan, y se deja a un lado la monumentalidad y el sentido pétreo que existía en esta estampa. Aunque se ha dicho que el grabado es más reciente que las pinturas, nosotros no compartimos esa opinión, pues aquí el germanismo desaparece por una mayor flexibilidad que le da un fuerte carácter de cincuechentista, casi de anticipación al manierismo. Además, son estos desnudos los primeros que en la pintura alemana se hacen de tamaño natural, aunque siguiendo un canon de nueve cabezas, que alarga las figuras, acentuando su esbeltez, lo que le aproxima a la tipología del manierismo, que a su vez recuerda las formas estilizadas del gótico, ya que hay que tener en consideración que en el manierismo existen ciertos resurgimientos del espíritu gótico. Aquí la anatomía, aunque exacta, es

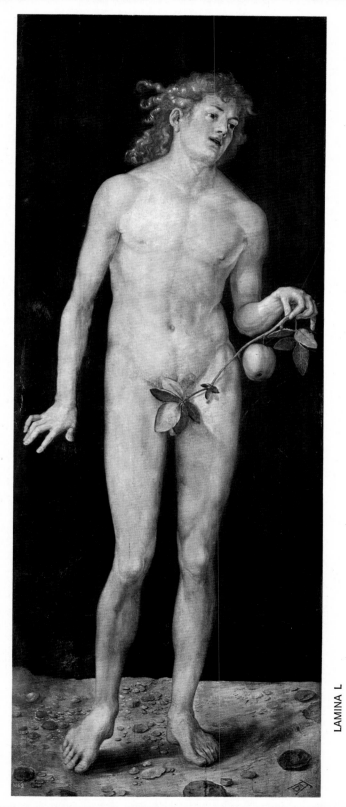

LAMINA L

suavizada en sus contornos, llegando a tener, como ha dicho Bialostocki, caracteres dionisíacos. Su lirismo le coloca entre los más bellos desnudos del momento.

Orgulloso de estas obras maestras, Durero ha firmado con su anagrama en el suelo de *Adán*, y en la *Eva* en una cartela, donde también ha colocado la fecha. Existen copias antiguas en los Uffizi de Florencia y en el Museo de Maguncia, donde aparecen animales simbológicos, lo mismo que en el grabado, de los que carece la pareja de tablas del Museo del Prado. Como atestiguan las copias y la doble firma, fueron estas pinturas creadas independientemente, aunque se complementen y se integren dentro de una estructura semiológicamente unitaria.

Ambas tablas fueron donadas por Cristina de Suecia a Felipe IV. Estuvieron en la Academia de San Fernando desde 1777 hasta 1827; y, por considerárseles indecentes, en la Sala reservada del Prado, hasta el fallecimiento de Fernando VII.

LAMINA LI

ALBERTO DURERO.
Autorretrato (1498).
Oleo sobre tabla, 52 × 41 cm.   C. 2.179

Es, quizás, este *Autorretrato* el primero de su género que independientemente se haya realizado, rompiendo las tradiciones gremiales, por lo menos
en Alemania, según afirmación del gran iconólogo Panofsky. Pues está pintado cuando aún no ha terminado el siglo xv, en época que salvo en Italia los
artistas eran considerados poco más o menos que artesanos, por lo que eran
incapaces de autorretratarse fuera de una composición determinada.

«1498. Lo pinté según mi figura. Tenía 26 años. Albrecht Dürer», así firma
este cuadro; señal de que en esta época Durero estaba orgulloso de los triun-
fos artísticos alcanzados, que le hacían posible el relacionarse con príncipes
y aristócratas. Este mismo año había grabado y publicado su libro *El Apocalipsis*, consiguiendo un éxito sin precedentes en la Europa de su tiempo.

Se autorrepresenta elegantemente vestido como un «dandy» de su época,
a la última moda; el traje de tonos claros y amplio escote le da un aire
renacentista, que acentua una pose refinada. Los crespos cabellos con que
aparece en su autorretrato de 1493 (Louvre), han sido aquí cuidadosamente
rizados, y sus sarmentosos dedos de artista son enguantados. Según Panofsky,
Durero se basa en un retrato de Dierk Bouts, de 1462, para estructurar com-
positivamente esta obra, a nosotros nos parece que está más próxima a algunos retratos de Giovanni Bellini. Además, al fondo aparece a través del marco de una ventana un paisaje alpino, que estaría esbozado en los apuntes
de su viaje a Italia en 1494-95, lo que aclara la problemática.

Existen otros autorretratos de Durero además de los dos citados, pero
ninguno tan audaz, tan vivo y directo como este del Prado.

Regalado en 1636 por la ciudad de Nuremberg el conde de Arundel, pasó
al poder de Carlos I de Inglaterra, y después de su ejecución por subasta
pública a las colecciones reales españolas. Entra en el Prado en el año 1827.

LAMINA LII

Hans Holbein El Joven, Atribuído a
Retrato de anciano (segundo cuarto del siglo XVI).
Oleo sobre tabla, 62 × 47 cm.   C. 2.182

Este portentoso retrato de anciano, con tez bermeja llena de carácter y de vida, nos inspira no sólo sentimientos estéticos, sino un hondo respeto a pesar de su nariz abultada hasta lo deforme. Es una de las obras maestras de la pintura del renacimiento nórdico en el Museo del Prado, aunque la crítica ha debatido su atribución.

Desde 1873 se venía catalogando dubitativamente como Holbein; en el Catálogo de 1920 se rechazó esta atribución categóricamente basándose en la opinión que mantenía la crítica por aquel entonces dándola casi con unanimidad a Joos van Cleve (el «Maestro de la muerte de María»), considerándola como la obra maestra de su última etapa. Ahora bien, aunque Cleve había realizado estupendos retratos, ninguno igualaba la calidad de éste; no sólo por la fuerza sicológica del rostro, sino por las propias calidades formales. Así, sus manos, son comparables a las más bellas pintadas por Holbein; recordando su tersura a las que aparecen en las pinturas ejecutadas en su última estancia en Basilea (1528-1532), entre sus dos viajes realizados a Inglaterra; también las telas negras de su ropaje y el sentido táctil del pergamino que sostiene su mano izquierda son características del pintor de Augsburgo. Esta opinión ya le fue comunicada al que fue director del Museo, señor Alvarez de Sotomayor, por diversos estudiosos suizos, con motivo de la Exposición de Ginebra (1939). Hoy la opinión más generalizada tiende hacia esta postura, ya que ha sido abandonada la vieja atribución a Joos van Cleve.

Hacia 1900 fue propuesta la identificación del personaje aquí retratado con Sebastián Münster (1489-1519), el famoso cosmógrafo; pero ha sido rechazado por Winkler y otros especialistas. Según comunicación hecha a la Dirección del Prado por el doctor Eggerphed, de Berlín, la deformación de la nariz se debía al padecimiento de una rinosclerosis.

En tiempos de Carlos II estaba inventariada en el Alcázar madrileño como original de Alberto (¿Durero?). Fue salvada del incendio de 1734.

ANTONIO MORO (Anton van Dashorst Mor).
María Tudor, reina de Inglaterra (1554).
Oleo sobre tabla, 109 × 84 cm.   C. 2.108

Antonio Moro, al venir a trabajar en la corte española, cava la cimenta-
ción sobre la que se alzará la gran escuela de retratistas cortesanos españoles, la cual, iniciada por su discípulo directo Sánchez Coello y continuada
por Pantoja de la Cruz, culminará con Velázquez.

Es este uno de los más importante retratos de Moro, del cual el Prado
guarda la más rica colección. Representa a la segunda esposa de Felipe II,
con el cual estuvo casada los cuatro últimos años de su vida, sentada y casi
de cuerpo entero. María está vestida con un traje de terciopelo cortado y
rameado, en el que el tipo de piñas presentado nos indica que posiblemente
fue tejido en Italia. Lleva un sobretodo morado, que contrasta con el terciopelo bordado del sillón. Además, una colección de ricas joyas intenta enri-
quecer su pobre cuerpo. En la mano derecha la rosa roja de los Tudor es
empuñada como un cetro en su sarmentosa mano, mientras que la izquierda
sostiene unos guantes.

En esta pintura, como por lo general en toda la obra de Moro, los tonos
son apagados y existen rigideces técnicas; mas esto no es de tener en cuenta,
pues la esplendidez del dibujo y del modelado hacen olvidarlo. El éxito de
Moro se debe principalmente al verismo con que realiza los rostros de los
retratados; así se percibe en esta cabeza femenina: la esterilidad de una vida
en todos los sentidos; y de sus fríos y delgados labios surge un casi im-
palpable rictus de ambición, que acentua sus penetrantes y acerados ojos.

Fue Carlos V quien encargó el retrato de su nuera al pintor, puesto que
por él fue convenido este matrimonio del que estaba muy orgulloso, ya
que, al parecer, se había efectuado gracias a él la añorada alianza entre
España e Inglaterra; mas esta sólo fue aparente y efímera. Cuando en 1556
el Emperador se retira al Monasterio de Yuste, en Extremadura, demostró
el aprecio que tenía al cuadro y a la retratada, llevándolo consigo.

Está firmado a la izquierda, bajo el vuelo de la manga: «Antonius Mor
pingebat 1554». En 1600, por lo menos, ya estaba en Madrid de vuelta de
Yuste.

PEDRO PABLO RUBENS.
María de Médicis (1622-1625).
Oleo sobre lienzo, 130 × 108 cm.   C. 1.685

Rubens es cultivador de todos los géneros pictóricos de forma admirable, y el Museo del Prado conserva espléndidos ejemplares de toda su tipología productiva, no igualada en ningún otro museo. Entre sus retratos destacan en la pinacoteca madrileña el del duque de Lerma —posiblemente el más importante retrato juvenil, adquirido recientemente— y el de la reina de Francia, María de Médicis. En la fecha en que fue realizado este retrato tendría la hija del duque de Toscana, Francesco de Médicis, alrededor de los cincuenta años y era por entonces regente de Francia, ya que hacía más de doce que había muerto Enrique IV (1610). Si comparamos sus vestiduras de reina-viuda francesa con las de sus congéneres españolas la diferencia es inmensa. De este modo, por ejemplo, doña María de Austria, que fue esposa de Felipe IV, viste un hábito monjil, mientras la reina de Francia elegantemente y con gran riqueza, aunque las telas sean blancas y negras. Gruesas perlas —joyas que se pueden ostentar con el luto— adornan su cuello y orejas. Como recuerdo de la belleza pasada, pues a pesar de la doble barba y de los inflados carrillos, todavía Rubens nos presenta aquí rasgos de una rubia hermosura.

El pintor flamenco, por esta época, realiza con colaboradores el ciclo de la vida de la reina de Francia, hoy en el Louvre, que fue proyectado para el palacio de Luxemburgo. Entre 1628 y 1631, el pihtor de Amberes trabajó en otro conjunto pictórico, en el que se relataba la historia de su esposo; pero las disputas con su hijo Luis XIII y las intrigas de Richelieu, su consejero, hicieron que fuera abandonado el proyecto, puesto que la Reina madre quedó arruinada, llegando Rubens a prestarle dinero en una ocasión.

Fue adquirida esta obra en la testamentaría de Rubens en Amberes y, según Mayse, trasladada a Madrid en 1636, aunque este dato no lo confirman los *inventarios* reales; en cambio se sabe que en 1686 estaba instalada en el Alcázar.

LAMINA LV

PEDRO PABLO RUBENS.
Las Tres Gracias (a. 1639).
Oleo sobre lienzo, 221 × 181 cm.   C. 1.670

En junio de 1626 cuando muere Isabel Brandt, la primera mujer de Rubens, éste, para distraer las amarguras de la soledad, comienza una actividad diplomática a las órdenes de la Corona española. Su misión era un viejo anhelo del pintor flamenco: restablecer la paz en Europa, perdida desde el comienzo de la Guerra de los Treinta Años. Viajes a Madrid y a Londres, además de servir de distracción, son aprovechados por Rubens no solamente para estos fines políticos, sino para buscar nueva clientela.

Mas la pintura y la diplomacia no llenan completamente su vida; su fuerte temperamento necesita de una mujer. Cuatro años más tarde de la muerte de su primera esposa se casará con una sobrina de ésta, Elena Fourment, una jovencita de sólo dieciséis años; Rubens tenía por entonces cincuenta y tres. De esta unión llena de peligros Rubens extrae nuevas y momentáneas fuerzas. Será la última década de su vida, puesto que muere en 1640, en su momento más fructífero en el que surgen de sus manos bellísimos cuadros, como el retrato de Elena, con tan sólo un abrigo de pieles sobre los hombros y una estupenda fiesta imaginada en el jardín de su casa de Amberes: *El Jardín del Amor* (Cat. 1.690).

Pero, probablemente, la obra más tardía que de Rubens conserva el Museo del Prado es *Las Tres Gracias*, donde el pintor de Amberes ha hecho un alarde de su capacidad artística, consiguiendo una obra maestra por su belleza formal. Los rasgos físicos de las tres jóvenes representadas son opulentos, y las carnaciones de tonos rosados, realizadas por veladuras, producen efectos de prodigioso cromatismo. Las *Gracias* están representadas entrelazadas, de un modo idéntico al de la obra de Rafael con el mismo tema. Este, a su vez, se inspiró en una escultura clásica de serena belleza, conocida a través de diversos ejemplares, uno de ellos en la Biblioteca Piccolimini en la catedral de Siena. Rubens, en cambio, barroquizó las formas de las hijas de Júpiter y de la nereida Erínome. Sobre las cabezas de las diosas de la alegría y de los festejos, aparece una guirnalda de rosas, que simboliza la condición de servidoras de Venus; esto mismo se acentúa con la cierva que aparece al fondo. La exuberancia compositiva y la libertad de la ejecución, nos hacen recordar el verso de Rafael Alberti: «Era del hombre, la pasión, la vida».

En el siglo XVIII no se supo comprender este sentido, y por ello fue guardada en la galería secreta de la Real Academia de San Fernando. Hoy, una reciente limpieza ha revivido el admirable colorido de esta obra, que fue adquirida por Felipe IV en la almoneda de los bienes de Rubens.

LAMINA LVI

ANTONIO VAN DYCK.
Autorretrato con sir Endimion Porter (1630?).
Oleo sobre lienzo, 119 × 144 cm.   C. 1.489

Transcurren en Inglaterra los últimos años de la corta vida de van Dyck (1632-41) —morirá a los cuarenta y dos años—. Allí logra convertirse en el pintor de una sociedad aristocrática y opulenta, logrando colmar sus anhelos de vivir elegantemente entre personas distinguidas y cultivadas. El pintor belga, integrado totalmente dentro de la sociedad inglesa, acepta sus costumbres y logra la amistad de los nobles, mientras se siente mimado por las damas, a las que en muchas ocasiones enamora. Mas aquellos placeres que motivaron goces, también le llevan a la muerte prematura.

Entre sus amigos destacan el vizconde de Arundel, y sir Endimion Porter (m. 1649)), famoso coleccionista y gustador de la pintura además de poeta, político y diplomático; prestó sus servicios al duque de Buckingham, como especialistas en asuntos hispánicos y de esta forma visita Madrid en 1622 para intervenir en los tratos matrimoniales, que más tarde fracasan, entre doña María, la hermana del Rey, y Carlos I de Inglaterra. Vuelve otra vez a Madrid en 1628, ciudad donde había nacido en 1587 y aprendido las formas cortesanas como paje del conde-duque de Olivares. Posiblemente es Porter quien influye en van Dyck para que se traslade a Inglaterra en 1632.

Este retrato doble es posible que esté realizado entre 1629 y 1630, antes de su estancia británica, cuando sir Endimion compra al pintor en Amberes el *Renaud y Armida* para la colección de Carlos I. El estilo y el rostro del pintor hacen posible esta afirmación aunque otros autores, como Schäffer, la fechan hacia 1640 y van Puyvelde lo cree realizado un poco antes. Sobre todo la técnica pictórica, con una pincelada apretada, hace pensar que sea obra anterior a su última etapa. Posiblemente el que se autorretratara sería a petición del diplomado inglés; con ello se consiguió que el pintor satisfaciera sus gustos personales y sir Endimion fuera eternizado, al estar acompañado para siempre de un pintor que pasaría a la posteridad. Las elegantes posturas de los retratados, la elegancia de las sedas de los trajes, la expresión y profundidad sicológica en los rostros causaron un impacto profundo no sólo en los pintores ingleses contemporáneos, sino en los posteriores; por ello se puede decir que es van Dyck el creador de la escuela inglesa de pintura (lám. LXXXIV). Además, el uso de cortinajes y de una columna al fondo, será repetido no sólo en Inglaterra, sino en la pintura continental europea del siglo XVII y XVIII.

Lo adquiere Isabel de Farnesio, la segunda mujer de Felipe V, coleccionista de exquisita sensibilidad. En 1746 aparece registrado ya en el Palacio de La Granja (Segovia).

LAMINA LVII

JAN BRUEGHEL DE VELOURS.
Alegoría de la Vista (1617).
Oleo sobre tabla, 65 × 109 cm. C. 1.394

En Flandes, durante el siglo XVII, se desarrolla un género pictórico, en el que se representan habitaciones totalmente decoradas por cuadros, esculturas, dibujos y objetos curiosos, llamado de *cabinets d'amateurs*. Será en los comienzos del siglo cuando surja el primer cuadro en que se representa un verdadero «gabinete de coleccionista»; se realiza en 1617 por Brueghel de Velours, pues en esta fecha firma su *Alegoría de la Vista*, la obra más significativa desde un punto de vista pictórico de la serie de los *Cinco sentidos* del Prado. Este conjunto está pintado por Brueghel entre 1617 y 1618. En cada uno de estos cuadros aparecen múltiples objetos, más o menos artísticos, concentrados en habitaciones; en la tabla donde aparecen mayor número de cuadros es, lógicamente, en *La Vista*. Aunque en otra pintura del mismo artista en el Prado, *La Vista y el Olfato*, también vuelve a representarse una verdadera galería de obras de arte.

Es esta *Alegoría de la Vista* uno de los más bellos cuadros de la producción de Brueghel; según S. Peth-Holteroff (*Les peintres flamandes de cabinets d'amateurs*), la joven semidesnuda que personifica este sentido, está representada por Venus; mas como en todos aparecen figuras idénticas, es presumible que fuera una ninfa. También el mismo autor nos dice que contempla su imagen en un espejo, que confunde con una lupa, lo que mira es un cuadro con significado alegórico, pues representa *La curación del ciego*. Lo mismo que *La Vista y el Olfato*, se inspirará en la Galería de los archiduques Alberto e Isabel, que fueron sus protectores, en lugar preferente, sobre una mesa y a la derecha del cuadro, aparece su doble retrato; y casi en el centro del cuadro una reducción del gran *Retrato ecuestre del archiduque Alberto*. A la vez se rinde homenaje a Rubens, ya que a la derecha del espectador y en primer término se reproduce *la Bacanal* (Ermitage, Leningrado), pintada tres años antes, y la *Virgen de la Guirnalda* (Louvre), donde Brueghel ha colaborado haciendo la guirnalda de flores, de la cual estaba muy orgulloso y que aquí reproduce con toda exactitud, miniaturísticamente. Se pueden documentar algunos de los otros cuadros, pero ya son de menor importancia como una copia de la Santa Cecilia de Rafael. Al fondo aparecen repisas con esculturas miguelangescas y las cabezas de Laoconte, Séneca, Galba, Lucio Vero, etc. Y además en el suelo aparecen gran número de instrumentos científicos.

La serie de *Los cinco sentidos* fue adquirida inmediatamente después de su realización por el duque Pfalz-Neuburg, que los regaló «al Cardenal Infante [Don Fernando] y su Alteza al duque de Medina de las Torres y el duque a Su Magestad», como indicaba el inventario del Palacio de Madrid en 1636. En esta relación se indicaba que las figuras eran de Rubens (?).

LAMINA LVIII

DAVID TENIERS EL JOVEN.
El viejo y la criada (h. 1635-1645).
Oleo sobre lienzo, 49 × 64 cm.   C. 1.800

La pintura flamenca del barroco cultiva esencialmente el tema religioso y el retrato; mas no por ello descuida el cuadro de género, existiendo pintores que se especializan en la representación de escenas populares.

El más famoso es David Teniers el Joven. Sus cuadros son casi siempre de pequeño tamaño y difieren específicamente de los que por entonces realizaban los pintores holandeses pues, a pesar de las proximidades entre Flandes y Holanda, las diferencias religiosas, políticas, sociológicas y culturales entre los dos países vecinos eran cuy fuertes. Esto explica que la pintura de Teniers no sea intrínsecamente popular, al contrario de la holandesa donde la vida cotidiana adquiere un genuino sentido íntimo. A principios de siglo la diferencia no era tan pronunciada, en los dos países se pintaban bebedores, criados de tabernas, cortesanas, soldados... y especialmente «kermesses»; mas poco a poco esta tipología fue desapareciendo en la Holanda protestante y puritana, donde la pintura relatará la vida hogareña y cotidiana. Mientras, en Bélgica continua la tipología tradicional, aunque distanciándola del verdadero carácter popular al perder la intimidad.

Así, en las pinturas de Teniers las fiestas del pueblo son contempladas con la visión de un espectador, al contrario que Brouwer o Van Ostade, que se sumergen en ellas. Teniers es un caballero que relata las diversiones y la picaresca del pueblo con visión de reportero, para que sean contempladas por los poderosos. Un buen ejemplo es esta criada sorprendida por su viejo amo cuando está fregando, como en las obras teatrales del momento, y que se limita a poner una expresión bobalicona; lo picaresco se acentúa al aparecer al fondo la vieja esposa. En cambio en el ambiente claroscurista, donde los objetos son estudiados meticulosamente, recuerda a los cuadros de Van Ostade, por el que indudablemente se deja influir.

Felipe IV ya había adquirido en vida del autor, a través de su virrey, cuadros de Teniers; posiblemente a causa del aislamiento de Holanda y España, causa fundamental de la carencia de obras holandesas, tuvo que conconformarse con las pinturas de género de este pintor. Mas fue Isabel de Farnesio quien mostró una predilección especial por él, coleccionando numerosas obras como la que aquí se reproduce, la cual estaba en La Granja, ya en 1746; después pasó a Aranjuez.

REMBRANDT.
Artemisa (1634).
Oleo sobre lienzo, 142 × 153 cm.   C. 2.132

Cronológicamente es una de las primeras obras maestras del pintor de Leyden. Según algunos críticos representa a Sofonisba recibiendo una copa con vino envenenado, enviada por su esposo el rey númida Sifax, prisionero de su enemigo Masinisa cuando temía que fuera violentada por Escipión a quien había sido entregada, ella sumisamente la bebió. Después de una reciente restauración, es necesario aceptar la antigua atribución de que representaba aquí Rembrandt a Artemisa, reina de Pérgamo, dispuesta a consumir las cenizas de su marido Mausolo disueltas en una copa, ya que una vieja sirviente aparece al fondo llevándolas envueltas en telas. Más tarde la enamorada viuda erigió en memoria de su esposo el famoso mausoleo, que fue el mayor monumento consagrado por la fidelidad matrimonial continuada aún después de la muerte.

La escena representada, como vemos, es símbolo del amor conyugal con visión platónica. Creemos reconocer la pareja de este cuadro en el *Sabio* de la Galería Nacional de Praga, que en tal caso representaría a Platón, ya que tienen identidad de fechas y de dimensiones, además de una afinidad temática (ver Revista *Goya*, núm. 95, marzo-abril 1970). Este conjunto de tipo histórico-filosófico, tiene ya un antecedente en el *Aristóteles contemplando el busto de Homero*, el *Homero ciego* y el *Alejandro*, que pertenecieron a la colección Rufo en Messina. La escena está relacionada con su propia vida, puesto que está fechada en 1634, año de su matrimonio con su primera mujer, Saskia van Uylenborch, el amor más intenso de su vida; aunque algunos críticos han negado que sea un retrato de ella, su parentesco con otros de la misma época es indudable, pues aquí aparece ya, lo mismo que en el *Banquete de Sansón*, en estado de buena esperanza, lo que deforma un tanto el rostro y el cuerpo.

Probablemente la escena está basada en un cuadro de Rubens, del cual, según Konsnetzov, aunque Gerson ha rechazado esta hipótesis, existe una copia en Sansousi (Berlín), con el mismo tema. Pero aquí las calidades son superiores lo mismo que el sentido colorista, que convierte a esta obra en una de las escenas mitológicas más expresivas del siglo XVII. Firmado en el brazo del sillón: *Rembrandt f. 1634.*

Fue adquirido en 1769, por 2.500 reales, en la almoneda del Marqués de la Ensenada; en la compra intervino Mengs. También el *Platón* estuvo en España hasta el siglo XIX.

LAMINA LX

GUIDO RENI.
Cleopatra (h. 1635-1641).
Oleo sobre lienzo, 110 × 94 cm.   C. 209

Entre los mejores ejemplares que el Prado guarda de Guido Reni están
el *Hipomene y Atalante*, la *Muchacha con una rosa, Santiago Apóstol* y esta
delicioso *Cleopatra*, representada en el momento en que agoniza debido a la
ponzoña de un áspid, que le ha mordido. Guido Reni crea en esta obra una
composición característica del barroco, pues está representada Cleopatra con
la mirada fija en el cielo, gesto que aunque procede del manierismo toma
forma propia en el siglo XVII, especialmente en Italia. Del mismo modo
aparecen colocadas muchas de las figuras femeninas de Reni, ya sean sacras
o profanas. Pues de esta manera grandilocuente, casi como un final de ópera,
expresa este pintor el dolor y la consumación de la vida.

Pérez Sánchez, en su importante libro *La pintura italiana del siglo XVII
en España*, la cataloga como obra característica de sus últimos tiempos. La suavidad y simplicidad del colorido, que tiende a una mono-
cromía de «grisalla» en tonos grises aceitunados, es típica del período final
de su vida. En estas obras finales, la iluminación se suaviza, paliando los
efectismos caravaggiescos, que aquí quedan suavizados. Malvasía, el primer
tratadista de la pintura boloñesa, en 1678, dice que «para las Lucrecias,
Cleopatras y otras se sirvió como modelos de las Condesas Bianchi y Bar-
bacci»; lo que indica: primero, que hizo varias versiones de éstas, siendo
así que se conservan varias Cleopatras, la del Prado es una de las más
importantes; y, segundo, que los modelos fueron tomados del natural, ya
que de este tipo de figuras existen dos modelos distintos. Este Museo posee
también, aunque son obras de taller, una *Lucrecia* (C. 208) y una *Judith*
(C. 226).

En España existe otra *Cleopatra* realizada de una manera muy distinta
a ésta, en la colección mallorquina de la marquesa de la Zenia. El ejemplar
del Prado aparece inventariado por primera vez en el Palacio de Oriente,
en 1814. Fue litografiado por Zoeller (Col. litográfica, t. II). No está incluido
en los últimos catálogos (1963 y 1972).

636.

LAMINA LXI

FRANCISCO RIBALTA.
Cristo abrazando a San Bernardo (1624-1626).
Oleo sobre lienzo, 158 × 113 cm.   C. 2.804

Entre las más admirables representaciones pictóricas de la mística-ascética española, se encuentra el *Cristo abrazando a San Bernardo* de Francisco Ribalta. Está tomada su iconografía de la *Vida de San Bernardo* del Padre Rivadeneyra: la narración del momento en que, hallándose el fundador de la Orden cisterciense en éxtasis ante el Crucifijo, Cristo se desprende de la Cruz y le abraza. El recuerdo de la famosa poesía mística española: «Dejeme y olvideme, el rostro incliné sobre mi amado», está presente cuando se admira esta obra.

Ribalta ha realizado aquí una obra pictórica donde ya el realismo del incipiente barroco español está presente; si en el cuerpo musculoso de Cristo existen todavía recuerdos manieristas, tal vez reminiscencias de su formación escurialense, en cambio, la figura del Santo es un espléndido ejemplo de realismo, pues aparece como un claro estudio de la obserción natural, expresado en la laxitud del cuerpo y del rostro, que se entregan místicamente a Jesús. Sombras traslúcidas se condensan entre los pliegues de los paños del hábito del Císter, a la manera en que aparecen en los monjes de Zurbarán; esto hizo posible que a comienzos de siglo fuera publicada la obra con atribución al pintor extremeño. Aunque ello es de extrañar si se observa que Ponz, en su *Viaje de España* (carta VII, 7), describe este cuadro en la celda prioral de la Cartuja valenciana de Portaceli, diciendo de él: «Es de lo más bello, bien pintado y expresivo que puede darse de Ribalta; todo parece nada al lado de esa pintura». Como se ve los elogios no pueden ser más efusivos, sobre todo viniendo de un crítico impregnado de la frialdad neoclásica y cuya ferocidad para el barroco era patente. Ahora bien, hoy este cuadro sigue admirando al espectador no sólo por la profundidad sicológica con que se trata a los personajes, sino por su hermosura formal. La luz ilumina fuertemente a las figuras principales dejando en las tinieblas el fondo y entrevelados una pareja de convencionales ángeles; posiblemente ello es debido al contacto de Ribalta con el pintor italiano creador del tenebrismo: Michelangelo Merisi, *il Caravaggio*. Es en Italia donde Ribalta copia y estudia, como ha demostrado Ainaud de Lasarte, las obras del creador de un nuevo estilo pictórico, el realismo.

Desaparecido de la Cartuja de Portaceli, desde la Desamortización; fue adquirido en 1940 con fondos del legado Conde de Cartagena.

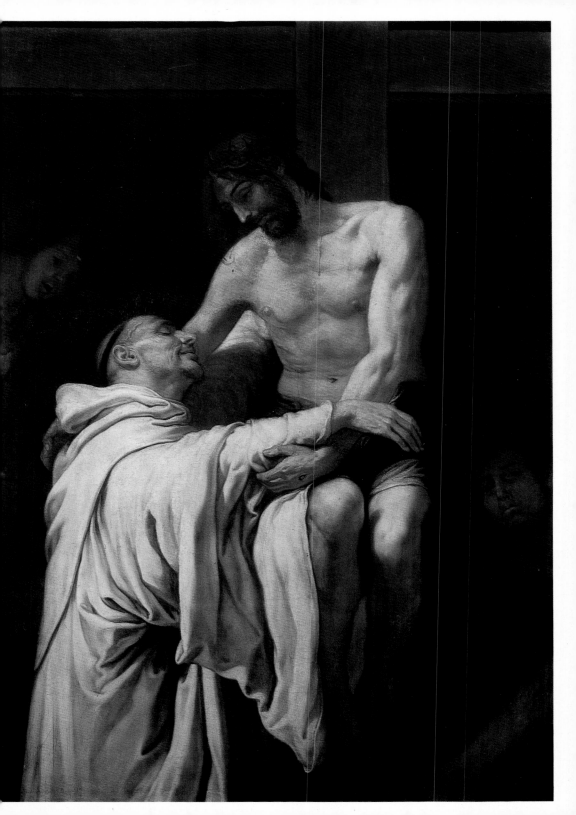

José de Ribera.
San Bartolomé (1632-1635). Frg.
Oleo sobre lienzo, 77 × 64 cm.   C. 1.099

Este fragmento de cabeza, que aquí se reproduce, es un buen ejemplo
de la capacidad técnica de la pintura de Ribera. Pues, posiblemente, es este
pintor español uno de los más capacitados de su generación. En él, el oficio
de pintor llega a un virtuosismo admirable, fruto de muchas horas de trabajo y de una aguda observación de la realidad, puesto que junto a su capacidad de elaboración existe una preocupación por penetrar en el ambiente
circundante y en el espíritu de los personajes retratados. En su técnica de
gran agilidad y en su realismo va más lejos que el propio Caravaggio, el
iniciador del estilo tenebrista. Ya algunos contemporáneos italianos, entre
ellos Mancini, comparaban su pintura con la del propio Caravaggio, elo-
giando su factura; pues su pincelada es más densa, más fulgurante y produce una sensación de relieve más intensa que la del artista italiano, con
la que logra texturas o lo que hoy en los talleres de pintores se llama
«materia». Esta preocupación formal hace que en las obras del *Spagnoletto*
tenga tanta importancia lo pictórico como el contenido.
    Es esta figura, posiblemente, un retrato tomado del natural y directamen-
te. Se sabe que Ribera se servía de mendigos y cargadores del puerto de
Nápoles como modelos. Por eso las arrugas, las barbas, los ojos y las narices
enrojecidas por el alcohol, hacen que el tipo aquí representado sea un modelo muy característico dentro de su producción. Puntos de luces avalan el
cromatismo y es tal su fuerza realista y popular, que seres semejantes han
hecho decir a la investigadora Malinskaya que Ribera es el más importante pintor popular de su siglo. El cuadro entero representa a San Bartolomé de menos de medio cuerpo, con túnica roja y manto blanco. En la
derecha, como símbolo, lleva el cuchillo con que le desollaron.
    Forma parte de un Apostolado pintado en plena madurez del artista (se-
gún don Elías Tormo entre 1632 y 1635); estuvo en el Casino del Príncipe
de El Escorial; de allí pasó al Prado.

José de Ribera.
Martirio de San Bartolomé o *San Felipe* (1639 ó 1630).
Oleo sobre tela, 234 × 234 cm.   C. 1.101

Se ha discutido la fecha de la ejecución de esta obra maestra de Ribera pues, aunque a primera vista parece firmado en 1630, la borrosa firma se presta a confusión; además, la soltura de la pincelada y el mayor sentido colorístico se apartan ya de las técnicas tenebristas de sus primeras obras. La composición también adquiere aquí una mayor libertad, lo que le da al cuadro un sentido de espacialidad ambiental hasta ahora inédito en la obra del Spagnoletto; las forman quedan perfectamente estructuradas y definidas dentro de un triángulo invertido formando dos claras diagonales y las verticales que producen el mástil donde es izado el mártir y los clásicos fustes de columnas estriados, testimonios del amor de Ribera al arte antiguo.

Delphine Fitz Darby nos dice que en este lienzo no se representa el martirio de San Bartolomé, como tradicionalmente se creía, sino la crucifixión de otro apóstol más joven, y que había sido atado al instrumento de martirio: San Felipe. (Normalmente a San Bartolomé se le representa con barba canosa.)

Para el siglo XIX, Ribera es el pintor de los cruentos martirios, de lo cual ciertamente está muy alejado. Así, en esta obra se aparta de lo sangriento al contrario que su contemporáneo Poussin, el cual en su *Martirio de San Erasmo* (Vaticano) nos presenta el momento mismo del tormento, cuando un sayón con gran minuciosidad enrolla los intestinos del santo. En cambio, Ribera toma como tema el momento de los preparativos; ello hace factible el ejecutar un hercúleo desnudo, posiblemente el de un cargador de muelle de Nápoles, con todos los músculos en tensión, que recuerda los titanes del manierismo. Mientras, un grupo de espectadores a la derecha están representados clásicamente, no preocupándose demasiado de la acción; sin embargo, en el extremo izquierdo, unos tipos de fuerte sabor popular hacen recordar por su realismo lo que Goya pintaría casi dos siglos más tarde.

En 1666, ya se encontraba esta obra en el Alcázar de Madrid y pasó al Prado en los momentos de su fundación, pues se inventaría en el *Catálogo* de 1828. Está firmada, en una piedra, en el ángulo inferior derecho: «Jusepe de Ribera español 1639 (?)».

LAMINA LXIV

FRANCISCO DE ZURBARÁN.
Naturaleza inerte (*Bodegón*) (1632-1642).
Oleo sobre lienzo, 46 × 84 cm.

C. 2.803

Zurbarán ha sido uno de los pintores españoles que más bellas y serenas *naturalezas inertes* ha realizado. Preferimos dar este nombre a lo que normalmente se llama bodegón o naturaleza muerta, pues aparece con esta denominación en la bibliografía coetánea y además estos objetos no están muertos sino quietos en la pintura barroca española. Le hubiera bastado al pintor del pueblecito extremeño de Fuente de Cantos haber pintado la *naturaleza* con naranjas, limones y una taza, que de la colección Contini-Bonacossi de Florencia ha pasado recientemente al Metropolitan Museum de Nueva York, para alcanzar la fama que hoy tiene, pues esta es una de las más bellas producciones de su género.

En el Museo del Prado se conserva otra *naturaleza inerte*, que se reproduce, más pequeña y humilde que la de Nueva York, pero llena de un particular encanto. Tres objetos de barro y una copa de bronce, sobre una patena, alineados serenamente, forman este diáfano *bodegón*. Cada objeto tiene aquí individualidad propia e independiente, gracias a que sus calidades están delicadamente estudiadas e individualizados en cuanto a su concepción, de tal forma que si alguno de ellos se rompiera, hipotéticamente, no podría ser sustituido por otro. Tienen tanta personalidad espiritual cada uno de estos objetos que hacen pensar en la castiza expresión de Santa Teresa: «Hasta en los pucheros anda el Señor».

Estas naturalezas son eminentemente barrocas. Pues, como ha dicho Orozco Díaz, este estilo «amplía el campo de los objetos a representar, buscando lo expresivo fuera de la figura humana». Por ello el *bodegón* y las *naturalezas inertes* aparecen como consecuencia de las tendencias realistas propias del barroco. Anteriormente, en el Renacimiento y en la Edad Media, no existía como género independiente el *bodegón*, sino que aparecía como parte integrante de un cuadro; si se habían realizado algunos era tan sólo como estudios, pues solamente en el siglo XVII se desarrolla esta tipología pictórica.

El que reproducimos fue donado al Prado por el ilustre político y mecenas don Francisco Cambó en 1940. Otro ejemplar se conserva en la colección que el mismo prócer donó al Museo de Barcelona; en él están menos delineados los objetos y no tienen tanta vivacidad; sin embargo el sentido plástico es más intenso, lo que hace pensar el que pudiera estar realizado por su hijo Juan de Zurbarán, también espléndido bodegonista dentro de la línea marcada por el padre. Los dos están muy próximos, especialmente el de Barcelona, a los ejemplares de los Museos de Moscú y Kiev, firmados por Juan.

LAMINA LXV

FRANCISCO DE ZURBARÁN.
Defensa de Cádiz contra los ingleses (1634).
Oleo sobre lienzo, 302 × 323 cm.   C. 656

Hasta que en 1945 María Luisa Caturla halló, después de una laboriosa búsqueda, el documento que certificaba que la *Defensa de Cádiz* estaba realizada por Zurbarán, la mayor parte de la crítica venía asignándola al pintor Eugenio Cajés. Hoy nos parece incomprensible, sobre todo después que Roberto Longhi lo atribuyeran al pintor de Fuente de Cantos en 1927. Sin embargo, Meyer y otros estudiosos de la pintura española seguían insistiendo en su errónea atribución, asignada desde el siglo XVIII por Ponz en su *Viaje* y recogida por Ceán Bermúdez en su famoso *Diccionario*. No obstante, el historiador alemán Mayer señalaba que en él aparecían «retratos muy interesantes de soldados que recuerdan algo en su ademán y en su modelado el arte de Zurbarán; pero Zurbarán es más sencillo y más importante en todos los aspectos». Hoy no podemos apartar esta obra de la órbita del pintor extremeño, ni tampoco considerarla una producción de escasa importancia.

La escena representa el momento en que los ingleses, que habían puesto sitio a Cádiz el 1 de noviembre de 1625, son rechazados. Don Fernando Girón, gobernador de la plaza, da órdenes a los jefes militares sentado en su «silla de mano»; viste traje negro y sólo su banda roja anima un tanto la figura; una golilla encuadra la espléndida cabeza, llena de majestuosidad; tanto en ella como en sus manos, se perciben recuerdos de la pintura de Velázquez, su amigo e introductor en la Corte. Esto mismo lo observamos en el caballero santiaguista que, con un memorial en la mano y vestido civilmente, está detrás del general en jefe. Los demás personajes que aparecen en la escena llevan ropajes colorados que sólo eran permitidos en España en la guerra. Así, en el centro se encuentra el duque de Medina Sidonia (?) con media armadura repujada, banda roja y pantalones violáceos; un poco más hacia la derecha del espectador, otro general ya anciano, tal vez don Lorenzo de Cabrera, viste con gallardía; y, en los tres jóvenes militares aún se acentúa la riqueza en los trajes. Al fondo, en tierra, las tropas inglesas comienzan a ser rechazadas por las españolas. Mientras, en el mar, las flotas de ambos bandos combaten arduamente cubriendo casi por entero su superficie y dando al cuadro un sabor arcaizante. El paisaje recuerda un tanto al gaditano que Zurbarán conociera.

En abril de 1634 Zurbarán se desplazó de Sevilla a Madrid. El 13 de noviembre le fueron pagados mil cien ducados por este cuadro y los llamados *Trabajos de Hércules* (Prado), los cuales formaron parte de la decoración del Salón de Reinos del Buen Retiro, junto a *La Rendición de Breda* de Velázquez, la *Reconquista de Bahía*, de Maino, y otros cuadros conmemorativos de victorias españolas, realizados por Cajés, Carducho y J. Leonardo, además de los retratos ecuestres reales pintados por Velázquez.

LAMINA LXVI

FRANCISCO DE ZURBARÁN.
Santa Casilda (h. 1640).
Oleo sobre lienzo, recortado, 184 × 90 cm.   C. 1.239

Es esta adorable figura femenina la representación de una santa; mas,
a su vez es también el encantador retrato de una muchacha de la «alta sociedad» sevillana de los comienzos del siglo XVII. Sabemos que era costumbre, en ciertas procesiones sevillanas, el que desfilaran jóvenes con atributos
de santas; por ello aquí Santa Casilda está representada marchando. Su
«pose» recuerda a la de las modelos en los actuales desfiles de modas. Luce
suntuoso vestido de brocado y ricas joyas. Mientras, su tímida y a la vez
osada mirada se enfrenta con la de los espectadores.

Posiblemente, será este cuadro representación de una devota dama que
llevaría por nombre el de Casilda, pues en sus faldas aparecen las rosas en
que se convirtieron los trozos de pan llevados por la santa a los esclavos cristianos de su padre, el rey de Toledo. Ahora bien, aunque su traje está un
tanto fantaseado, nada tiene que ver con las vestimentas moriscas. Pues es
característico de Zurbarán el «ahistoricismo». Además, como las acostumbraba a pintar, las telas están superpuestas sobre un maniquí. Con ello se
logran efectos muy característicos; así, aparecen en los fuertes plegados
sombras transparentes, conseguidas por superposición de veladuras. Con la
dureza aparente de las telas y con los tonos cálidos de las superficies, logra
efectos casi precubistas. Y, además, aquí, como en casi todas sus obras importantes, la sensación de reposo, al no existir el menor sentido gesticulante,
es tal que su pintura tiene un característico sentido estático, alejándose de
la grandilocuencia de los pintores italianos contemporáneos. Ello, y el sentido ascético de sus obras, hace dimanar de éstas una fuerte espiritualidad;
mas aquí, a su vez se entremezcla con un suave matiz de frivolidad y co-
quetería.

Estas figuras de santas formaban series para colocar alrededor de los
muros de una habitación, por lo común una sacristía; aunque en ocasiones
serían piezas sueltas; ello queda demostrado por testimonios literarios des-
cubiertos por Orozco. En estas series intervinieron discípulos, y algunas
fueron repetidas por continuadores. En otras ocasiones Zurbarán pinta ver-
daderas santas, cuyas expresiones virtuosas son distintas a la de ésta, que,
aunque recatada, dama al fin.

Esta *Santa Casilda* ha perdido por lo menos diez centímetros en el margen izquierdo. Existe un grabado de *Santa Emerenciana*, obra de David Teniers el Viejo, que posiblemente ha servido de base compositiva a esta
pintura. Hasta 1814 no aparece inventariada en el Palacio en la «Pieza de chimenea», lo que hace suponer que proviniera del pillaje napoleónico en Sevilla.
Se cataloga en el Prado desde 1828.

ALONSO CANO.
Cristo muerto sostenido por un ángel (1648-1652).
Oleo sobre lienzo, 178 × 121 cm.

C. 629

Alonso Cano, en su primera etapa (Sevilla 1624-1638), cultiva, lo mismo que su compañero de taller Velázquez, un marcado carácter tenebrista, al que en los últimos años de esta estancia se añaden las formas elegantemente decorativas del clasicismo sevillano, tomadas de sus maestros Martínez Montañés y Pacheco. Mas cuando se establece en Madrid (1638) poco a poco va abandonando este naturalismo claroscurista, en el que pesara tanto el estilo de Ribera, por una mayor expresividad del color, sobre todo después de restaurar cuadros venecianos del Renacimiento, con motivo del incendio del Palacio del Buen Retiro, en 1640. En los retablos de la Magdalena de Getafe (1645) ya aparece perfilado este cambio pues, aunque los fondos son un tanto oscuros, hay un suave ilusionismo pictórico en telas y carnaciones, lo que demuestra un contacto directo con la obra de Tiziano y Veronés. Esto mismo se percibe en los *Reyes de España*, conservados en el Prado.

Posiblemente la obra más característica donde las luces nuevas luchan con las viejas tinieblas es el *Cristo muerto sostenido por un ángel* (Prado, C. 2.637) donde todavía el color tiene escasa importancia, predominando las tonalidades grises y blancas. Esta versión, aunque fechada por Wethey entre 1646-52, creemos que por su sentido tenebrista debe ser de sus comienzos madrileños y anterior a los retablos de Getafe.

La que se reproduce es ya de sus últimos tiempos de Madrid, cuando las tinieblas van despejándose de sus cuadros, aquí sólo las emplea a requerimiento del tema. En la composición se basa en un cuadro de Veronés, hoy en el Museo de Boston, mientras la anterior está tomada de un grabado de Golzio. Una lividez cadavérica envuelve el laso cuerpo de Cristo y los albos paños solamente se distinguen de la blancura de las carnes por suaves matizaciones, semejantes a las empleadas por Malevich, el gran creador abstracto. El color se intensifica en la túnica de tonos lavanda del ángel, mientras que el rostro aparece en semipenumbra, y los cabellos están copiados del cuadro veneciano. En primer término hay una jofaina además de la corona de espinas y los clavos, que acaban de ser arrancados del cuerpo de Jesús; estos son los últimos vestigios de la Pasión. Así el pintor, con un sentido místico, ha querido despojar al Señor de toda señal de violencia y de dolor: su rostro parece sereno y fláccido su cuerpo. Los azules carmines del abocetado paisaje, en el que se intuye una pequeña y misteriosa ciudad, acentúan la tensión dramática. A pesar de la posición negativa de Wethey, consideremos este ejemplar réplica original con intervención de un discípulo.

Adquirido al marqués de la Ensenada en 1769. En 1772 estaba en el «paso al dormitorio del rey», en el Palacio de Oriente; luego fue colocada en el oratorio privado. Existe una tercera réplica de taller en colección particular.

DIEGO VELÁZQUEZ.
La adoración de los Reyes Magos (1619).
Oleo sobre lienzo, 203 × 125.   C. 1.166

Esta es la única obra de Velázquez que con certeza conserva el Prado de sus comienzos sevillanos. En ella, como acostumbraba en su primera etapa pictórica, se ha servido posiblemente de modelos familiares por lo que el cuadro tiene un sentido intimista. Así, para la figura de la Virgen, con gran probabilidad, ha usado como modelo a su mujer Juana Pacheco. Sólo existe un retrato de ésta plenamente documentado: el realizado por su yerno Juan Bautista del Mazo en *La familia del pintor* del Museo de Viena, donde aparece ya abuela al cuidado de sus nietos; lo que hace muy difícil identificar otro retrato a base de éste, puesto que en él las facciones ya aparecen ajadas y envejecidas. Otro retrato, la *Sibila* del Museo del Prado, hay que rechazarlo, pues no existe ningún dato cierto que permita identificarlo como tal. En cambio, el rostro de la *Inmaculada Frere* (1618, National Gallery de Londres), es muy semejante al que aparece en la Virgen de esta *Adoración;* además, se acerca mucho al de algunas *Inmaculadas* de Pacheco, ya que padre y marido pudieron servirse del mismo modelo. Velázquez contrae matrimonio con la hija de su maestro el 23 de abril de 1618. (Buendía, *Goya*, núm. 23, 1950, pp. 281 y ss.)

Además de este posible retrato, la figura del mago arrodillado se ha identificado como un autorretrato del propio Velázquez, y la del otro rey que le acompaña con el de su suegro Pacheco. Ultimamente se ha intentado identificar a Jesús con la primera hija del pintor. Como vemos, la iconografía coincide con la fecha que aparece en el cuadro: 1619. Aunque algunos han visto la de 1617, hay que rechazarla no sólo porque gracias a nuevos procedimientos técnicos, como la lámpara de cuarzo, ha podido verse claramente el número nueve; también el procedimiento pictórico empleado por Velázquez es diferente al de dos años antes, puesto que aquí ya casi ha abandonado las tierras y usa el asfalto más moderadamente que en los cuadros anteriores. Aunque quedan ciertas matizaciones caravaggiescas, se perciben influencias estilísticas de Luis Tristán, confirmadas por textos literarios. El color aquí también se intensifica sobre la pintura anterior especialmente en los verdes y azules. Los paños todavía forman amplios y gruesos pliegues recordando a las esculturas de Montañés. En la composición usa un sentido diagonal que ya fue empleado por el manierismo y que aún cultivan algunos artistas del barroco.

Aunque en el Catálogo del Prado de 1920 se consideraba proviniente de El Escorial, donde según él estaba atribuida a Zurbarán, lo más probable es que pudiera ser esta la obra realizada por Velázquez para el noviciado de San Luis de los Jesuítas sevillanos. R. Twiss (1775) describe un cuadro con el mismo tema en la colección de don Francisco de Bruna en Sevilla.

DIEGO VELÁZQUEZ.
Vista del jardín de la Villa Médicis (¿1630?).
Oleo sobre lienzo, 44 × 38 cm.   C. 1.211

Las dos vistas de la villa romana que perteneció a la familia Médici son, sin duda, los más bellos paisajes realizados por Velázquez; solamente podría parangonarse con ellos el fulgurante fondo de *Las Lanzas*. Están, al parecer, realizadas en su primer viaje a Italia, en 1630, cuando residía en la citada mansión campestre, ya que para huir del tórrido verano romano buscó refugio entre la deliciosa arboleda y la frescura de esta vieja villa. Mas enferma, posiblemente de fiebres palúdicas, lo que le obliga a abandonarla para trasladarse a una dependencia de la Embajada española. Esta hipótesis con raíces tradicionales queda casi documentada, pues en 1634 Juan de Villanueva adquiere a Velázquez cuatro paisajes para donarlos a Felipe IV; dos de ellos serían los que conserva el Prado. Hoy día esto es defendido por José Camón Aznar y López Rey, refutando otra muy extendida de raigambre formalista, que consideraba que estos paisajes —por la espontaneidad de su técnica, casi impresionista—, debían de ser de la segunda estancia de Velázquez en Italia.

No hay duda de que la ejecución es tan avanzada que recuerda a la de etapas posteriores; sus calidades de boceto, puesto que técnicamente son tales, les aproximan a las pinturas de los pre-impresionistas franceses y aún más a las del realista Corot. Pues también estos paisajes están realizados directamente del natural. Velázquez plantaría su caballete en el jardín realizando dos *plein-air*, que estarían entre los primeros de toda la historia de la pintura. Hasta ahora el paisaje había sido casi siempre el fondo de una escena; salvo excepciones —como el que aparece en la *Dormición de la Virgen* (lám. XXV), de Mantegna— estaban pintados en el taller sin preocuparse por la realidad.

En la pareja de este apunte paisajístico la luz cae casi verticalmente, con iluminación solar filtrándose impresionísticamente entre el ramaje, produciendo intensas sombras que caen a plomo. (En el Prado solamente penetra la luz de esta manera en el cuadro del Veronés, *Venus y Adonis* (lámina XXXVII), y posiblemente el pintor veneciano lo hizo casualmente, pues no lo vuelve a repetir en ninguna otra pintura suya.) Por ello le llama Fuente Ferrari acertadamente el *Mediodía* de Velázquez, mientras que a la aquí reproducida, por tener una luz más mortecina, le denomina la *Tarde*. Este segundo paisaje es de técnica más desenvuelta que su compañero; también las dos figuras que aparecen en primer término son «impresionistas», y al fondo entre una arquería de tipo palladiano, aparece una estatua de Ariadna.

En 1666 se encontraban las dos pinturas en el Alcázar de Madrid, pasando al Palacio del Buen Retiro después del incendio de 1734.

LAMINA LXX

DIEGO VELÁZQUEZ.
La Rendición de Breda o *Las Lanzas* (1634-1635).
Oleo sobre lienzo, 307 × 367 cm.   C. 1.172

Se representa aquí el momento en que Ambrosio de Spínola, general jefe de los Tercios de Flandes, recibe la llave de la reconquistada ciudad de Breda, de manos del gobernador holandés Justino de Nassau; esta expugnación tuvo lugar el 2 de junio de 1625, pero la entrega simbólica se realizó tres días más tarde. Pasados nueve años, Velázquez recibe el encargo real de inmortalizar el hecho, dentro de un conjunto de victorias españolas en el Salón de Reinos del Buen Retiro.

Velázquez se documentó, tal como acostumbraba, mas esta vez con especial cuidado, como han demostrado Angulo y otros críticos. Así, busca distintas fuentes para la composición, entre las que destaca, para el grupo central, una estampa del encuentro de Esaú y Jacob, que aparece en distintas ediciones de la Biblia, a partir de una de Lyon de 1553, y que aún sigue usándose en ediciones en los comienzos del siglo XVII; ahora bien, esta composición a su vez —o puede que la del propio Velázquez—, está basada en la representación de la *Concordia* en la famosa «Emblemata» de Alciato; ya que la razón del cuadro es una concordia; en el rostro de Spínola se expresa la amabilidad, y apoyar la mano sobre el hombre del enemigo vencido, que intenta con gesto humilde arrodillarse, es eterno símbolo de perdón y paz. Para este grupo tuvo que tener también en cuenta el *Jesús y el Centurión*, del Veronés, cuya composición usa en el grupo de los españoles, junto con el *San Mauricio* del Greco. El retrato de Spínola se basa en la realidad, pues le conoció en su primer viaje a Italia (1629-30); para el de Nassau utilizó un grabado. Es admirable la fiel interpretación del paisaje holandés, puesto que sirviéndose de grabados y descripciones literarias logra uno de los más hermosos *plein-air* de la pintura, aplicando un sistema perspectívico muy próximo al de los paisajistas holandeses.

La composición general, como en otros cuadros de escenas de Velázquez (*Borrachos, Fragua de Vulcano, Hilanderas*), está abierta por una vertical en el extremo derecho, y cerrada por una curva ovalada en el izquierdo a la manera de la *Piedad* de van der Weyden. Radiografías recientes han revelado numerosos arrepentimientos; así, el caballo estaba casi en el centro en su primera versión.

Salvada del incendio que destruyó el Buen Retiro, en 1640, y el Alcázar, en 1734, pasó al Palacio de Oriente y luego al Prado en el momento de su fundación.

LAMINA LXXI

Diego Velázquez.
El príncipe Baltasar Carlos (1635-1636).
Oleo sobre lienzo, 209 × 173 cm.   C. 1.180

Está realizado este retrato ecuestre del príncipe Baltasar Carlos a la vez que otros retratos de sus padres y su abuela, también a caballo, conservados en el Prado, para el Salón de Reinos del Palacio madrileño del Buen Retiro, donde las cuatro obras estaban ya colocadas en 1637.

Aquí, Baltasar Carlos, aunque aparece alegremente cabalgando por las colinas del Pardo —al fondo se ve el Guadarrama, y destaca la cumbre nevada de La Maliciosa—, tiene el rostro lleno de melancolía, entristecido, a pesar de que Velázquez piadosamente lo ha desenfocado; así hará más tarde con los bufones de Palacio. La falta de salud del príncipe le llevará a una temprana muerte.

Esta obra pictórica estaba colocada como sobrepuerta, a bastante altura, lo que explica en parte cierta desproporción de la panza del caballo, pero también ha de tenerse en cuenta que este animal fue terminado de pintar por Velázquez después de que muriera, ya disecado, por deseo del modelo. Y, a pesar de ello, su cabeza es un espléndido ejemplo de realismo animalístico; su jadeo hace pensar en el verso de Góngora: «Tasca el freno de oro cano, del caballo andaluz la ociosa espuma». Confirma la capacidad de percepción de la realidad por el pintor del Rey el representar la bota del príncipe rellena, para poder mejor asentar el pequeño pie sobre el estribo. La figura del príncipe está armonizada con un delicioso cromatismo: sombrero negro, con pluma, coleto de tisú y oro y calzón de terciopelo verde recamado de oro, valona de encaje, banda rosada, y bengala de general.

Existen copias, de carácter más naturalista, representando al príncipe en el picadero real, con el conde-duque de Olivares al fondo, de un original hoy perdido.

266

LAMINA LXXII

DIEGO VELÁZQUEZ.
Don Sebastián de Morra (h. 1644).
Oleo sobre tela, 106 × 81 cm.

C. 1.202

Certeramente llama Lafuente Ferrari a los cuatro retratos de bufones que cubren la pared de una sala del Prado el *políptico de los monstruos,* ya que, aunque llenos de vida, estos personajes están tarados física y mentalmente. Sus nombres son conocidos: Juan Calabazas (*Calabacillas*), Diego de Acedo (*el Primo*), Francisco Lezcano (*el Niño de Vallecas*), y el que aquí se reproduce, *Don Sebastián de Morra.* Ahora bien, no todos los bufones o truhanes de Palacio eran deformes, sino que existían «graciosos», que tenían la virtud de distraer a reyes y cortesanos, por medio de chistes, cartas, prestidigitación, etc., perfectamente normales. Moreno Villa, que los ha estudiado exhaustivamente, afirma que servían de válvula de escape a las rigideces palatinas.

El truhán *Don Sebastián de Morra* es, sin duda, el cuadro más bello de la serie, por lo menos en cuanto al colorido, ya que su rojo sobretodo con galones dorados destaca vivamente sobre el coleto y el calzón verde. Don Sebastián (el Don no significaba apenas nada) sirvió en la Corte desde 1643, en que pasó al servicio del cardenal infante Don Fernando, que por entonces estaba en Flandes, al del príncipe Baltasar Carlos, quien le tomó tal afecto que al morir le deja un juego de armas blancas; él fallecería en 1649. Velázquez, como hace otras veces —así en el retrato ecuestre del poderoso conde-duque de Olivares, al que disimula su joroba—, palía por medio de la postura los defectos sin ocultarlos; de esta manera al poner sentado y de frente a este personajillo, sus cortas piernas quedan disimuladas, mas los pequeños y deformes brazos hacen patente su pequeñez. Aunque Velázquez acostumbra a dar un matiz humanitario a estos bufones, posiblemente el fuerte carácter de Morra, denotado por sus broncas facciones, hace que lo ridiculice con esta absurda postura, en la que las suelas de los zapatos están de frente al espectador, lo que le hace semejante a un muñeco o, «como un perro atado por una cadena a su perrera», según escribe Justi.

El retrato fue pintado hacia 1644. Sufrió en el incendio del Alcázar y entonces debió de ser recortado y trasladado de marco. Por lo menos durante un tiempo tuvo un enmarcamiento ovalado, del que todavía queda la silueta. En 1746 estaba ya en el Palacio del Buen Retiro.

LAMINA LXXIII

DIEGO VELÁZQUEZ.
La familia de Felipe IV o *Las Meninas* (1656). Frg.
Oleo sobre lienzo, 318 × 276 cm.   C. 1.174

La obra cumbre de la pintura de Velázquez es llamada en los inventarios palaciegos, desde 1666, el cuadro de *La familia*. Nadie había osado sustituir tal denominación hasta que don Pedro de Madrazo, en su *Catálogo* de 1843, la designa con el nombre de *Las Meninas*. El éxito de este nuevo apelativo fue rotundo, de tal manera que es como generalmente se le llama hoy. Es de advertir que el término portugués «menina» —muchachita— se aplicaba en Palacio a las «doncellas de honor».

Desde que fuera realizada esta pintura en el siglo XVII, su fama fue creciente. Así, ya Lucas Jordan cuando por primera vez se enfrenta ante esta obra la llama «Teología de la Pintura». Teófilo Gautier, asombrado por su espacialidad, preguntó: «¿Dónde está el cuadro?», abriendo la problemática de su volumetría. Es esta tan sólo una de las muchas interrogantes que suscita *Las Meninas*. Camón Aznar considera que no se trata de un «espacio pasivo», como en la pintura del renacimiento o del gótico, sino que su profundidad está determinada por las «interdistancias», por la luz y por «las recíprocas relaciones entre las cosas» y las actitudes de los personajes, lo cual crea «una complejidad espacial densa y palpable». La ambientación del cuadro que tiene lugar en el «Cuarto bajo del Príncipe Baltasar Carlos» (a su muerte fue obrador de los pintores del rey). La atmósfera es tratada con un sentido poético que intensifica la sobriedad de las paredes, en las que aparecen copias de Rubens hechas por Mazo, su yerno; la falta de enlosado que neutraliza el suelo, obliga a sustituir la vieja perspectiva óptica por una nueva basada en el espacio. Por ello, aunque la ambientación es totalmente real, existe cierta idealización atmosférica, equilibrada por una sistematización perspectívica, que ha sido conseguida empleando un sistema colorista, ya iniciado por los venecianos: el fundido, pues se tiende a una simplicidad casi monocroma. Para ayudar a conseguirla se sincopa el espacio gracias a escalonadas manchas luminosas que se intercalan con las sombras sobre el pavimento y las paredes; quedando compensada la carencia de enlosado con los marcos negros y la distribución de las figuras perspectívicamente, ya que el lienzo está compuesto, como ha demostrado Alpatov, según las leyes de la «dorada proporción». Como hemos indicado, Velázquez ha sustituido la tradicional perspectiva óptica por la espacial; y para lograrla distribuye con perfección los distintos focos de luz en el espacio pictórico, los cuales quedan ágilmente entrelazados. Desde una puerta invisible para el espectador, que se corresponde con la del fondo, un primer chorro luminoso enfoca a las figuras del primer término y al propio pintor, y, proyectadas desde los balcones sincopadamente, manchas luminosas van enfocando o desenfocando gradualmente a las figuras. Por la puerta del fondo penetra un gran torrente luminoso en la habitación acentuando

el relieve perspectívico. Con ello, se logra el más perfecto ejemplo de perspectiva aérea en toda la historia de la pintura.

Mas no es este el único problema pictórico que aquí se plantea, sino que se busca, como ha dicho Birkmeyer, una «cuarta dimensión». Esta se basa en la consecución del movimiento hacia adelante, al cual llama este autor «contraste», ya que se balancea de fuera al interior y de dentro del cuadro rebota hacia el exterior. Así, el bastidor y la puerta del fondo que se abre, son usados por Velázquez como «repossoires» para reflejar y dispersar la luz. Los principales personajes, al fijar sus miradas sobre el espectador, acentuan esta tensión; y al aparecer los reyes fantasmagóricamente reflejados en el espejo para enfrentarse con el contemplador, la proyección del cuadro hacia el exterior se intensifica. Este sentido completo ideado por Velázquez, aún se acentua ya que el propio pintor se ha representado dentro del cuadro pintando a los propios reyes, de los cuales sólo vemos sus efigies en apariencia, pues estarían situados en el exterior del cuadro, casi en sus bordes, más o menos en el lugar que Velázquez pintó el cuadro; los rostros reflejados no son los corpóreos, sino las imágenes ideales pintadas por Velázquez en el lienzo, cuyo bastidor aparece en primer término, y del que sólo un fragmento capta el espejo, pues si se efigiaran los soberanos fuera del cuadro, estarían representados en el espejo en tamaño más pequeño, como ha demostrado Moya.

A pesar de esta complicadísima escenografía, *Las Meninas* da tal sensación de sencillez que ha hecho decir a Ortega y Gasset: «De puro sencilla, es fabulosamente sublime». Para Sánchez Cantón el asunto es casi el de un retrato colectivo holandés: la delicada y encantadora Infanta penetra en el obrador del artista, siente sed y una menina le ofrece agua en un pucherito de Estremoz, cuyo barro la refresca y la endulza; mientras, otra le hace una reverencia. El momento en que las damas de honor se agachan, es aprovechado por Velázquez para hacer aparecer a los reyes en el espejo. Todo ello nos hace recordar algunas escenas teatrales de la época; Valbuena Prat, antes que nadie, relacionó a Velázquez con Calderón.

En cuanto a los personajes, y comenzando por la izquierda del espectador, aparecen formando una línea ondulatoria el propio pintor, Isabel de Velasco, la Infanta Margarita, María Agustina Sarmiento, la enana Maribárbola, y el enanito Pertusato; además, en segundo término, la dueña doña Marcela de Ulloa, y el guardadamas, que según algunos es Diego de Azcona aunque resulta difícil de determinar por el desenfoque luminoso. En la escalinata aparece el aposentador de palacio José Nieto Velázquez. Y, en el espejo, los reyes. Pero existe un personaje importantísimo e invisible: el espectador, pues, como agudamente ha indicado Orozco: «Somos como otro personaje que hemos entreabierto otra puerta, y con instintiva curiosidad, nos quedamos mirando lo que pasa en el recinto en que pinta Velázquez». Ultimamente el señor Mestre Fiel ha planteado nuevas problemáticas psicológicas.

Diego Velázquez.
La disputa de Palas y Aragne o *Las Hilanderas* (h. 1657).
Oleo sobre lienzo, 220 × 289 cm.　　　　　　　　　　　　　　C. 1.173

En 1948, el ilustre historiador del arte Angulo Iñiguez, redescubrió la antigua denominación con que luego apareció *Las Hilanderas* en un inventario de 1664: «Fábula de Aragne». He aquí el mito que sirvió de asunto al cuadro según la *Metamorfosis* de Ovidio: Minerva, la descubridora del telar, se considera la más importante tejedora del Universo, mas en Lidia, la joven Aragne realiza tejidos que causan la admiración de la comarca; Minerva le reta a un concurso. En este cuadro, en el primer término aparece la disputa, basadas las dos figuras principales en sendos *ignudi* de Miguel Angel, en la Capilla Sixtina, lo que hace suponer al profesor Angulo un homenaje al florentino. Mientras, al fondo, aparece el momento de la venganza. La diosa (defensora del poder) convierte en araña a la joven lidia (la rebeldía), sirviéndole de fondo su tapiz: *El rapto de Europa* (denigración de Júpiter, al sacar a luz sus devaneos) según el cuadro de Tiziano (hoy en el Museo Elisabeth Gardner de Boston, pero entonces en el Palacio madrileño). En primer término, al lado de unas damas que contemplan la escena, un violonchelo significa la armonía restablecida, pues el profesor Azcárate ha demostrado, basándose en la *Iconología* de Ripa, de la que Velázquez tenía ejemplares en su biblioteca, que lo que aquí se representa es una visión simbológica de la obediencia a la Monarquía y el castigo de los rebeldes, alusión política a la España de entonces, lo que confirma la teoría de Tolnay del neoplatonismo de este cuadro. Pero el pintor, basándose siempre en un mundo tangible, tomará como fuente de inspiración la Fábrica de restauración de tapices de Santa Isabel en Madrid. Al proclamar Justi que esta era la primera vez que se representaba un taller pictóricamente (ignoraba los precedentes flamencos y holandeses) «la *beatería socialista* de primeros de siglo —dice Ortega y Gasset— acogió con fervor esta fórmula»; ahora bien, el ilustre pensador reconoce que «ninguna de las figuras está individualizada» y más tarde añade «sin duda para impedir que la atención se fije en ningún componente particular del cuadro y sea éste en su totalidad quien actúe sobre el contemplador»; razón tiene, pues en este cuadro —que anteriormente llamó «Las Parcas»— sólo hay un protagonista esencial: el símbolo al servicio del Estado. Ahora bien, al acompasar armonía compositiva e iluminación, como hiciera en *Las Meninas,* le convierte en una de las cimas del arte.

En 1664, como *Fábula de Aragne,* la poseía el montero real don Pedro de Arce. En el siglo XVIII, con motivo de una restauración para paliar los daños causados en el incendio del Alcázar (1734), se le añadió una franja superior de 48,5 cm., con un arco muy goyesco, que altera el equilibrio de la composición originaria. Junto con *Las Meninas,* a pesar del defectuoso estado de conservación, es esta la obra maestra del «Rey de pintores».

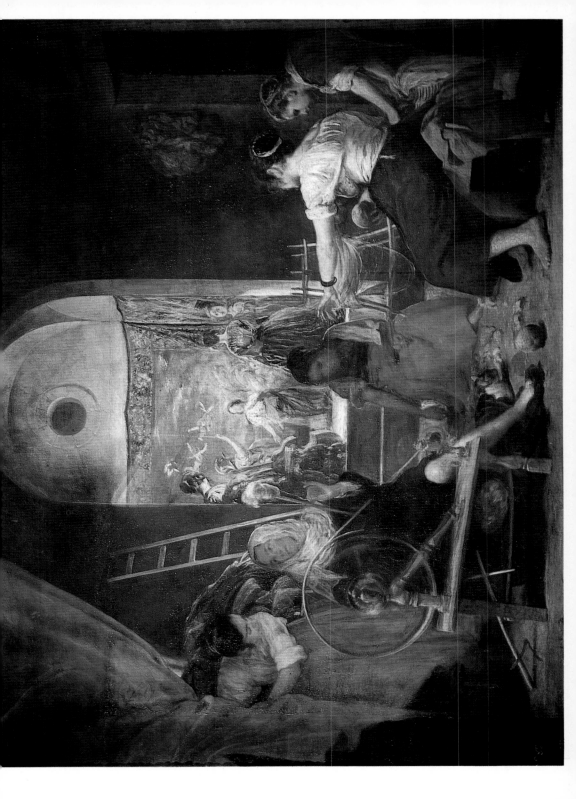

CLAUDIO COELLO.
Santo Domingo de Guzmán (h. 1683).
Oleo sobre lienzo, 240 × 160 cm.   C. 662

Esta soberbia pintura formaba parte de un conjunto realizado por Claudio Coello, hacia 1683, para el Convento madrileño del Rosarito (Orden dominicana). De estas obras, el Prado conserva una *Santa Rosa de Lima* que hace pareja con la pintura que comentamos; además, en la Academia de San Fernando está *La aparición de la Virgen a Santo Domingo*; y posiblemente también pertenece a este grupo la impresionante *Santa Catalina*, que desde que le fue incautada al rey José Bonaparte, en la batalla de Vitoria, se conserva en la colección Wellington, de Londres.

Con una sistemática muy del gusto de Claudio, se usa aquí el «trompe l'oeil», la *trampantoja* de los textos españoles, o sea, el arte de engañar la vista del contemplador. De esta forma su majestuosa figura en blanco y negro queda resaltada al ser colocada sobre una simulada peana de madera dorada, lo que hace recordar una figura de retablo. Dos arcos soportados por gruesas y bajas columnas con capiteles corintios, además de movidos cortinajes rojos, encuadran al santo con un sentido escenográfico característico del último tercio del siglo XVII. En la mano derecha lleva Santo Domingo una cruz procesional blanca y negra, emblema de la Orden de Predicadores, y en su izquierda porta las azucenas que le simbolizan. Mientras, a sus pies un perro mantiene en su boca una antorcha encendida y a su lado aparece una esfera terrestre. Al fondo se intuyen celajes verdiazulados, muy característicos de la pintura de Claudio. Todo ello da a esta obra, como ya hemos dicho, un efecto de escenario eclesial, cuyo sentido simbólico estriba en la exaltación de la Orden de Predicadores y de la Fe.

Junto con la *Santa Rosa de Lima*, proviene del Museo de la Trinidad, donde ya se atribuían con dudas a Claudio Coello.

BARTOLOMÉ ESTEBAN MURILLO.
El Buen Pastor (h. 1660).
Oleo sobre lienzo, 123 × 101 cm.   C. 962

Comienza la etapa final de Murillo con las pinturas realizadas en la iglesia
de Santa María la Blanca de Sevilla; aunque también podríamos considerar-
las, como hace Mayer, como la culminación de su segundo estilo. En 1665,
cuando se acababan de terminar las obras de esta famosa iglesia sevillana,
cuya fundación se realizó para conmemorar el breve con que el papa Alejandro VII había proclamado el dogma de la Inmaculada Concepción,
Sevilla, que lo había defendido desde el siglo XVI, manifestó así su alegría.
Torre Farfán, en su descripción de las fiestas celebradas para la inauguración
de esta iglesia, nos describe un altar en la plaza con cuadros de Murillo, en
que aparecía un *Buen Pastor*, el *Catálogo* lo identifica con éste, como señala
Angulo no debe ser, pues calza sandalias, el del Prado tiene los pies desnudos.
Pero las obras maestras realizadas por el pintor sevillano para esta iglesia son los mal llamados medios puntos, hoy en el Museo, en que se hace
referencia a la fundación de la iglesia de Santa María la Mayor en Roma;
de estos dos el más bello es el *Sueño del Patricio*. Posiblemente es el canónigo Justino de Neve, hombre ilustrado, quien encargó y dio los temas
de los cuadros. (Angulo: *Arch. E. Arte*, 1969, pp. 38-42.)
Este Niño Jesús, que aquí se reproduce, lo ha realizado Murillo sentado,
a diferencia de otras versiones en que lo coloca de pie. Su postura, según
ha indicado Mayer, deriva del grabado realizado por Stefano della Bella
para sus *Metamorfosis* de Ovidio representando un Cupido. El Niño apoya
la mano izquierda sobre un cordero, el cual está pintado con un realismo
digno de Zurbarán; al fondo se ve vaporosamente un rebaño. En su mano
derecha lleva el cayado. Y, a sus espaldas, aparece un trozo de entablamento
clásico; un poco más lejos, el basamento y la parte baja de un fuste estriado
romano; es posible que se inspirara Murillo directamente en las ruinas de
Itálica cantadas por los poetas sevillanos de su época. Aunque el gesto y
la postura del pequeño personaje son un tanto preciosistas —pues está hecha
esta obra, como gran parte de las de Murillo, para dar gusto a un público
heterogéneo— el rosa carminoso de las vestimentas es de gran belleza.
El paisaje está realizado con el sentido lírico próximo al último período
murillesco, la ambientación atmosférica da calidades casi rembrantianas
a los fondos; en ellos los verdes y los azules se matizan con breves veladuras
rojizas. Hay también ciertos recuerdos en estos fondos paisajísticos de la
pintura napolitana del momento, especialmente de Salvator Rosa. Así,
vemos que Murillo no se encierra en su torre de marfil sevillana sino que
a través de cuadros y estampas está en contacto con su época, creando un
personal estilo donde, si tiene cabida lo artificioso, también bajo un aspecto
formal logra creaciones de sutil belleza y elegancia.

LAMINA LXXVIII

NICOLÁS POUSSIN.
El Parnaso (1625-1629).
Oleo sobre lienzo, 145 × 197 cm.   C. 2.313

Poussin, hacia 1620, realizó su primer viaje a Italia, impulsado por la admiración que sentía hacia el mundo clásico y por su pasión hacia la pintura de Rafael. Pasados veinte años volvió a Francia, pero sólo para una pequeña estancia de dos años; su patria de adopción será para toda su vida la península itálica. Aunque sus primeros cuatro años italianos transcurren en Florencia, será en la Ciudad Eterna donde radique, estudiando la escultura y la arquitectura clásica, sin abandonar los estudios literarios de la antigüedad, que le serán utilísimos para la temática iconográfica y la composición de su obras, donde imperan la forma y el orden. Buen ejemplo de ello es *El Parnaso*, obra realizada en sus primeros años romanos, y donde la devoción hacia el pintor de Urbino le hace seguir la composición que con el mismo tema hizo éste en la *Stanza della Segnatura*, en el Vaticano.

Ahora bien, lo mismo que en sus compañeros italianos, los eclécticos boloñeses, encabezados por los hermanos Carracci, y posiblemente bajo la influencia de ellos, el colorido de Tiziano pesa también sobre su obra. Así, en el encuadre paisajístico y en los amorcillos que revolotean entre los árboles del Parnaso, se percibe que copia libremente a la *Ofrenda de Venus* (C. 419), que por entonces aún estaba en Italia. En la muchacha desnuda que aparece en primer término, representando a Castalia, personificación de la fuente del oráculo de Delfos, hay cierto recuerdo del desnudo que aparece en su pareja la *Bacanal* (lám. XXXIV), aunque ejecutada con mayor frialdad por influencia de la escultura clásica. Detrás de ella, con aire académico, aparece Calíope, coronando de laurel a Homero. El amor al clasicismo hace que en algunas figuras del Parnaso se perciba una directa inspiración en esculturas romanas, especialmente en el delicado grupo de la derecha.

En esta obra maestra Poussin conjuga la expresión de la «belleza ideal» —que será el principal factor estético de su pintura—, con un realismo dentro aún del primer barroco, que hace que fuera amada por Eugenio D'Ors, quien hace su panegírico en su conocido librito *Tres horas en el Museo del Prado*.

El Parnaso, ya en 1746 estaba inventariado en las colecciones de Felipe V. Se conserva un dibujo preparatorio y antes de 1667 había sido grabado por Jean Dughet.

NicOLÁS POUSSIN (Estilo de).
Paisaje con ruinas (d. 1648).
Oleo sobre lienzo, 72 × 98 cm.   C. 2.308

Si existe un pintor más dispar a Velázquez es su riguroso contemporáneo Poussin, el pintor francés de temperamento artístico casi glacial, que apenas toma nada de la realidad, puesto que sus figuras se inspiran en las esculturas clásicas, lo que le da a sus composiciones cierto sentido de abstracción. En sus paisajes ocurre algo parecido: partiendo de la concepción ideal de los Carracci, la evasión de la realidad llega a mayores consecuencias que en la escuela de Bolonia. Poussin recorre los alrededores de Roma emocionadamente y con gran delicadeza realiza apuntes de todo lo que le interesa; con ellos, más tarde, componiéndolos y transformándolos, realizará sus cuadros paisajísticos; a veces añadiendo formas inspiradas en la literatura clásica, a la que era tan aficionado.

Nada más opuesto a los dos paisajes de la *Villa Médicis* de Velázquez, que éste aquí reproducido. Aunque, al parecer, no es obra de Poussin, pues Blunt lo atribuye con certeza a Jean Lemaire (1598-1659), está dentro de su estilo.

Aquí no existe el menor sentimiento de la realidad, sino que esta obra es el fruto de una reelaboración intelectual. Lo primero que capta el espectador que contempla este cuadro es su belleza formal, lograda en parte por el equilibrio armónico que produce una serie de diagonales muy del gusto del barroco italiano, ya que habían sido usadas en la etapa manierista; estas líneas comparten los espacios de una manera equilibrada. Las figuras también están dispuestas en el cuadro armónicamente, por medio de puntos de color que acentúan la serenidad. Mas no parecen seres humanos, sino estatuas; en cambio, algunas de las estatutas se humanizan; para Poussin y Lemaire, su fiel seguidor, hombres y estatuas son una misma cosa. Los edificios se estilizan geométricamente, son puras formas cúbicas; las mismas ruinas monumentales han sido también elaboradas. La luz gris dorada, acentúa los azules verdosos, consiguiendo un efecto de helada belleza.

Blunt lo supone de la última época de Lemaire, posterior a 1648, fecha de un cuadro de Poussin, que le sirvió de modelo. En 1746 se encontraba en La Granja entre los cuadros de Felipe V comprados al pintor Carlo Maratta.

CLAUDIO DE LORENA (Claude Gellée, «le Lorrain»).
Paisaje portuario: Embarco en Ostia de Santa Paula Romana (h. 1648).
Oleo sobre tela, 211 × 145 cm.   C. 2.254

Claudio de Lorena, junto a Poussin, era uno de los pocos pintores franceses del siglo XVII que estaban representados en las colecciones reales españolas. Felipe IV a pesar de ser un gran conocedor de la pintura de su época, no pudo llegar a descubrir pintores franceses de tan hondo sabor popular y realista como Le Nain y La Tour, pero, en cambio, conoció las obras de los principales pintores cortesanos del país vecino. Por ello, la obra de Claudio tiene importantes ejemplos en el Prado. Posiblemente su obra maestra en esta colección es este paisaje portuario. Forma parte de una serie de cuatro cuadros verticales, poco más o menos del mismo tamaño, y de temática semejante, encargados por Felipe IV al propio pintor.

Fue realizada esta obra que se reproduce en época de plena madurez de Claudio de Lorena; por ello, se consiguen aquí efectos de brumosas claridades en los celajes que campean sobre las verdiazuladas aguas del puerto; pero lo más sorprendente son los efectos nacarados que logra en las zonas intermedias, y que, salvo Turner, ningún pintor ha alcanzado a ejecutar con tal perfección. Y ello, enmarcado por edificios de sabor clasicista que dan a la composición un majestuoso equilibrio y ayudan a establecer una sensación de profundidad no discontinua, como otras obras suyas, sino perspectívica y lumínica.

Como en la mayor parte de las obras de plenitud del artista, las figuras son minúsculas comparadas con el ambiente paisajístico que la envuelve, ya que posiblemente se deja influir por una idea filosófica del momento: la pequeñez del ser humano cuando se le compara dramáticamente con la belleza armónica de la Naturaleza o con la majestuosidad de las edificaciones que como pequeño creador realiza.

Se lee en una lápida la inscripción siguiente: «imbarco Sta. Paula Romana per Terra Sta.» y en un sillar: «Portus Ostiensis A(ugusti) et Tra(iani)».

Junto con las pinturas compañeras [el *Entierro de Santa Serapia* (C. 2.252), también de hagiografía paleocristiana como el descrito, y otros dos de temática del Antiguo Testamento: *Moisés salvado en el Nilo* (C. 2.253) y *Tobías y el arcángel Rafael* (C. 2.255)] a comienzos del siglo XVIII estaban ya en Palacio del Buen Retiro.

JUAN ANTONIO WATTEAU.
Capitulaciones matrimoniales (1714?).
Oleo sobre lienzo, 47 × 55 cm.   C. 2.353

Es este cuadrito un buen ejemplo de *fête galante,* tema preferido por
Watteau, en donde la alta sociedad y la burguesía del siglo XVIII aparece
divirtiéndose elegantemente en frondosos parques. Sin embargo, la externa
alegría y el idilio amoroso son envueltos por un tenue matiz de melancolía,
recordándonos que pronto acabará la farsa y caerá el telón.

Las Capitulaciones forman, junto con la *Fiesta en un parque,* una pareja
de cuadros que son los únicos ejemplares del «libertin d'esprit» conservados
en el Prado; se pueden fechar en el último período de su corta vida (m. 1721)
cuando la tuberculosis minaba su pecho. Un documento los data en 1714.

Bajo la sombra de unos árboles se encuentran sentados los futuros es-
posos acompañados de familiares y de un notario. La *toma de dichos,*
según una antigua costumbre, es acompañada por una fiesta con música
y danzas, donde se divierten opulentos campesinos o aristócratas, ya que los
ricos vestidos y los escorzos de sauces nos muestran al cortesano. Algunos
invitados aprovechan la ocasión para el amorío. Todo ello a primera vista
produce una impresión de almibaramiento, que se esfuma cuando es observada la obra detenidamente, pues fluye una tenue melancolía de los
personajillos, que se apodera del espacio del pequeño lienzo y del espectador. Esto es normal en las *escenas galantes* de Watteau, donde nadie ríe.
Mas aquí surge lo extraordinario, cuando observamos que alguna de sus
cabezas se deforma, hasta duplicarse los rostros. Así, vemos cómo a una
dama que besa a su pareja, se le desdobla el cráneo, apareciendo otra faz que
rehuye con hastío el beso que da su boca siamesa (a la izquierda de la
reproducción). Semejantes episodios se repiten con más o menos nitidez;
ello es fruto de su carácter satírico, pues sus amigos decían *qu'il etait né
caustique*; y, en él, el sarcasmo es la expresión de la amargura del tímido
inteligente, incapaz de sobreponerse a la sociedad que le circunda. En
las *Capitulaciones,* Wateau expone el problema de las «*contradicciones eróticas*» antes que Goya lo planteara en el *Sueño de la mentira y de la incons-
tancia,* donde aparece también desdoblado el rostro de la duquesa de Alba.
Pero si en el aragonés son unos celos recios y sanos los que le hacen emplear
la sátira, en Watteau es la impotencia del misógino, de un desengañado
antes de amar.

El recuerdo del *Jardín del Amor* de Rubens está aquí presente. Posiblemente fue adquirido en vida de Watteau por Isabel de Farnesio; figuraba en
1746 entre los cuadros de la Granja que pertenecieron a esta reina.

LAMINA LXXXII

JUAN BAUTISTA TIEPOLO.
La Inmaculada Concepción (1767-1769).
Oleo sobre lienzo, 279 × 152 cm.   C. 363

Es esta Inmaculada una de las más deliciosas representaciones de su especie en el Museo del Prado; para Sánchez Cantón no existía más bella obra del «misterio» en la pintura italiana. Se nos presenta aquí a María con altiva belleza y con majestuosidad casi escultórica, sensación que queda acentuada por su forma de huso. Mientras que en la mayoría de los cuadros españoles del mismo tema aparece como niña (así la representa Murillo) surge aquí como mujer en plena madurez, que, con aire triunfante, aplasta a la serpiente que rastrea por el mundo. Esta nueva Eva aparece rodeada de querubes y de los símbolos marianos, en un cielo azul y nuboso.

Tiepolo fue invitado a Madrid por Carlos III, llegando el 4 de junio de 1762, acompañado de sus hijos Domenico y Lorenzo. Comienza los frescos del Palacio Real de Madrid inmediatamente y los termina en 1766. En septiembre de 1767 se encarga de la realización de los retablos de los altares del Convento Franciscano de San Pascual, en el Real Sitio de Aranjuez, uno de los cuales es esta *Concepción*. En agosto de 1769 estaban ya terminados · y colocados seis en los altares; pero los aires de las modas artísticas cambiaron hacia un neoclasicismo, que enfrió las convulsiones del último barroquismo; por ello estas obras fueron sustituidas y arrumbadas, y algunas llegaron a ser fragmentadas. Mas a pesar de las acerbas persecuciones del confesor del rey, el P. Eleta, esta *Concepción* no sufre apenas daño, y se nos presenta ahora como un prodigio de técnica y expresión rococó, tan características de la última producción de Juan Bautista Tiepolo. Es posible que exista una mínima intervención de sus hijos, pero la obra es característica de Juan Bautista. Además está firmada: *Dn. Juan Ba(tis)tta Tiepolo inv. et pinx;* o sea que fue ideada y pintada por él.

Hoy aparte de las restantes pinturas que formaron los retablos de Aranjuez se conservan en el Prado (*San Francisco recibiendo los estigmas*, C. 3.652; *San Antonio de Padua con el Niño Jesús*, C. 3.007; *San Pascual Bailón*, C. 364 a, mutilado); otros se conservan en distintas colecciones, así el de *San Pedro de Alcántara*, de forma ovalada, y que hacía juego con el *San Antonio* conservado en el Palacio Real de Madrid, y el *San Carlos Borromeo*, que nunca fue instalado, posiblemente por ser protector de los jesuitas durante su sede episcopal milanesa, mutilado se conserva hoy en el Museo de Cincinnati, mas gracias a su boceto se puede reconstruir idealmente.

En la colección de lord Kinnaird (Londres) —antes lo poseyó Bayeu— existía un boceto preparatorio; y se conoce un grabado de esta Inmaculada. Desde 1828 figura en los catálogos del Museo del Prado.

Joshua Reynolds.
Retrato de un eclesiástico (1753-1765).
Oleo sobre lienzo, 77 × 64 cm. **C. 2.858**

Sir Joshua Reynolds (nació en Plympton-Earlys [Devonshire] el 16 de julio de 1727; murió en Londres el 23 de febrero de 1792) es, junto a Hogarth, el verdadero creador de la pintura inglesa. Su originalidad está apoyada sobre una base de perseverancia en el estudio. Comienza su carrera artística imitando al suave Ramsay y a Van Dick junto a Hogarth y a Rembrandt. En Roma (1750-1752) descubre a Rafael y Miguel Angel, y con ellos el secreto del «gran estilo», llegando a realizar retratos inspirados en la estatutaria clásica, así representa a *Comodoro Keppel* —quien le había invitado al viaje por el Mediterráneo y le lleva a Italia— con la aptitud de Apolo de Belvedere y a *Lady Blake* como una Juno. La influencia de Reni se hace también notar, pues adopta su modelado claroscurista (lám. LXI) logrando su más bellos retratos entre 1760 y 1770. El éxito social le acompaña y crea la Academia Real (*Royal Academy*). Al final de su vida por influencia de Rubens se acerca más a la realidad, realizando grupos donde familiarmente actúan los personajes.

Aunque no sea esta pintura aquí reproducida una de las obras maestras de pintor británico, es representativa de su estilo. Pues es éste uno de los retratos característicos que, hechos de oficio, se colocan en galerías de pintura e instituciones típicas del mundo social de la Gran Bretaña como asilos, hospitales, hospicios, etc. Posiblemente este personaje era un miembro importante de uno de estos centros, ya que recuerda al tipo de administrador descrito por Dickens. Viste con sencillez, conforme a su dignidad de eclesiástico o magistrado, traje negro con cuello blanco y peluca. Este sentido de sobriedad es muy característico en la pintura de la época intermedia de Reynolds. En la representación del rostro se percibe que ha sido estudiado con detenida observación el personaje. Por ello si no es un cuadro excepcional, sí es una obra con interés sociológico y sicológico.

Fue comprado al marqués de San Miguel por el Ministerio de Educación Nacional en 1943, siendo uno de los cuadros que en los últimos treinta años ha adquirido el Prado para paliar su falta de pintura inglesa. De ésta tampoco existen muestras importantes en las colecciones públicas españolas; solamente el Museo Lázaro Galdiano, de Madrid, guarda un grupo importante de pinturas de esta escuela.

LAMINA LXXXIV

Thomas Gainsborough.
Doctor Isaac Henrique Sequeira (1770-1774).
Oleo sobre lienzo, 127 × 102 cm.   C. 2.979

Es este retrato una obra importante dentro de la producción de Gainsborough. Posiblemente realizado en los últimos años de la época pasada en
el delicioso balneario inglés de Bath, donde pinta desde 1759 a 1774 a la
aristocracia inglesa que acude a curar sus afecciones o su aburrimiento.
También podría pensarse, como lo hace con dudas Waterhouse, del último
período de Londres (1774-1788). Ahora bien, su parentesco estilístico con el
retrato de William Lowndes, fechado en 1771, y con otros retratos de la misma época, nos hace adelantar su fecha, creyéndolo ejecutado entre los años
1770 y 1774. En este momento sus retratos tienen calidades vaporosas
que hacen aparecer los rostros algo borrosos, como desenfocados; no sería
extraño que fuera bajo la influencia de Velázquez, al que tanto admiraba.
En su última etapa londinense la técnica se hace más prieta y realista, posiblemente a causa de un reestudio más directo de la obra de van Dyck.
Son estos últimos años de Bath los más grandiosos de su carrera artística,
pues realiza una serie de cuadros en los que, como en el que aquí se reproduce, no se hace concesión alguna al personaje que encarga la obra. En este momento pinta telas tan bellas como el famoso *Blue Boy*. Goya, en algunas ocasiones, se deja impregnar por la pintura inglesa de Gainsborough y Reynolds; así, el retrato de Ceán Bermúdez recuerda al de Sequeira, su pose
es casi idéntica.

Aparece en este cuadro la figura del médico Isaac Henrique Sequeira, vestido de azul; como en el citado *Boy*, sus tonos cobaltos verdean, dándole un
matiz de especial elegancia. Está sentado sobre una butaca «chipendale», y
sostiene en sus manos con elegante dejadez un libro. La peluca empolvada, a
primera vista, distrae la expresión inquietante de su rostro, marcada por los
ojos penetrantes y descarnados por el estudio, y acentuada por el rictus de
amargura que hay en sus finos labios. Nació Sequeira en Portugal, de familia
judía; emigrante en Burdeos, pasó a Leyden, donde estudió medicina; ejerció
su carrera en Londres y fue médico del pintor. Murió anciano en 1816.

Esta pintura perteneció a la familia Sequeira hasta que fue puesta en subasta en Londres en 1901. En 1953, Mr. Bertram Newhouse, famoso anticuario
de Nueva York, la cede al Prado a cambio de un permiso de exportación de
otra obra de arte.

Existe otro ejemplar de Gainsborough en el Museo del Prado anterior al
retrato de Sequeira: el de *Robert Butcher* (h. 1765), que es réplica de otro
conservado en el Williams College (Mass. U.S.A.).

LAMINA LXXXV

Antonio Rafael Mengs.
María Luisa de Parma (1765).
Oleo sobre lienzo, 48 × 38 cm.   C. 2.568

La fama de Mengs fue descendiendo desde los comienzos del siglo actual. El impresionismo y las corrientes artísticas que se apartan de la realidad, hicieron posible el desprestigio del pintor más famoso de la etapa neoclásica. Mas hoy, se vuelve a reivindicar su pasada gloria; sus cuadros en los que se aleja de la manera académica, como sus propios autorretratos, vuelven a interesar al espectador. Sus obras más personales son aquellas en que lo real, minuciosamente reflejado es, además, poetizado por su espíritu sensible; alguno de estos nos recuerdan las obras del primer momento de Goya.

Una de las pinturas más delicadas del arte de Mengs, dentro de su importante colección en el Museo del Prado, es un estudio de cabeza femenina, en que se representa a la princesa de Asturias, María Luisa de Parma. En este encantador rostro de niña, donde sólo aparece como adorno un lazo rosa superpuesto al cuello, el artista bohemio logra una creación, aunque dentro del neoclásico lleno de vida. La joven princesa tiene aquí una belleza muy distinta a la que veremos más tarde en los cuadros de Goya; verdaderamente es difícil pensar que la soberana desdentada y adefésica pintada a fines de siglo, es este mismo personaje tan lindo y delicado.

Es este estudio el realizado al natural para el retrato, que de la colección del conde de Asalto, en Madrid, ha pasado al Metropolitan Museum de Nueva York. En este último, de gran tamaño, aparece de pie, con parte del traje sobre un sillón, como si acabara de incorporarse; las sedas del vestido tienen rayas amarillas y blancas con flores encarnadas. En la mano derecha sostiene una cajita con la esfinge de su prometido en la tapa, el futuro Carlos IV, pues este retrato debe estar ejecutado en 1765, algo antes de su boda. Se ha pensado que hubiera sido hecho en Parma, aunque no existe testimonio documental alguno. Según Ceán por estas fechas se desplaza Mengs a Italia, visitando Nápoles, Roma y Florencia; por lo que pudiera estar realizado en alguna de estas ciudades antes de venir a España. Dato que confirman sus facciones, pues en este retrato no debe llegar aún a los catorce años, época de su matrimonio.

Manish, su último biógrafo, lo fecha en 1763 (?). Existen otros retratos de María Luisa de Parma. En el Prado hay un ejemplar en que aparece más gruesa retratada sólo hasta las rodillas; posiblemente en estado de buena esperanza (C. 2.189); por lo cual debe de estar ya desposada y ser posterior a éste. Existen réplicas en el Louvre y en Aranjuez. Del que reproducimos hay una copia en Holanda, y un dibujo preparatorio en colección particular madrileña, fue de la Col. Carderera. Fue donado por el duque de Tarifa en 1934.

43

Luis Eugenio Meléndez.
Bodegón: Un trozo de salmón, un limón y tres vasijas (1772).
Oleo sobre lienzo, 42 × 62 cm.   C. 902

En las pinturas de Meléndez se subordinan todos los elementos compositivos al «todo» del cuadro. Las cosas —seres inanimados— representadas aquí, son los protagonistas de la obra. Ello hace que tengan un marcado carácter unitario, sin ningún punto de distracción. Sus «naturalezas muertas» —sería mejor llamarlas inanimadas—, son frutos de un estudio consciente y reflexivo, basado en una gran honradez de oficio que hizo posible su cuidada técnica de casi pintor primitivo. Así, a pesar de la superficie demasiado esmaltada, tan de moda en su época, sus pinturas son muy atractivas para el espectador contemporáneo.

Se le ha llamado a Meléndez el «Chardin español» aunque lo creemos más próximo espiritualmente a Zurbarán. Si las afinidades con el pintor francés son de puro tecnicismo, las que tiene con el pintor extremeño se basan en una tradición hispánica, jamás perdida. Así, en estos objetos hay una sensación de retrato, especificada por el estudio cuidadoso y fiel. El principal protagonista de este cuadrito es el prodigioso trozo de salmón —anticipo del que pintaría más tarde Goya (Colección Oscar Reinhard, Wintentur)— y aparecen como elementos secundarios, aunque importantes, un limón, y algunas vasijas. Todo ello está colocado sobre una tosca mesa de cocina en cuyo borde se puede leer la firma y la fecha: *L. Mᶻ Dᵒ ISᵒ Pʳ. AÑO 1772.*

Junto con los demás *bodegones* de la serie del Prado, fueron posiblemente pintados para Aranjuez, pues de allí provienen, y fueron realizados entre 1760 y 1772; en los más antiguos se perciben cierta aparatosidad barroca, que se va simplificando en los últimos, llegándose como en el que aquí se reproduce a una síntesis y esquematismo, fruto del neoclasicismo reinante y que le aproximan a los *bodegones* que por entonces surgían en las paredes de las mansiones de Herculano y Pompeya.

Lástima que el Prado carezca, por ahora, de representación alguna de los soberbios retratos que hiciera Meléndez, entre los que destaca su *Autorretrato* (Louvre) en donde se anticipa al desgarro popular de Goya, y una *Jovencita* (Col. Castejón, Madrid). Los Museos de Barcelona acaban de adquirir uno, y esperamos que la pinacoteca madrileña siga el ejemplo, pues en ellos también se da la simplicidad y el dominio del dibujo, que aparece en los bodegones, además de poseer una especial atracción personal sus personajes. Ejemplo de dominio del dibujo es su *Jovencita* de los Uffizi; también practicó el pastel como en el retrato de Moratín (Museo de Navarra. Pamplona).

LUIS PARET Y ALCÁZAR.
La comida de Carlos III (1768-1773).
Oleo sobre tabla, 50 × 64 cm.   C. 2.422

Una de las más bellas obras de la pintura española del siglo XVIII es *La comida de Carlos III*, realizada por Paret en sus años juveniles. Este pequeño lienzo es a su vez una escena de género y un cuadro histórico. Puesto que la narración histórica se realiza de una manera festiva, casi jocosa. Es muy característico de la primera etapa de Luis Paret que los cuadros, casi siempre de tamaño pequeño (*tableautin*), sean exponente de su buen humor y de su espíritu satírico; es lástima que esto le lleve al destierro. En esta obra el rey aparece en una escena cotidiana, pero a su vez solemne: el momento de la comida. Por influencia de los Borbones franceses el Soberano comía casi siempre en solitario, presenciando el ágape toda la corte y asistiendo en algunos casos invitados de *visu*. Aquí Carlos III, mientras los cortesanos van sirviéndole, uno tras otro, las viandas, permanece sólo atento a su perro con el que dialoga en silencio con la mirada. Otro can está dispuesto a abalanzarse sobre la comida. El conde de Fernán Núñez nos describe un momento semejante: « A la mitad de la cena venían los perros de caza como tantas furias y era preciso estar en guardia para que no se metiesen entre las piernas e hiciesen dar a uno la vuelta a la redonda, como sucedió al Marqués de la Torrecilla..., que quedó montado en uno de los perros grandes llamado Melampo...». En este cuadro hasta en la firma hay un matiz irónico, pues lo hace con inscripción griega en la que dice: «Luis Paret hijo de su padre y de su madre lo hizo.»

Aunque Carlos III comía en la Saleta Gasparini del Palacio Real y cenaba en la antecámara de ésta, el lugar donde sucede la acción de este cuadrito es fruto al parecer de su imaginación, aunque basado en recuerdos reales. Así, las paredes se adornan con tapices erótico-mitológicos franceses del siglo XVIII (dentro del estilo de Boucher o Fragonard). En el techo hay figuras que recuerdan a las que aparecen en los techos de Tiepolo en Palacio y todo está envuelto en un espacio atmosférico en el que las tonalidades verdiazuladas le dan un carácter de irrealidad. Distante y amplia perspectiva, con visión de «gran angular», acentúa este sentido, mientras movimientos rítmicos diagonales dan una sensación de inestabilidad al conjunto. La personalidad de Paret ha logrado aquí, como en todas sus grandes producciones, una obra maestra de la pintura del rococó.

Osiris Delgado, el biógrafo de Paret, la fecha entre 1768 y 1774. Debe de estar realizada, por sus características, después del *Baile de máscaras* (C. 2.875) y *La Tienda* (1772, Museo Lázaro Galdiano, Madrid). Adquirido en 1933, con los fondos del legado conde de Cartagena; procede del palacio de Gatchina, en Rusia.

LAMINA LXXXVIII

FRANCISCO GOYA.
Autorretrato (h. 1815).
Oleo sobre lienzo, 46 × 35 cm.   C. 723

He aquí uno de los más penetrantes retratos que Goya hiciera de sí mismo. El pintor nacido en Fuendetodos (el pueblo con nombre más democrático de España, *la fuente de todos,* y cuya denominación providencial parece preconizar sus influencias en casi todos los estilos pictóricos posteriores: romanticismo, realismo, impresionismo, expresionismo y antifigurativismo), aparece aquí retratado en las proximidades de sus setenta años, con una fuerza inmensa en sus ojos, expresión de un espíritu enérgico y creativo.

Existe otro retrato semejante a este firmado en 1815 (Academia de San Fernando), por lo que se puede pensar que el ejemplar del Prado sea de la misma época. O sea, de un momento en que España está en convulsión, pues acaban de salir las últimas tropas napoleónicas y ha sido repuesto en el trono el versátil Fernando VII, del que por entonces realiza el pintor algunos retratos. Al parecer, Goya ha vuelto a ser el pintor de los grandes personajes: *duque de San Carlos,* fundador y presidente del actual Banco de España, *Ignacio Omulryan,* ministro del Consejo y Cámara de Indias, etc. También en este mismo año retrata a sus amigos, como a *José Luis de Munárriz* (Academia), donde se observan lejanas influencias del Greco. Es en cambio percibible aquí —ya que el fondo oscuro contrasta muy poco con la figura arropada de color castaño intenso, casi negro— la influencia de de Rembrandt. Y lo mismo que en otra ocasión hace el pintor holandés, se autorretrata en bata de taller; sólo el cuello blanco de la camisa da aquí cierta sensación de claridad. Sicológicamente y también técnicamente, sobre todo en la manera de iluminar el rostro, hay recuerdos rembrantescos. Es necesario recordar que él había dicho: «Mis maestros tan sólo son Velázquez, Rembrandt y la Naturaleza».

En este penetrante estudio sicológico de su rostro se percibe al hombre introvertido, debido en gran parte a la sordera, que cada vez más le aleja de lo superfluo del mundo externo, para penetrar en sí mismo, y así poder captar con más profundidad la esencia de las cosas. Por ello se representa despeinado y despechugado, como un hombre del pueblo nada apegado a sí mismo. Cierta expresión de este rostro nos recuerda la de los retratos de su contemporáneo y alma gemela, Beethoven. Por esta época comenzaría a preparar las escenas de la *Tauromaquia,* puesto que en 1816 anuncia estos grabados en el *Diario de Madrid.* No sin cierto orgullo firmó en el fondo, en la parte alta de este impresionante documento gráfico: *Fr. Goya Aragonés. Por el mismo.*

Adquirido en 1866, por el Museo de la Trinidad en 400 escudos a don Ramón de la Huerta.

LAMINA LXXXIX

FRANCISCO GOYA.
La gallina ciega (d. 1790). Frg.
Oleo sobre lienzo, 41 × 44 cm.   C. 2.781

Al cambiar España de dinastía y al perder con el fin de la Guerra de Sucesión muchas de sus posesiones, el giro de la política exterior e interna cambió su rumbo, comenzando una centralización no sólo política sino también económica, contraria al sentido de dispersión seguido por los Austrias. Hasta entonces estaban prohibidas en España las manufacturas de tapices, ya que Flandes tenía la exclusividad. Tan sólo se podían retejer los que estaban en malas condiciones en los talleres de Madrid, Pastrana, Salamanca, etc., y realizar reposteros. Cuando en 1720 el primer Borbón, Felipe V, funda en Madrid la Real Fábrica de Tapices, comienza una nueva etapa en las artes industriales españolas. En los primeros momentos la temática usada fue bíblica y mitológica; mas a comienzos del reinado de Carlos III, se desarrollan los temas populares, que desarrollan una serie de artistas, entre los que se encontraban José del Castillo y Goya bajo la dirección de Francisco Bayeu. La única diferencia de los lienzos de Goya con los demás es cualitativa, no específica.

La aparición de las escenas populares en los tapices se basa en el cambio de gusto literario. A fines del siglo XVIII Rousseau hace la apología de la vida campestre y muy pronto sus ideas se extenderán a otros escritores; en España, Meléndez Valdés escribió, en 1779, su *Elogio de la vida campestre*, premiado por la Academia en 1783. Goya cultivó la amistad de este escritor, al que retrata. Cuando comenzó sus primeros cartones (1774-75) realizó escenas de caza y pesca un tanto vulgares, solamente atribuibles gracias a la documentación publicada por Sambricio. En cambio, en la etapa siguiente (1775-80), se perciben ya en sus escenas populares las influencias de Meléndez. Así, *El cacharrero, La merienda a orillas del Manzanares, Las lavanderas*, etc., están hechos ya con una desenvoltura y una maestría sin igual en lo que se había realizado en la Fábrica de Tapices. En las dos últimas etapas (1786-88 y 1791-92), aún llega a mayores superaciones técnicas y artísticas, muy difíciles de interpretar por los tapiceros, que no pueden seguir los prodigiosos cromatismos creados por Goya. Dos cartones de la tercera etapa: *Las floristas* y *La gallina ciega*, son las obras de este género más logradas por el pintor de Fuendetodos. Así, en *La gallina ciega* expresa un sentido de fuerza y elegancia popular, que sólo bajo un aspecto diferente superará en los cuadros de las pinturas negras. Se ha dicho que en este *cartón* aparecen las duquesas de Alba y Benavente, mas ello es hipotético.

Goya hizo reducciones de los cartones; *La gallina ciega* —que se reproduce— es la del famoso. Existen variantes: adición de una figura en el corro y múltiples en el fondo, entre otras. Se pintó para la Alameda de Osuna después de 1790; el cartón había sido entregado a la Fábrica de Tapices en 1787. Legado por Fernández Durán.

Francisco Goya.
La maja desnuda (1796 - 1797).
Oleo sobre tela, 97 × 190 cm.   C. 742

Las *Majas* han proporcionado tema para la creación de una leyenda, con múltiples variantes, que hace aparecer a la duquesa de Alba como modelo y personaje novelístico. Goya pintó y dibujó varias veces entre los años 1795 y 1798 a la duquesa de Alba, con caracteres simbológicos que nos aclaran la realidad de los amoríos entre ésta y el pintor de Fuendetódos. Así firma *solo Goya*, en el suelo arenoso de la marisma del Rocío (Huelva) sobre el que se asienta su retrato enlutado (Hispanic Society, Nueva York); el marido había muerto unos meses antes, y Goya le acompaña a su solitaria finca andaluza (1797). Mas anteriormente, en su encantador retrato en tul blanco (1795, Col. duquesa de Alba), en sendas placas, colocadas en el brazo izquierdo, muy cerca del corazón, aparecen invertidas y sólo percibible para ella, una A y una G (Alba y Goya). Más tarde, en el retrato de Nueva York en dos anillos estarán ya los nombres completos (véase mi trabajo publicado en *Goya*, 1971, núm. 100, págs. 240-245).

Aunque el cuerpo de la incógnita maja corresponde a las proporciones de la duquesa, pecho abierto y amplias caderas, su rostro, de mirada glacial, acentuada por amplias y duras cejas, hace pensar en una máscara. La posible aparición de un doble marco con las medidas de estos cuadros —en el que la *vestida* lógicamente se superpondría a la *desnuda*— en la finca del Rocío, cerca de Ayamonte, viene a replantear el problema; además, estilísticamente corresponden estas pinturas a la estancia de los dos amantes en la finca marismeña. Ya que por la técnica desenvuelta y la jugosidad colorística la *vestida* se aproxima a los ángeles-majas de San Antonio de la Florida (1798) debemos considerar las dos *Majas* de este momento. Godoy las compró, al parecer, en la subasta que se celebró después de la muerte de la duquesa de Alba. En el catálogo de las obras de arte del antiguo primer Ministro (1808), fueron incluidas con el nombre de *Gitanas*. Con la incautación de los bienes de Godoy, pasaron a ser propiedad real.

Aunque la *Maja vestida*, bajo un punto de vista estilístico es superior a su pareja, ésta, por su carácter de intimidad y por ser uno de los pocos desnudos femeninos de la pintura española, ha de ser considerada como una de las obras maestras del pintor aragonés, y una de las principales atracciones del Prado.

LAMINA XCI

Francisco Goya.
La familia de Carlos IV (1800).
Oleo sobre lienzo, 280 × 336 cm.   C. 726

En 1799, Goya logra su plenitud cortesana al obtener el más alto cargo que un pintor podía lograr en España, el de pintor de Cámara (primer pintor real); distinción que había ostentado siglo y medio antes, Velázquez. Probablemente, con motivo de esta concesión, surge la idea de realizar un cuadro parecido al que Velázquez hiciera de la familia de Felipe IV, ya que el situar a los personajes de pie y contemplando a un personaje misterioso que posa para el pintor, le hace estar más próximo a *Las Meninas* que al retrato de *La familia de Felipe V*, realizado por Michel van Loo en 1743 (C. 2.283), donde los personajes aparecen convencionalmente sentados en sillones y escuchando música.

Posiblemente el sentido isocefálico que da Goya al cuadro, colocando a los personajes en línea recta y en el orden exigido por la etiqueta real es obligación que le impone el Rey. Ello contrasta fuertemente con la libertad ejecutiva. Los personajes llevan traje de corte y distintivos honoríficos, así, los varones ostentan la banda de la Orden de Carlos III y las damas la de María Luisa. En el centro aparece la reina María Luisa de Parma y a su izquierda el Soberano, contrastando el gesto altivo de la reina, con la figura apocada e insulsa de su marido que, a pesar de tener cincuenta y un años por entonces, aparece más envejecido. A la izquierda del grupo está el futuro Fernando VII, acompañado por una dama de rostro vuelto y misterioso puede representar a su futura prometida, cuya identidad no era conocida por entonces. Entre los dos surge la cabeza esperpéntica de María Micaela. En el otro extremo, la dama con un niño en los brazos es la Princesa María Luisa, que está acompañado por su esposo el Príncipe de Parma.

¿Pero a quién mira la familia real? Sánchez Cantón dio una sugestiva hipótesis: al Príncipe de la Paz, Manuel Godoy, quien de simple guardia de Corps había pasado, a través del tálamo real, a regir los destinos de España. Goya observa con mirada escrutadora, mas no ha podido conseguir el sentido de creación artística que nos dio Velázquez en su obra maestra.

Una reciente y cuidadosa limpieza le ha hecho recobrar su espacialidad, revivir las tonalidades, y en uno de los cuadros que aparece al fondo han surgido dos monstruos, que pudieran simbolizar las protestas populares; en uno de ellos, al parecer, vuelve a autorretratarse Goya, aunque con deformaciones fisonómicas propias de su estilo y de su época, donde la carátula y el enmascaramiento cobran un gran desarrollo.

Existen bocetos preparatorios, lo que demuestra que las figuras fueron integradas en la composición cerebralmente usando maniquíes colocados isocefálicamente, a los que se les da vida por medio de un enérgico contraste entre luces y sombras. Es significativo que después de la realización de esta obra dejara de ser pintor de Corte.

LAMINA XCII

Francisco Goya.
Los fusilamientos del 3 de mayo (1814)
Oleo sobre lienzo, 266 × 345 cm.   C. 749

No permanece inactivo Goya durante la guerra de la Independencia, ya que su espíritu indomable, sus inquietudes y su ansia de curiosidad le llevan a reflejar los trágicos acontecimientos o a captar las fisonomías de los personajes que intervinieron de forma destacada en la contienda. Cuando el 2 de mayo de 1808 el pueblo madrileño se rebela, atacando ferozmente y casi sin armas a las de Murat, Goya estaba en Madrid. Y la primera bala que mata a un mameluco fue disparada desde la casa de un pariente político del hijo de Goya. No es extraño que el pintor aragonés presenciara la escena que plasmaría en un boceto conocido (Col. duquesa de Villahermosa); al fondo de éste, en lugar de aparecer el edificio rojizo de la versión definitiva (*La carga de los mamelucos*) surge una mole blanca que pudiera ser la del Palacio de Oriente.

Según la tradición, Goya también estuvo presente en los fusilamientos de la Moncloa, acompañado por un criado; el boceto sería el conservado en la Hispanic Society de Nueva York. Su versión definitiva será el reverso sicológico de la *Carga*, pues si en él está representado el pueblo momentáneamente victorioso, en los *Fusilamientos,* por el contrario, en un amanecer lúgubre, les son cercenadas sus vidas a los héroes del día anterior. Delante del pelotón de ejecución un grupo de patriotas se enfrenta con la muerte; mientras, los soldados del ejército napoleónico son representados de espaldas; Goya esconde sus rostros, no por piedad, sino porque son meros instrumentos de la represión. Por contraste, el grupo español es heterogéneo, cada persona se enfrenta ante la muerte de modo diverso. Una gran linterna con luz amarillenta ilumina fantasmagóricamente los rostros. En primer término un hombre —que se destaca, por su camisa blanca y el pantalón amarillo, de sus compañeros con trajes mortecinos— alza los brazos y la cabeza con mirada desorbitada; mientras, los otros rezan, insultan o se tapan los ojos no queriendo ver su propia muerte; y uno de los héroes de la jornada anterior muerde ahora sus puños aterrorizado. Los cadáveres de los ejecutados aún no han sido retirados, yacen en el suelo; meros cuerpos inertes, casi animales. Como fondo aparece la montaña del Príncipe Pío, realizada con pigmentaciones propias de un cuadro expresionista.

Los dos cuadros fueron realizados en 1814 basándose en los bocetos por encargo del cardenal Luis de Borbón, presidente del Consejo de Regencia, para perpetuar por medio de los pinceles los hechos más notables y heroicos de la gloriosa insurrección contra el «Tirano de Europa». Al parecer, fueron colocados en un arco triunfal levantado para festejar la llegada de «el Deseado». Ahora bien, Goya más que hechos heroicos, lo que nos ha legado ha sido un patético testimonio antibelicista.

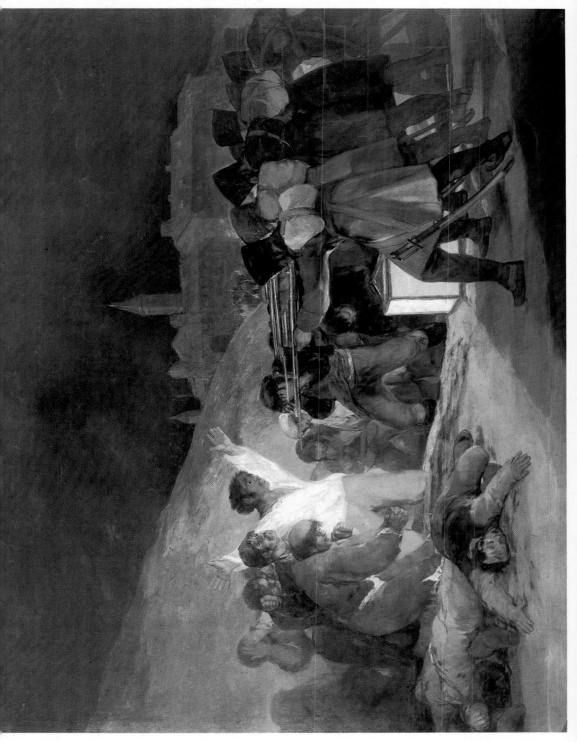

LAMINA XCIII

Francisco Goya.
Aquelarre (1820-1823). Frg.
Pintura mural al óleo, pasada a lienzo, 140 × 438 cm.   C. 761

Perseguido, enfermo y angustiado, Goya pasa sus últimos años madrileños, antes de fijar su residencia en Francia —desde donde sólo realizará un corto viaje a España—, en una modesta villa de dos plantas que estaba situada a orillas del Manzanares, pasado el Puente de Segovia; casualmente ya llevaba el nombre apropiado de *La Quinta del Sordo*. Atormentado por recuerdos y alucinaciones, acrecentado su dolor físico por el dolor sicológico que sentía como viejo liberal en una España absolutista, donde se gritaba: «¡Vivan las cadenas!», Goya, apartado del mundo externo, busca en una creación personalísima su válvula de escape. Con sólo negro de humo, blanco, tierras y algo de rojo y azul va a realizar el ciclo más fantástico e independiente de toda su obra. Esto es debido a que las catorce composiciones de la *Quinta* son posiblemente las únicas obras que ejecuta sólo para sí.

En el *Aquelarre*, posiblemente celebrado en el Campo del Cabrón, aparece este animal, representación demoníaca, con hábitos eclesiásticos y predicando desaforadamente a un grupo de mujeres espeluznantes. Sólo una dama joven aparece un tanto alejada de lo que aquí ocurre; sentada en un extremo está enlutada y cobija sus manos en un manguito de piel. Se ha intentado buscar, como en otros de estos paneles, significaciones secretas; así, Ramón Gómez de la Serna ve aquí una «alegoría de la Confesión»; Sánchez Cantón dice, en cambio, que él sólo se resigna a no ver en la decoración más que un juego de la fantasía y, a lo sumo, «un sueño de la razón». Es significativo que aparezca un cetro al lado de la figura central enterrada en la arena. ¿Sería una alusión a la monarquía?

Anteriormente Goya ya había plasmado escenas de brujería (*Caprichos*, cuadritos para el duque de Osuna en el Museo Lázaro Galdiano, etc.), y hechos truculentos; mas en las «pinturas negras», llamadas así no por el color sino por representar la *crónica negra* de España en su época, no sólo se limita a plasmar terribles escenas, sino que su técnica pictórica se adapta a los asuntos representados, expresando con espátulas y pinceles una libertad artística hasta entonces inédita.

LAMINA XCIV

Francisco Goya.
Saturno devorando a su hijo (1820-1823).
Pintura mural al óleo, pasada a lienzo, 146 × 83 cm.   C. 763

A ambos lados de la entrada del comedor de la *Quinta del Sordo*, se hallaban *Judith y Holofernes* y *Saturno devorando a su hijo*, temas a primera vista poco aptos para un comedor; e inexplicables para aquellos que no se adentren en el subconsciente de Goya. Si en la decapitación de Holofernes expresa la justificación del asesinato del tirano, como ya lo hicieran Donatello, Botticelli y otros artistas, aquí, por el contrario, podría ser la voracidad de la tiranía lo alegorizado. O, con mayor certeza, basándose en Quevedo, España que devora a sus hijos más preclaros. Se ha dado también la explicación que al estar este cuerpo, siguiendo la tradición iconográfica por cabezas extrañas que se devoran entre sí, representaría el tiempo devorándose a sí mismo, lo que confirmaría la hipótesis anterior: el presente hispano a la vez que engulle a los españoles se autodevora.

Pocas veces se ha representado en la historia del arte la expresión de tanta crueldad. Aquí el verismo sobrepasa los límites de lo razonable, para alcanzar una genial anticipación del «expresionismo». Ni siquiera el cuadro de Rubens con el mismo tema, también en el Prado, ni las representaciones de Cronos devorando a las Horas, mitigan la originalidad revolucionaria de este *Saturno*. Aquí la tónica claroscurista de las *pinturas negras* ha llegado a la máxima expresión. Las pigmentaciones de las carnaciones están aplicadas con una ardiente ferocidad, digna de la temática del cuadro. Los tonos rojizos de la sangre son la única nota colorista. Otra vez aparecen ojos desorbitados por la locura, que se clavan en el espectador.

Probablemente el temor de ser engullido por «el terror absolutista» al haber jurado la Constitución en 1820, es lo que le impulsaría a pintar esta espeluznante obra. Al poco tiempo de realizarla, en 1824, abandonaría España, cuando ya contaba setenta y ocho años. El pretexto es tomar las aguas de Plombières, pero más que lavar sus entrañas, lo que necesitaba era purificar su espíritu. Antes de marcharse cedió la *Quinta* a su nieto Mariano. Poco a poco va siendo abandonada; el óleo aplicado directamente sobre el muro enlucido comienza a agrietarse, por lo que el procedimiento tan inadecuado ha hecho que su conservación actual sea muy deficiente, necesitando de periódicas restauraciones, que han alterado su pigmentación original.

En 1873, el barón Emile d'Erlanger adquiere la *Quinta del Sordo*, contratando al famoso restaurador del Prado y original pintor (sobre todo en sus últimos años, cuando tiende a un raro expresionismo) Salvador Martínez Cubells, quien cuidadosamente las arrancó pasándolas a lienzo. Fueron expuestas en la Exposición Universal de París en 1878, donde no gustaron. Esto hizo posible que fueran cedidas al Prado en 1881.

T 536

LAMINA XCV

Francisco Goya.
Escena de toros: Picadores. Frg.
Oleo sobre lienzo, 38 × 46 cm.   C. 3.047

Como magistralmente ha demostrado Xavier de Salas (*Burlington Magazine,* enero, 1964, págs. 37-38) los cinco cuadros conocidos de escenas de toros, a la que pertenece esta deliciosa obra, aunque durante mucho tiempo han sido atribuidos a Eugenio Lucas, son obras indiscutibles de Goya.

De una gran calidad y muy trabajadas, se han usado cañas cortadas como espátulas para lograr efectos de gran relieve pictórico, siguiendo una técnica goyesca que ya aparece en cuadros anteriores a 1812. Pero aunque sirven de base a la serie litográfica de los toros de Burdeos (1825), deberán estar efectuados estos cuadritos anteriormente y llevados por el pintor a su exilio; estas a mi parecer son obras entre 1813-1818, en cuyo quinquenio apartado del mundo vive Goya en la madrileña *Quinta del Sordo,* donde realiza junto a sus famosas *pinturas negras* escenas de fuerte sabor popular (*Globo aerostático, Procesión, Carnaval,* y *Feria*), con los que estas pinturas taurómacas tienen un gran parentesco estilístico. Mas aquí, la técnica es chispeante y densa, la superposición de los pigmentos cromáticos dan calidades semejantes a las del último momento de Rembrandt. Con efectos lumínicos logran un nuevo sentido perspectívico que aplica a la arena de la plaza de toros, por la que resbala nuestra mirada hasta encontrarse con la oscura barrera, en la que los espectadores toman formas y destellos fosforescentes. Y en el centro de la plaza picadores, y toros que dramáticamente despanzurran caballos impresionan al espectador.

Entró en el Prado gracias a la donación realizada por el pintor británico don Thomas Harris, en 1962, por lo que es necesario admitir la sabia opinión de Salas, quien lo considera ejecutado por el mismo tiempo en que realizó la *Corrida* (Col. condesa de Baroja, Roma), y dos cuadros de temas semejantes adquiridos en Christie's (Londres), como de Eugenio Lucas, a quien venían atribuyéndosele; cuando en el de la colección Baroja, fue regalado por el propio Goya a su amigo Joaquín María Ferrer, anotando éste detrás: *Pintado en París en julio de 1824 por Dn Fran(cis)co Goya J.M.F.;* un cuarto ejemplar también fue subastado en Christie's.

Copia de POLICLETO.
Diadumeno (original h. 420 a. de J.C., copia h. 100 a. de J.C.).
Copia en mármol, altura 212 cm.   C. 88 - E

Es esta escultura la mejor copia que se conserva del perdido original del *Diadumeno* de Policleto. Este fue fundido en bronce y era la obra maestra del último período del artista. En esta obra quedaba superado el *Doríforo*, pues aquí se expresa mejor la tensión dinámica. La desenvoltura con que está realizada la estructura anatómica del cuerpo, especialmente la movilidad y flexibilidad de la musculatura, hacen pensar en influencias recibidas de Fidias. La cinta que se coloca a la cabeza, emblema de los triunfadores en los juegos deportivos, está tensada de tal modo que aprieta los cabellos fuertemente, haciendo acusar el relieve plástico, como en algunas obras fidíacas, por ejemplo, en la *Atenea Lemnia*.

Una restauración del siglo XVII ha desvirtuado un tanto la belleza formal que originariamente tenía este magnífico ejemplar. Las piernas tan sólo son auténticas desde encima de las rodillas; el brazo derecho que aparece aquí extendido en lugar de arqueado como lo tenía el original, también es producto en parte de la restauración; lo mismo le ocurre a una gran porción del soporte y a todo el plinto. Lastimosamente se le quitó casi en su totalidad la vieja pátina, pues sólo quedan restos en los cabellos. La belleza y la matización del mármol hace pensar que sea pentélico.

Mas no es, de ningún modo, una mera copia del original de Policleto, sino una interpretación helenística, puesto que algunos detalles, especialmente la forma de colocar los brazos, difieren del original, como ha dicho Blanco Frejeiro «conforme al gusto de la época, los brazos y la cabeza tratan de dar una impresión de volumen espacial ajenos a Policleto». En otro ejemplar, el conservado en Delos, aparece una aljaba en el soporte de la estatua, por lo que se ha supuesto que no representa a un simple atleta, sino al propio Dios Apolo.

Como la mayoría de las esculturas de las colecciones reales españolas, su procedencia es ignorada, pero puesto que el original se encontraba en la antigüedad en Atenas, es de suponer que ésta, como casi todas las copias directas, se harían en esta ciudad. Perteneció a las colecciones de escultura del Palacio de La Granja de San Ildefonso; Ponz, se limita a decir que estas obras provienen de Italia.

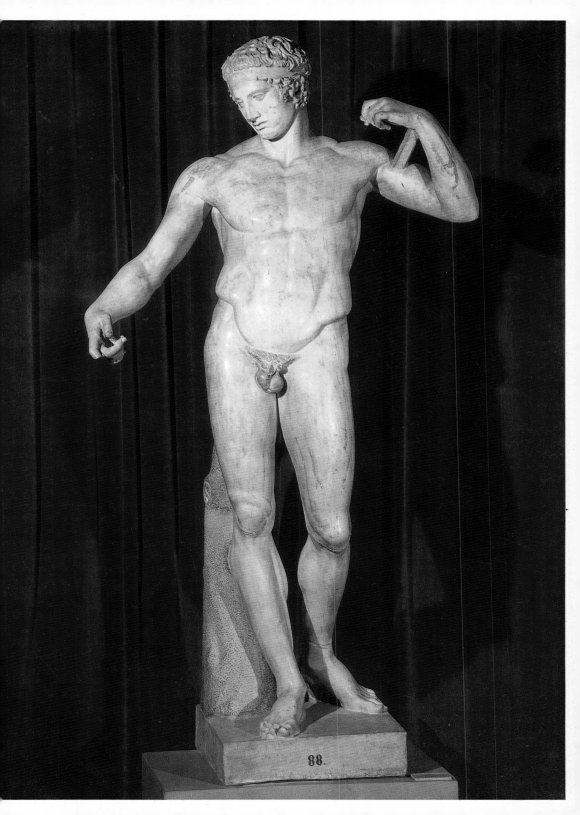

88.

Estilo de LISIPO.
Cabeza masculina (principios del siglo III a. de J.C.).
Original en bronce, altura 45 cm.   C. 99 - E

Esta impresionante cabeza, original helenístico en bronce, representa a un joven de perfectas facciones clásicas, que ha suscitado desde hace muchos años una polémica sobre su iconografía. ¿Quién es el representado? ¿Es éste un personaje real o ideal? Ya en 1899, Kieseritzky la interpretó como de Alejandro. Buschor, como retrato de un joven con los rasgos faciales del caudillo macedónico, pues el perfil recuerda un tanto al que aparece en el mosaico de la *Batalla de Iso* (Museo Nacional de Escultura, Nápoles). No hay duda de que los rasgos fisonómicos son muy semejantes, no sólo al del mosaico de Nápoles, sino que existen también concomitancias con otras cabezas que se creen retratos de Alejandro realizados por Lisipo. Por eso creemos que podría ser ésta una idealización helenística de su rostro, en forma de dios, como Meleagro o Hércules, posiblemente este último, pues es necesario observar que se le llamó el «Ares macedónico». Esta idealización de un personaje es un dato más para indicarnos que la escultura del Prado estaría realizada después de su muerte, ya que ha desaparecido la característica «melena leonina».

Por su estilo y por su belleza plástica, dentro ya del eclecticismo helenístico, hace pensar que debe de estar fundida en el taller de un inmediato seguidor de Lisipo, en los años centrales del siglo III a. de J.C. Como ha señalado Blanco Frejeiro con agudeza, lo único que hace pensar en un retrato es la manera de caer de los bucles sobre la frente, lo cual es muy poco; el carácter individual, de que a simple vista parece dotado el rostro, se debe a las deformaciones que esta cabeza ha sufrido, especialmente en la mitad de la cara, la cual está un tanto aplastada de un golpe; ello le hace a Blanco considerarla como la idealización de un atleta divinizado.

Arndt observó dudosamente que pudiera ser el retrato del pensador, político y gobernante ateniense Demetrio de Faleros. En viejos catálogos de la escultura del Museo del Prado se consideraba como cabeza de uno de los Dióscuros, debido tan sólo al colosal tamaño.

Su procedencia es desconocida. Pero Winckelmann, en 1812, aseguraba que la había comprado Felipe V por 50.000 pistolas (monedas equivalentes al escudo); al ser este tipo de moneda usado en el sur de Italia, pensamos que pudiera proceder de la Magna Grecia. Estuvo en La Granja de San Ildefonso, donde se le llega a citar absurdamente como retrato de Cristina de Suecia. Recientemente ha sido limpiado, extrayendo el betún que llenaba su interior; la vieja peana de mármol ha sido sustituida por un soporte metálico. Esto ha remarcado más aún su inquietante belleza.

Arte grecorromano.
Grupo de San Ildefonso (siglo I a. de J.C.).
Original en mármol, altura 161 cm.   C. 28 - E

El *Grupo de San Ildefonso* es una de las más bellas producciones realizadas en Roma en tiempos de Augusto (o a fines de la República), ya que puede datarse en el siglo I por su marcado carácter helenístico. Esta obra tiene el mismo sentido ecléctico, por ejemplo, que el *Orestes y Electra*, de la colección Ludovisi, en el Museo Nazionale de Roma, y el *Mercurio* y *Vulcano* del Louvre, las cuales están relacionadas con el arte de los seguidores de Pasiteles (escultor procedente de la Magna Grecia y que a principios del siglo se instaló en Roma) el grupo de la colección Ludovisi es obra de Menelaos, discípulo de Estefano, que a su vez lo fue de Pasiteles. Ahora bien, el grupo conservado en el Prado es el más bello de la serie. En él la figura de la izquierda nos recuerda al *Apolo Sauróktonos* de Praxiteles y, en cambio, la derecha está relacionada con obras de Policleto. Pues este conjunto escultórico está formado por dos adolescentes desnudos, el más joven apoyado en el hombro de su compañero, el cual lleva dos antorchas, una de ellas acercada a un ara de sacrificios, la otra de madera —moderna— se inclina en su hombro y sobre el brazo de su amigo. Sirve de apoyo a esta figura una estatua arcaizante de una diosa vestida con el «chitón» (túnica), de manga larga y el «peplo». El pequeño altar que aparece delante y en el que las figuras concentran su mirada, está rodeado por guirnaldas que penden de bucráneos estilizados y centradas por rosetas. La tipología de este ara· confirma la datación del grupo en el siglo I.

La interpretación tradicional era la de que representaba a los Dióscuros: Cástor y Pólux, en el acto de realizar un sacrificio a Perséfone. Pero más sugestiva es la hipótesis, ya sugerida por Winckelmann, de que pudiera representar a Orestes y Pílades sacrificando ante la tumba de Agamenón, por lo cual la diosa sería Artemisa. Es de observar que en el taller de Pasiteles se hicieron grupos de este tipo, basados en la tragedia clásica; también en las pinturas helenísticas se representa a estos héroes con antorchas. Más tarde a la figura de la izquierda se le añadió una cabeza antigua de Antinoo, el «favorito» de Adriano, lo que hizo pensar y defender a Elías Tormo que este grupo era un monumento mortuorio erigido por Adriano al esclavo bitinio. Mas no es rotura, sino corte *ex profeso* lo que separa a esta cabeza del cuerpo, y además su tipología difiere totalmente del resto.

Este conjunto escultórico, además de este añadido, tiene bastantes restauraciones. Su procedencia es desconocida. Estuvo en la villa Ludovisi de Roma; fue adquirido por la reina Cristina de Suecia, pasando más tarde a la colección Odelschachi, y de ésta a la de Felipe V, quien lo llevó a La Granja de San Ildefonso.

ORFEBRERÍA FRANCO-ITALIANA.
El Tesoro del Delfín: Salero (mediados del siglo XVI).
Onice con sirena de oro. Altura 17, 5 cm.

Se llama *Tesoro del Delfín* a las alhajas que heredó Felipe V de su padre, el Gran Delfín de Francia (hijo de Luis XIV), al morir en 1712. Este era parte importante de la herencia, puesto que el resto se reducía a una renta de 40.000 libras producto de sus tierras. Estas fueron asignadas al primogénito del duque de Borgoña; las joyas se repartieron entre el duque de Berry y el rey de España. Una parte de ellas habían sido anteriormente puestas en subasta pública para pagar algunas deudas contraidas por el padre.

Desde su llegada a España, este conjunto de joyas y piedras duras permaneció en el Real Sitio de San Ildefonso hasta que Carlos III, en 1767, decidió que fueran entregadas al Gabinete de Historia Natural (que estaba en el actual edificio del Prado) por él creado, como ejemplo de minerales y metales (!), despreciando su interés artístico. En 1813, en condiciones deplorables, fue llevado a París por las tropas de Napoleón; devuelto dos años después, volvieron la mayoría de las piezas averiadas y con pérdidas importantes, faltando doce de ellas. Trasladadas al Museo de Historia Natural, el director del Prado, don Pedro de Madrazo, logró recuperarlas para el Museo de Pinturas a pesar de una fuerte oposición. En 1818 fueron robadas once piezas y mutiladas treinta y cinco. Desde 1944 permanecen en una sala destinada a ellas. A pesar de robos, mutilaciones y pérdidas, todavía es este *tesoro* una espléndida colección de obras de orfebrería italiana, francesa, centro-europea y oriental; la mayor parte de ellas de la época del Renacimiento y Barroco. Formando un conjunto hermanado con el que procedente de la corona francesa, se expone hoy en el Louvre.

Aunque es difícil seleccionar un ejemplar de esta rica colección, nos hemos decidido por este delicioso *salero* de ónice con sirena de oro, ·cubierta de esmalte en las dos 'colipiernas'. Según Madrazo, no fue fundida sino esculpida en hoja de oro, labrada con pequeños mazos. Predomina en el esmalte el tono azul verdoso, apareciendo pigmentaciones en rojo, blanco, azul y verde. Está adornada esta joya por ciento setenta y siete rubíes, y dos diamantes. En la parte inferior de la sirena existió un pequeño delfín perdido en el viaje a Francia. Posiblemente esta sirena evoca la mar, lo mismo que un tritón lo haría en otro salero que perteneció a Francisco I de Francia. Al parecer es obra realizada en Francia, a mediados del siglo XVI, ya que su marcado carácter manierista hace encuadrarla en la escuela escultórica de Fontainebleau, y aunque se aprecian ciertas influencias de Cellini (reside en Francia hasta 1545); su estilo hace pensar más en el del famoso escultor galo Jean Goujon.

Existe un excelente *Catálogo del Tesoro*, realizado por don Diego Angulo. Los «inventarios» están en vía de publicación.

BREVE VOCABULARIO PICTORICO

arrepentimiento. Corrección que el pintor hace a sus obras.

aureola. Cerco luminoso, que resalta el valor subhumano o de santidad de la figura a quien envuelve.

barniz. Líquido transparente logrado por lo general con resinas, aunque hoy existen barnices plásticos, que preservan las pinturas al óleo. Con el tiempo se enrancia y amarillea, cambiando las tonalidades; así, los azules se convierten en verdes; por lo que es necesario una prudente renovación, teniendo en cuenta que en ocasiones el pintor puede usar en un segundo barniz **veladuras.**

boceto. Esbozo coloreado para conocer el futuro efecto cromático de un cuadro. No hay que confundirlo con los bosquejos o rasguños que son los dibujos preparatorios. **Abocetada** se llama a la factura ejecutada con soltura.

bodegón. Pintura en la que se representan objetos diversos (animales muertos, frutas, cerámicas...); por lo general con cierta aparatosidad, que le distingue de las sencillas **naturalezas muertas** o **inertes.**

caballete. Soporte empleado para sostener el lienzo. Se llama **pintura de caballete** la que se realiza usando este pie.

calidad. Expresión conseguida por el uso de las materias empleadas en la ejecución de un cuadro.

cartón. Dibujo que se emplea como modelo para un tapiz, un fresco, vidriera, etc. Generalmente es del mismo tamaño que la obra proyectada; puede ser en grisalla (fresco) o a todo color (tapiz). Su nombre deriva del material en que está realizado, aunque se pueden emplear otros similares.

color. Elemento esencial de la pintura junto con el dibujo. Por medio del prisma se obtienen los siete básicos: tres fundamentales (rojo, amarillo y azul), tres binarios (verde, mezcla de azul y amarillo; violeta, de rojo y azul; y anaranjado, de rojo y amarillo) y el blanco. Los que refractan la luz se les llama **cálidos** (rojo y amarillo), y los que la absorben **fríos** (verde, azul y violeta). **Complementarios** son los que al fundirse producen el blanco (rojo y verde, amarillo y violeta, anaranjado y azul).

composición. Armonización de las formas y colores en un cuadro.

cromatismo. Conjunto de colores.

empaste. Pincelada gruesa, a veces en relieve.

escorzo. Búsqueda de un efecto de profundidad en la figura por medio de la perspectiva o torsionando las formas.

estructura. Manera en que las partes de un todo (cuadro, escultura...) son ordenadas entre sí. En pintura: la primacía de la relación de la totalidad del cuadro con respecto a sus componentes. La problemática que plantea ha dado origen a una nueva ciencia: el **estructuralismo artístico.**

espátula. Instrumento que es usado para limpiar la paleta o para empastar la superficie de un cuadro. En ocasiones se utilizan como espátulas cañas cortadas longitudinalmente.

estampa. Copia de grabados; muy difundidas en los **talleres** y usadas por los pintores para sus composiciones.

estilo. Manera peculiar de componer o ejecutar propia de una época, de una escuela o de un artista.

factura. Manera personal de hacer una obra.

figura. Representación del cuerpo humano.

fresco. Técnica propia de la pintura mural; cuando todavía se encuentra fresca una capa uniforme de mezcla formada por cal y arena, se aplican los colores disueltos en agua, dando tonos mates y de **gama** reducida.

gama. Matización colorista según el predominio de los tonos cálidos o los fríos. Su graduación da la **escala de colores.**

género. La pintura de género es la que relata escenas de la vida cotidiana.

grisalla. Pintura en la que generalmente se emplean el negro y los grises; casi siempre imitan esculturas.

halo. Ver **aureola.**

imprimación. Preparación monócroma que recubre el lienzo previamente para la ejecución de un cuadro. En los **talleres** se le llama también **manchar** o **aparejar.**

obrador. Ver **taller.**

marina. Cuadro con escenas marítimas o de costas.

materia. El conjunto de empastaciones colorísticas. También se designa así a las **calidades.**

miniatura. Ornamentación pictórica de manuscritos. Pintura de pequeño tamaño.

naturaleza muerta. Bodegón. Ahora bien, por lo general se llama así a los más reposados, su verdadero nombre en castellano sería **naturaleza inerte** o **inanimada,** como propiamente se le designa en los textos españoles.

nimbo. Cerco luminoso que envuelve solamente las cabezas de personajes sagrados.

óleo. Pigmentos colorísticos disueltos en aceite, generalmente vegetales (linaza, nueces...).

paleta. Util para depositar los colores y mezclarlos; hasta los tiempos actuales solía ser de madera de nogal o peral. En sentido figurado: **escala de colores** o **gama** usada por un pintor.

perspectiva. Arte de fingir la tercera dimensión, o sea, la profundidad y distancia. Por medio del dibujo se consigue la **p. lineal**, usando líneas oblícuas **(de fuga)** que convergen en un punto situado en el horizonte. Por el uso de leyes físicas y ópticas, o por intuición personal se ha conseguido la **p. aérea** (véase L. LXXIV) en la que el aire se interpone entre la vista y el objeto.

pincelada. Manera o toque personal de aplicación del pincel.

taller. Lugar donde el artista ejecuta sus obras. En España se llamó **obrador.** También se designa así al grupo de artistas que colaboran con un maestro y a las obras procedentes de él.

temple. Pintura disuelta en agua templada con un aglutinante (huevo, cola animal, o gomas vegetales).

tono, tonalidad. Variantes o matizaciones cromáticas en el que predomina un color determinado.

toque. Ver **pincelada.**

trompe-l'oeil. Voz francesa cuya correspondencia española es **trampantoja** (así se usa en fuentes clásicas). Significa efectos de ilusión espacial.

valores. Se obtienen por comparación o relación entre los **tonos** de una pintura. Tiene el valor más alto el que destaca sobre los demás. Es independiente del propio color, pues puede ser el dominante uno más apagado sobre otro más brillante (como el verde sobre el amarillo). Mientras que en el Renacimiento se buscaba el equilibrio de ellos, en el Manierismo y en el Barroco se prefiere contrastarlos.

veladura. Capa tenue de color transparente, superpuesta a otra seca. A veces se disuelve en un **barniz.**

INDICE DE ARTISTAS MENCIONADOS

N.B.—Los números en negrita corresponden a los artistas destacados en el texto.

279

INDICE DE LAMINAS EN COLOR

285

286

287

INDICE DE GRABADOS EN NEGRO

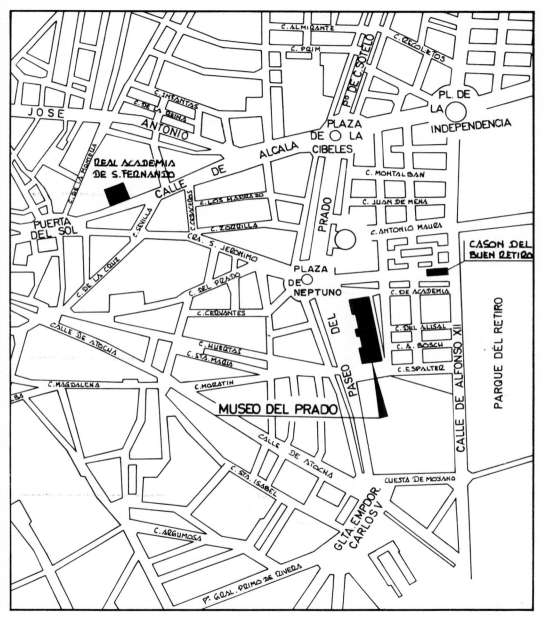

PLANO DE SITUACION

291

INDICE TOPOGRAFICO

ROMANICO: Salas 51 A, 51 B

GOTICO: Salas 49, 55 B, 56 B, 56 C, 57 C

PINTURA FLAMENCA HOLANDESA Y ALEMANA: SIGLOS XV-XVI:
Salas 40 a 44, 63, 63 A, 64, 65, 68

PINTURA ITALIANA, SIGLO XVI: Salas 2, 5, 6, 7, 10, 10 A

> Rafael: Sala 2
> Tiziano: Salas 5 a 10
> Veronés: Salas 7 A, 8 A
> Tintoretto: Salas 8 A, 9 A, 10 A

PINTURA ESPAÑOLA DEL RENACIMIENTO: Salas 49, 50, 55 B, 56 B, 56 C

> El Greco: Salas 9 B, 10 B

PINTURA ESPAÑOLA BARROCA: Salas 1, 8 B, 25 a 29, 59, 60, 60 A, 62,
62 A, 83, 86, 87

> Ribera: Salas 26, 61 A, 62 A
> Zurbarán: Salas 11, 11 A, 30
> Velázquez: Salas 12 a 14, 14 A, 15, 27
> Murillo: Salas 28, 29, 60, 61, 62

PINTURA ITALIANA BARROCA: Salas 89. 89 A, 90, 91, 96 a 98

> Lucas Jordán: Salas 45, 85

PINTURA FLAMENCA BARROCA: Salas 16 B, 20, 21, 61 B, 62 B, 63 B, 65,
67, 68, 79

> Rubens: Salas 16 a 18, 18 A, 19 a 21, 65 B, 75
> Van Dyck y Jordaens: 16 A, 17 A
> Teniers: Sala 66
> Brueghel de Velours: Sala 67

PINTURA HOLANDESA BARROCA: Salas 22, 23
PINTURA FRANCESA SIGLOS XVII-XVIII: Salas 31, 33 a 38
PINTURA ESPAÑOLA SIGLO XVIII: Salas 31, 81, 82

> Mengs: Sala 80
> Goya: Salas 32, 53, 54, 55, 55 A, 56, 56 A, 57, 57 A

PINTURA ITALIANA SIGLO XVIII: Salas 31, 39, 81, 82

> Tiepolo: Sala 39

PINTURA INGLESA, SIGLOS XVIII Y XIX: Sala 84
LEGADO FERNANDEZ DURAN: Salas 92 a 95
ESCULTURA: Salas 1, 25 a 29, 39, 51, 70 a 75, 83
TESORO DEL DELFIN: Sala 73

292

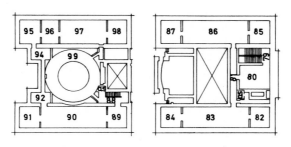

—·PLANTA ALTA·—

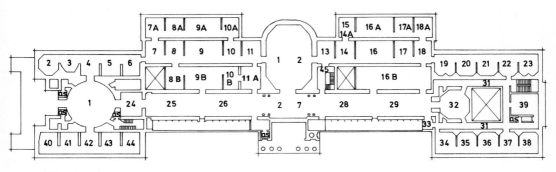

—·PLANTA PRINCIPAL·—

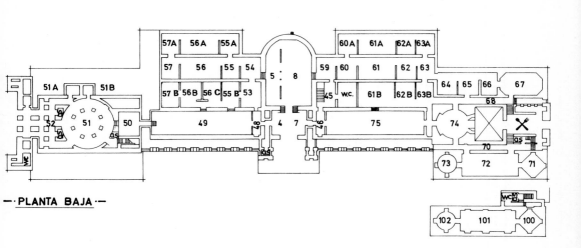

—·PLANTA BAJA·—

293

La bibliografía sobre el Museo del Prado por ser numerosa y dispar es impo-sible de ser citada aquí, mas no podemos olvidar sus importantes catálogos, espe-cialmente el de pintura, cuyas enumeraciones son las que damos detrás de cada obra, haciendo posible al lector con ello ampliar sus conocimientos sobre una determinada obra no comentada en las láminas.